文春文庫

幕　末

司馬遼太郎

JN286027

文藝春秋

幕末（新装版）　目次

幕末

桜田門外の変

一

桜田門外の事変であまねく知られている有村治左衛門兼清《ありむらじざえもんかねきよ》が、国許《くにもと》の薩摩から江戸屋敷詰めになって出府《しゅっぷ》したのは、事件の前年、安政六年の秋のことである。二十二歳。

「江戸にきて何がいちばんうれしゅうございましたか」

と、さる老女からからかい半分にきかれたとき、

「米のめし」

と治左衛門は大声で答えた。薩摩藩士にはめずらしく色白の美丈夫《びじょうふ》で、頬があかい。外貌《がいぼう》どおり、素直すぎるほどの若者だったのであろう。

江戸藩邸では、中小姓勤役《ちゅうごしょうつとめやく》という卑役をつとめた。

江戸ははじめてではあるが、次兄の雄助が一足さきに江戸詰めになって裁許方《さいきょ》の書記をしていたので、諸事、その引きまわしを受けた。

藩邸にわらじをぬいだその日、兄雄助は、

「治左衛門、江戸に来た以上、命はないものと覚悟せよ」

とひくい声でいった。

「心得ていますとも」

そのつもりで、江戸詰めの運動をしてやってきたのである。

「これは風懐《ふうかい》でごわすが、辞世《じせい》のつもりでもあります」

と、煙管《きせる》をとりだした。その柄《え》に、

磐《いわ》、鉄《かね》も、摧《くだ》かざらんや、武士《もののふ》が
　国安かれと、思ひ切る太刀《たち》

と、こまごまときざまれていた。

(まずい歌ではない)

と、雄助は弟の意外な才能におどろいた。母ゆずりかもしれないと思った。母は歌学の達者である。

「つくったのは、おはんな？」

「左様でごわンど」

長兄は有村俊斎、次兄は雄助。この三人兄弟のなかで、治左衛門がもっとも詩才があったようである。

腕も立った。国もとで示現《じげん》流の名人といわれた薬丸《やくまる》半左衛門に学び、兄弟中の出色である。「天稟《てんぴん》がある」と師匠からいわれた。

治左衛門が出府して数日後、次兄雄助は、藩邸から遠くもない西応寺町《さいおうじまち》の借家にすむ後家のもとにつれて行った。

「弟の治左衛門でごあすが、われわれともども、お叱りを願いもすで」

と、雄助はひどく鄭重に紹介した。未亡人はお静といい、齢は四十前後。が、年より早く嫗《おうな》さびているのは、よほどの艱難《かんなん》をへてきたからであろう。

「江戸にきて一番うれしかったこと」

をきいたのは、彼女である。よく笑うひとで、美しい水戸の武家言葉をつかった。言葉のはしばしに漢籍の素養の匂うひとで、多少鼻にはついたが、並な婦人ではなかった。

日下部《くさかべ》家《け》には娘がいる。松子といった。小柄で、小さな泣きぼくろがある。治左衛門は、薩摩領でも、都城《みやこのじょう》の大田舎《おおいなか》から出てきて、はじめて口をきいた江戸娘はこの松子だったから、初対面の印象は痛いほどにあざやかであった。例の、

「米のめし」

と大声で答えたとき、松子はつつしみも忘れて、唇に手の甲をあて、母親から眼顔で叱られた。そのあと、顔をふせ、懸命に笑いをこらえているふぜいが、治左衛門にまでおかしかった。

帰路、

「兄上、いまのご婦人はどなたでごあす」

ときいた。

「馬鹿じゃな」

雄助はあきれた。相手を何者ともわからずにぼんやりすごしていたらしい。

「あの婦人たちは日下部伊《い》三次《そうじ》殿のご遺族じゃ。そげんぼんやりしちょると、大事バ挙げられんど」

「あンとき兄上が教《おせ》えてくれんじゃったもんで、知り申さんのも仕方が無か」

「仕方が無か？　オイが忘れてたちゅうならそのときオイに訊くがよか。そげな粗漏《そろう》では大事バ為《な》せんど」

「こんどから訊き申《も》そ」

治左衛門は、のんびりしている。あれだけの激しい歌をつくる若者とはどうしてもみえなかった。

（まあ、江戸に馴れぬせいじゃろ）

雄助はおもった。

この三人兄弟は、極貧のなかにそだった。父有村仁右衛門は藩の裁許方下役をつとめていたが、嘉永二年、家老某を面罵《めんば》したために職をうばわれ、その後は毎日の食事にも事欠く日がつづき、

（よう生きてここまできたもんじゃ）

とおもうほどの暮らしだった。老父は処世にはむかぬ木強漢で、たとえば、お役御免ののち生計のために刀鍛冶《かたなかじ》になる、とまではよかったが、その下稽古にまず庖丁《ほうちょう》をうった。治左衛門は幼かったから、俊斎、雄助が対槌《あいづち》をうたせられたが、なにしろ鍛冶小屋が貧弱すぎたために、ある夜、風に吹きちらされてしまい、「風ドンまでオイにさかろうか」と腹をたてて、一本の庖丁もつくらずじまいだった。

その後一家は、都城尻枝村にひっこみ、荒地を開墾してかろうじて翌年からカライモの収穫を得て、飢えをしのぐことができた。

（しかしこいつは末っ子じゃけん、そういうドン底の苦労を知らずに成人したもんじゃろ）

と雄助はおもった。なるほどそう思ってみると治左衛門には末弟のおぼこさがあって、なかなか可愛くもある。

長兄の俊斎（のちの海江田《かえだ》武次《たけつぐ》・維新後子爵）は、なかなか世才に長《た》けた男で、家計をたすけるために十一のときからお城の茶坊主に出て、給米四石をもらい、さらに十四で数寄屋坊主になり、その後ふとしたことから西郷吉兵衛（吉之助・隆盛）、大久保一蔵（利通）と相知り、莫逆《ばくぎゃく》の仲になった。

この三人が、当時天下第一の賢侯といわれた前藩主斉彬《なりあきら》に愛され、斉彬という天才から当時としては最も進んだ世界観の洗礼をうけたために、幕末の薩摩藩士のなかでもっともはやく風雲のなかに突出することになった。

いま、その長兄俊斎は京都藩邸にいて、井伊斬奸《ざんかん》計画の京都工作に奔走している。人物は小さいが薩摩の代表的な「志士」の一人としてすでに著名な存在であった。

「治左衛門」

と、雄助はいった。

「いずれ、水戸の盟士とひきあわせるが、機転がきかねば、軽侮をうけるぞ」

「兄上、要するに彦根の赤鬼（大老井伊直弼《なおすけ》）を討てばよいのでしょう。私はそれだけを一念として国から出てきています。機転をきかさねばならぬような仕事は、長兄の俊斎どのにまかせておきます」

（こいつ）

憎くなるほど、理の当然のことをいう。あるいは治左衛門という若者は、刺客として最適な性格のもちぬしかもしれなかった。

二

その後、治左衛門は、兄雄助が、

「日下部殿の御遺族」

と教えた家に、しばしば足を運んだ。薩摩藩邸の有志の密議は、多くこの借家でおこなわれたからである。

この家の仏壇に祀《まつ》られている、

「日下部伊三次」

という名前ほど、薩摩藩の尊攘有志の血をかきたてる名はなかった。幕末の薩摩藩が、最初に出した国事殉難者である。

井伊に殺された。

日下部伊三次は維新史にとって一種の運命的な存在だった。薩摩藩士だが、同時にかつては水戸藩に禄を食《は》んでいたという、いわば水薩両属の存在であった。

父の名は、連《むらじ》。もと薩摩藩士であった。事故があって脱藩し、水戸領高萩で私塾をひらいているうちに水戸藩主斉昭《なりあき》（烈公）に知られ、その子伊三次が召しだされた。

伊三次はその後、藩主に請うて、亡父の藩であった薩摩藩に復帰することをのぞみ、両藩主に許された。

伊三次は水薩の接着剤の役目をつとめた。当時、水戸藩は尊王攘夷の総本山といった絢爛《けんらん》たるふんいきがあり、天下の志士から一種の宗教的な翹望《ぎょうぼう》をうけていたが、薩摩藩がもっともこれに接近することができたのは、ひとつには前藩主斉彬が水戸の斉昭に私淑《ししゅく》していたからでもあるが、日下部伊三次がその橋渡しの労をとったことが大きい。

とくに、西郷、大久保をはじめ治左衛門の長兄俊斎の三人は、日下部伊三次の手びきで早くから水戸の名士と相知ることができ、このことがかれらに重大な影響をあたえた。

その伊三次が、去る安政の大獄で逮捕され、江戸伝馬町《てんまちょう》の牢で言語に絶するような拷《ごう》問《もん》のすえ衰弱死した。同時に捕縛された長男祐之進も、その翌年、牢死。

日下部家には、女だけが残された。

が、静子は尋常《じんじょう》の未亡人ではなかった。

「井伊を倒さなければお国がつぶれる」

と、夫が生前にいった言葉が、そのまま彼女の生活になっていた。

彼女にとって井伊直弼という男は夫と長男の敵《かたき》だが、その私的な敵が同時に天下有志の「公敵」になっている。彼女は彼女なりに、生活をあげて井伊討殺の事業に専念したというのは、当然というべきであろう。

有村治左衛門は、ある日、兄の雄助に、

「ひと足さきに日下部家に行っておれ」

といわれて、お静の宅をたずねた。

この家は、訪ね心地がいい。後家殿のお静も親切だし、娘の松子も、治左衛門に好意をよせているようであった。

お静母娘《おやこ》は、治左衛門のことを、

「弟さん、弟さん」

とよんだ。日下部家としては、早くから長兄の俊斎に親戚同然の待遇をあたえてきたからその末弟をそうよぶのは自然な気持であったろう。二度目に訪ねたときなど、母親のお静は、

「失礼ながら、家族同然のおつもりでお気儘《きまま》をいってくださいますように」

といってくれた。なんといっても彼女にとって治左衛門は、自分の一族にかわって敵をとってくれる大事な若者である。

治左衛門は、治左衛門で、男兄弟の中で育っただけに女世帯というものがめずらしく、座敷でただすわっているだけで楽しかった。

茶はいつも、娘の松子が出してくれた。母親のお静は、どうかすると、

「わたくしは台所で手が離せませんから、松がお相手しますように」

と、娘に命じて二人っきりにしてくれたりした。

しかしこういう対座は、ものの五分ともたなかった。治左衛門は、二人きりになると不器用にだまりこくってしまうし、松子もうつむいたきりで、たがいに話を交す勇気も話題もなかった。

しかし内心、

（こぎゃん美しか娘は、鹿児島のお城下にもおらん）

とあぶら汗を流すような懸命さで、考えていた。しかし惚れている、と素直におもえなかったのは治左衛門の不幸であった。女に惚れるなどの感情は愧《は》ずべきものであると国ではおしえられてきた。

その日、日下部家を訪ねると、母親のお静が出てきて、

「ああ、ちょうどよろしゅうございましたわ」

と、水戸なまりでいった。珍客がきている、という。この日、事件年譜によれば治左衛門が出府して四カ月目の安政七（万延元）年正月二十三日。

玄関さきでお静が、治左衛門に予備知識をもたせるために、小声で客の名をいった。

水戸藩小姓二百石佐野竹之助、同馬廻組《うままわりぐみ》二百石黒沢忠三郎。

（同志だな）

名はかねてきかされている。佐野などは幽閉中の身で藩の監視を受けているため藩地をぬけ出すだけでも容易ならぬ苦労があったはずだ。

「おふた方とも百姓の体《てい》にやつしていらっしゃいます」

「なにをしに来たのでしょう」

「え？」

と、母親は、意外な顔をした。

「あなたに会うためにいらっしゃったのですよ」

「私に？」

「ええ、あなたと雄助兄上様とに。水戸藩有志の代表として、薩摩藩有志と連絡をとるために命がけで出ていらっしったのです」

「ははあ」

治左衛門はあらためて自分がよほど重要人物になっているらしいことを知った。しかし自分のような田舎者に、かれらと連絡密議などできるものかどうか。

「おいくつぐらいのひとです」

「治左衛門様とおなじでございますよ」

「え？」

「どちらも二十三歳でいらっしゃいます」

（なんじゃ、若《わけ》な）

安心して、奥へ通った。

そこに、佐野、黒沢がいた。松子を相手に冗談をいっている。日下部家がもと水戸藩士だっただけに、互いに旧知の間柄らしいのが、治左衛門に軽い嫉妬を感じさせた。

「それがし、俊斎、雄助の弟、有村治左衛門でごあす。兄同様おひきまわしを願わしゅう存じます」

「あ、これは」

と、二人はすわり直して、それぞれ名乗った。佐野竹之助は頭をあげるとすぐ、

「有村君、これで挨拶はすんだ。爾今《じこん》他人行儀はやめましょう。死ぬときは一緒の仲ではないか」

「はっ」

大きな声を出した。

「お言葉により、そうし申《も》す」

と、治左衛門、社交馴れがしない。とくに、相手が、尊攘議論の本場で知られた水戸藩士だけに固くなってしまっていた。

(これはこれは)

と治左衛門が二人を観察するところ、黒沢忠三郎は薩摩にもありげな朴訥《ぼくとつ》そうな青年だが、佐野竹之助は、剣より三味線をもたせたほうが似合いそうな洒々落々《しゃしゃらくらく》とした若者である。そのくせ、佐野はたしか神道無念流の腕ききだという。

(みごとな男じゃな)

治左衛門は感心したが、ところが多少気になることは佐野の松子に対する態度であった。松子を娘くさいともおもわぬ様子で、

「お松殿、お松殿」

とよび、例えば佐野は自分の百姓着のえりをつまんでみせて、

「お松殿、この風体です。お父上か兄上のお着古しでもありませんか」

「あ、そうでした、気がつきませず」

松子は軽やかな物腰で立ってゆくのだ。

(なにもかも水戸者にはかなわんな)

母親のお静もそうである。まるで治左衛門がそこに居るかというふうなそぶりで、この遠来の新客を遇している。母娘とも薩摩藩に籍をおくとはいえ水戸育ちだから、同郷の若者に身びいきがあるのであろう。

しかも容易ならぬことは、二人の話の様子ではずっとこの家に潜伏《せんぷく》する予定だという。いやかれらが決めたのでなく、兄の雄助が、お静にそのように頼んだらしい。

(しかし井伊を斬奸したあと、その下手人を事前にかくまっていたとあれば、日下部母娘は無事に済まなくなるのではないか)

未亡人のお静にとっても、これは決死のことにちがいなかったが、お静は面にもださず、佐野と黒沢に、亡父と長男の古小袖《ふるこそで》を着せては、たけがどうとか、みはばがどうとか、まるで息子が帰ってきたような明るさでしゃべっていた。

(オイよりも家族同然じゃな)

治左衛門はうらやましそうにそれをみている。

やがて、兄の雄助がきた。薩摩藩も俗論派が多いから、行動に十分気をつけていた。兄弟一緒に出なかったのは、そういう配慮があってのことであった。

この日、格別の相談はなかった。

とにかく、佐野、黒沢のいうところでは、数日後に、水戸藩同志木村権之衛門《ごんのえもん》が、水戸待機の同志の意向をまとめて江戸へ潜入してくるという。

「委細はそのときに」

と、佐野はいった。

兄の雄助は、人がいい。八方駈けまわって工面した金で、安酒を持参してきていた。

「ほう、これは馳走だ」

と、松子の酌《しゃく》を受けながらいった。が、酒がわるい。

良家の育ちの佐野は、そのにおいにちょっと顔をしかめたが、やがて酔っぱらってしまうと警抜な議論をはじめた。

(ああ、これが水戸風の議論か)

治左衛門は、眼をかがやかせて傾聴した。

いやまったく、佐野がその才弁をもって大老井伊直弼の罪禍を糾弾《きゅうだん》するあたり、治左衛門がきいても、あらためて骨鳴り毛髪のそそけだつような昂奮をおぼえるのである。

なるほど、古来、井伊直弼ほどの暴悪な行政家はまず少なかろう。悪質な密偵政治を行ない、上は親王、五摂家、親藩、大名、諸大夫《しょだいぶ》、さらに諸藩の有志、浪人にいたるまで百人以上を断罪した。

井伊は政治家というには値いしない。なぜなら、これだけの大獄をおこしながらその理由が、国家のためでも、開国政策のためでも、人民のためでもなく、ただ徳川家の威信回復のためであったからである。井伊は本来、固陋《ころう》な攘夷論者にすぎなかった。だから、この大獄は攘夷主義者への弾圧とはいえない。なぜなら、攘夷論者を弾圧する一方、開国主義者とされていた外国掛《がいこくがかり》の幕吏を免黜《めんちゅつ》し、洋式調練を廃止して軍制を「権現様以来」の刀槍主義に復活させているほどの病的な保守主義者である。

この極端な反動家が、米国側におしきられて通商条約の調印を無勅許《むちょっきょ》で断行し、自分と同思想の攘夷家がその「開国」に反対すると、狂気のように弾圧した。支離滅裂、いわば精神病理学上の対象者である。

とにかく井伊の弾圧には、政見というものはない。多少根拠のある妄想からきている。かれは水戸斉昭の政治的容喙《ようかい》をきらい、憎悪し、ついには斉昭に幕政乗取りの大陰謀ありと見、水戸支持の公卿、諸侯、志士をその陰謀加担者とみて弾圧した。いわば一徳川家の家政の私的な問題を、国家の問題として、これだけの大事をひきおこし、なおこしつつある人物である。

「ただ、無智、頑癖《がんぺき》、それだけの男が強権をにぎっている。狂人が刃物をふるっているにひとしい」

と、佐野竹之助はいった。この「暴悪」を停止させる力は、井伊自身による独裁政治の治下ではどこにもない。もはやその人物を殺す以外にかれの暴走を停止させる手がないであろう。

「水戸ではこの一挙に、千人を動かすことができる」

と、佐野はいった。水戸人にとっては、主人の怨《うらみ》を雪《すす》ぐ、という意味もあるのだ。

「薩摩も」

と、雄助は力のない声でいった。

当初、井伊誅殺《ちゅうさつ》については、薩摩藩激徒のあいだに壮大な計画があった。計画の主導者は、有村俊斎、大久保一蔵、西郷吉兵衛、高崎猪太郎ら薩摩藩でいう「精忠組」の連中で、水戸有志と何度も密会をかさね、井伊誅殺と同時に、薩摩藩は壮士三千人をもって大挙京にのぼり、朝廷を守護して幕府に臨み、朝命によって幕政の改革をせまるにあった。

この「斬奸計画」のため国もとにおける大久保ら有志数十人が脱藩を覚悟したほどだが、この脱藩のうわさが藩主の実父島津久光に洩れた。

が、久光は、弾圧しなかった。このとき久光がとった態度が、幕末動乱期における薩摩藩独特の統制主義の基礎をつくったといわれている。「そのほうたちの志は嘉《よみ》する」

と、久光はいった。「しかし微力の脱藩浪人の力で天下を動かせるものではない。まあ待て。いずれ薩摩藩は一藩をあげて事に従い、十分に準備をととのえ、機会を察して起《た》ちあがるつもりでいる」

この旨を藩主直書のかたちにして、しかも「精忠士面々へ」と宛名までつけ、「精忠組」という非公認政治団体をいわば公的なものとして認めた。あざやかすぎるほどの手《て》際《ぎわ》である。

これには大久保らも鎮《しず》まり、「一藩勤王ならば、わざわざ脱藩して詭道《きどう》を踏むにあたらない」と突出を思いとどまり、それぞれ血判して請書《うけしょ》を出した。

ところで、江戸の薩摩藩邸にいる「精忠組」は、国もとでのそういう急変を知らず、斬奸の準備をすすめていた。もっとも精忠組といっても藩邸の同志の人数はわずか六人で、有村雄助・同治左衛門兄弟をはじめ、堀仲左衛門、高崎猪太郎、田中直之進、山口三斎だけである。

薩摩藩では藩主の直書を江戸に送って、とりあえず堀、高崎を国もとに召喚し、さらに山口三斎、田中直之進も帰国の途についた。

残ったのは有村兄弟ただ二人である。自主的に残った、というのではない。国許へ戻されねばならぬほどの大物でなかっただけのことである。

「薩摩も」

と雄助の声が小さかったのは、その事情があったからである。

数千人どころか、薩摩藩は有村兄弟ただ二人であった。

藩邸にもどってから、治左衛門が、

「兄上、数日後に水戸有志代表の木村権之衛門殿が来られるというのに、この為体《ていたらく》ではわが藩はまるで水戸を裏切ったことになるではありませんか」

「国許の事情が、よくわからんのだ。一藩勤王になったということだけはわかっているのだが」

「薩藩の受けもちである京都挙兵は、藩としてやるのですか」

「わからん」

江戸では事態がつかめないのである。いずれその詳報は、先日、国許へ召喚された堀、高崎らが報《し》らせてくるだろうが、江戸鹿児島の往復日数を考えると、とても蹶起《けっき》計画の間にあいそうにない。まして数日後にやってくる水戸藩有志代表の木村権之衛門に、どういう返事もしようがないのである。

「治左衛門」

雄助は悲痛な顔をした。

「われら兄弟二人だけで参加するか。藩も余人も頼むに足らぬ。二人で百人分の奮戦をすれば水戸への義理もたとうというものだ」

「兄上」

治左衛門はくすくすわらった。雄助は、あきらかに藩の有志から置きざりにされている。自分に機転がきかぬと叱りながら、次兄もたいした政治力があるわけではない。

「なにを笑う」

「いや、結局は、剣あるのみですよ。国許工作や京都工作などと諸先輩は奔走なさるが、要は井伊を斬ればいいのでしょう」

「治左衛門、よくぞいった」

なるほどそうである。能力のある連中は政治が多すぎ、つい本質を忘れてしまう。治左衛門のような男は、かえってこういう紛糾《ふんきゅう》事態にあえば迷わない。

「治左衛門、われらは薩摩藩士の名誉を守らねばならぬ。薩人にも信義あり、ということを水戸人と天下、後世に示すのはわれわれ兄弟をおいてない」

「兄上も、論者だな。そういうことをいわなくても、要するに井伊を倒せば世がかわる。それだけでいい」

「そのとおりだ」

雄助には、だんだん弟の治左衛門が大きくみえてきた。

その後数日たった正月二十七日、木村権之衛門が日下部家にあらわれ、松子を使いとして薩藩邸から、有村兄弟を呼んだ。木村は、藩では十石三人扶持《ふち》の小身だが、年は三十五、六、水戸藩きっての周旋家でとおった男だ。

「なんでござると？　天下の雄藩できこえた薩藩が、結局しぼりしぼれば、お手前どものご兄弟お二人になったと？」

「いや、左様なわけではない」

と、雄助は汗をかきながら藩情を説明したが、木村にはよくわからない。当然なことで雄助にもわからないのである。

「わかりました」

と木村が最後にいったのは藩の内情を理解したのではなく、兄弟で薩藩の名誉を担《にな》おうという有村兄弟の壮気であった。

横できいていた佐野竹之助が、頬を紅潮させて治左衛門の手をにぎった。

「感動した」

と、佐野はいった。

雄助は、木村権之衛門に懇願するようにいった。

「権之衛門殿、井伊を斬ってなおその効果を大ならしめるために弊藩《へいはん》有志は京都義挙を計画したのでござるが、そのことといかようになっているか、詳報がない。詳報があるまで、蹶起の日をのばしてもらえませぬか」

「京都義挙は、貴藩のこと。貴藩の藩情とにらみあわせてこっちの期日をきめれば、ついに好機が来ぬかもしれぬ。水戸の藩情も複雑をきわめていて、これ以上期日がのびれば、人数を江戸にあつめることが不可能になる。わが方の事情としては、斬奸期日は二月二十日前後。ただし早くなるとも、これ以上延びぬこと。人数は多いと江戸潜入が困難ゆえ、精鋭五十人をすぐる」

「斬奸の場所は」

「桜田門外」

彦根三十五万石井伊家の上屋敷は、江戸城桜田門外にある。

「それに、われわれは盟主として関鉄之助君をたてるつもりです。この君は、貴藩の高崎君と京都で奔走したことがあるから、薩摩人には無縁の人ではない」

だから従えというのであろう。薩摩側は二人だけだから諸事、水戸藩の指揮を仰ぐのが当然といえば当然であった。

木村は、捕吏《ほり》にしばしば尾行されている身だから、長居を怖れてすぐ辞去した。

三

二月半ばをすぎてから、水戸の盟士がぞくぞくと江戸に潜入してきている。

かれらは、市中の各所で潜伏した。それらの盟士のあいだの連絡は、もっぱらお静、松子母娘がとった。女だから、怪しむ者はない。

ある日、お静が、治左衛門に、

「弟さんは御出府、日もないことですから、江戸の町はご存じないでしょう。松子に案内させてご見物なさればいかがです」

「見物、とは？」

「桜田を」

お静は、暗に予定戦場の地形偵察を命じたわけである。もっともと思い、松子に連れて行ってもらった。

江戸城桜田御門というのは、正面御苑より南へ、霞関虎門《かすみがせきとらのもん》に通ずる門戸で、背後に高い土手、石垣を背負い、白壁に大小の銃眼をうがち、田舎城の本丸ほどもある櫓門《やぐらもん》である。

その門前に立って治左衛門は、

「ほう」

と無邪気に前方をみた。

「これは近い。井伊家の長屋々々の瓦の数まで勘定できる」

数丁、といっていい。三十五万石、譜代筆頭の格式を誇る堂々たる井伊家の門が、ほんのそこにみえるのである。門は、朱で塗られている。井伊は藩祖以来、徳川の先鋒という陣立てで具足、指物すべて赤を用い、井伊の「赤備え《あかぞな》」といえば、関ケ原、大坂の陣などで敵をふるえあがらせたものだ。世間が大老直弼のことを、

「赤鬼」

とよぶのは、そのことによる。門まで、朱か丹《に》を用いて、赤々と塗りたててある。

「そのお屋敷が豊後《ぶんご》杵築《きつき》の松平大隅守《おおすみのかみ》様、あそこが……」

と、松子は説明した。

「くわしいですな」

「もう三度きています」

と、松子は笑いもせずにいった。この母娘の復讐の性根は、あるいは水戸の盟士以上かもしれない。

そのあと、治左衛門は、付近のさいかち河岸を歩いたり、掛茶屋の位置を見定めたりして、十分に「戦場」の地理を頭に入れた。

帰路、松子のために辻駕籠をひろってやろうと思い、あたりを物色したが、松子はとめた。

「松は歩きます。治左衛門様は、駕籠のお代をお持ちではないでしょう」

持っているはずがない。

「松も貧乏ですから、持っていません」

わるびれずにいった。歩くしかない。

途中、松子は、亡父の奔走時代家計がいかに窮迫したか、という貧乏話を、面白く語ってきかせた。ずいぶん深刻な話もあるのだが、話しぶりがいかにも乾《かわ》いていて、治左衛門は、わるいと思いつつ何度か噴きだした。貧乏話のうまいのは人柄がいい、という。

治左衛門はいよいよこの娘に好意をもった。

「松子殿は、いい方ですなあ。佐野竹之助君などは稀有《けう》の好漢だから、ああいう人のもとに嫁《い》けば、きっと」

「え?」

と、松子は妙な顔をした。

「治左衛門様。あの、……母がなにか申しあげませんでしたか」

「はい?」

「日下部家は、途中、祖父、父が水戸にあったとはいえ、四百年の島津家の譜代です。松は、薩摩藩士以外には嫁《とつ》ぎませぬ」

「水戸人はおきらいですか」

「松の故郷ですし、母の里もございますから水戸の人をみると懐しいとは思いますが、しかし薩摩人のほうが好きです」

「ほう」

うれしそうに空を見あげたが、いまの松子の言葉が、治左衛門への彼女の気持を告白したものであるとは、この若者は気づかなかった。

「治左衛門様は、いいひとですね」

松子は、ちょっと悲しそうにいって、下を見た。その視線を、桜田濠《さくらだぼり》に移した。濠の水面に、小さな風波が立っている。


その後、井伊邸付近の模様を、治左衛門は次兄雄助に略図をかいて物語った。話しているうちに兄弟は昂奮してきて、

「決行もあといくばくもない。国もとの母上にそれとなく永訣《えいけつ》の手紙を書こう」

と、それぞれ筆をとった。

翌日、手紙を藩の飛脚に託した。

この手紙が到着したのがいつだったかは、よくわからない。が、兄弟の母が返事をしたためてそれが江戸藩邸についたときは、すでに「事件」の後《ご》であった。歌が一首、そえられていた。「弓張《ゆみはり》の月も時雨《しぐれ》に曇るかな　思ひ放《はな》たば隈《くま》なからまし」

佐野竹之助はよほど治左衛門に好意をもっているらしく、ある日、

「これは君と僕の自画像だ」

と、稚拙《ちせつ》な自筆の絵（現存）をみせた。武士がひとり、乱戦のすえ、巨魁《きょかい》井伊の首を刺しつらぬいている絵である。

「しかし、一人しか描いていない」

「いや、この画中の人物は、君がみれば君、僕がみれば僕。しかしとくに君に差しあげよう」

「あっ、呉れるか」

大よろこびで治左衛門は藩邸にもって帰り、それに手紙を添え、母親に送った。形見、というより無邪気な自慢のつもりであろう。

ただ、この絵像どおり、同志が何人いようと井伊を斬るのは自分だ、という決意をひそかにかためていた。

いよいよ同志の交通が頻繁《ひんぱん》になり、蹶起計画は具体化してきた。

水戸側の人数は減った。幕府の、対水戸激徒への監視がきびしく、江戸への潜入が困難になったのである。二十余人。

日も多少延期された。

その最終的な案を持って、盟主の関鉄之助が、肥満した体を日下部家に運んできたのは二月十日すぎである。

「決行の日は三月三日とします。この日は上巳《じょうし》の節句で、ご存じのとおり諸侯が祝賀のために登城する慣例がある。しかも登城の時刻も辰《たつ》（朝八時）と、はっきりしているから、待ち伏せにしくじることはない」

このあと、関は意外なことをいった。

「有村君、いや、雄助君のほうです。あなたは、弊藩の金子孫二郎とともに当日、蹶起には加わらず、別に重要な仕事をしていただく」

雄助はおどろいた。

が、関はおさえ、

「初期の薩藩側の計画、あれをすてるのは惜しい。とにかく雄助君と弊藩金子君は、現場には参加せずしかも現場を見とどけた上、すぐ京へ走り、薩摩藩邸に入り、機をはずさず天朝を擁して幕政を改革、といった方向へいそぎ膳立てを整えてもらいたい。でなければ桜田で流れるわれわれの血は、意義を半分うしなうことになる」

「しかし拙者が参らずともよいでしょう」

「あなたは薩摩藩士だ。対薩摩藩工作はあなた以外には人がない。金子君は水戸有志代表としてあなたの供をします」

「――すると」

「そう。桜田門外に参加する薩摩藩士は、ご舎弟《しやてい》お一人ということになる」

三月一日、最終的な相談のあつまりが、表むき「書画会」という名目で、日本橋西河岸《にしがし》の貸席山崎屋の奥座敷をかりてひらかれた。有村兄弟出席。

この会がはじまる寸前、佐野竹之助が先着の関、金子に説き、

「井伊をですよ、たれが仕留めるにしても、首をあげるのは有村治左衛門ということにしてやってほしい」

佐野の思うところ、他藩士のなかでたった一人参加しているあの薩摩の若者があわれである、というのである。最初大法螺《おおぼら》をふいていた薩摩藩士がつぎつぎと脱《ぬ》けてゆき、ついには治左衛門ひとりになった。治左衛門は、ある日佐野に、「自分ひとりが参加するだけでも、水薩義盟に対する薩人の誠意が後世に疑われずに済む」といった。また治左衛門は一人で藩を代表しているつもりか、「私は井伊の行列にまっさきに斬り込み、島津家四百年の武勇を代表したい」ともいった。

「いかがです」

関は、考えた。が、すぐ決断した。

「そう取りはからいます」

といった。治左衛門に首をあげさせて薩摩藩に花をもたせるというのは、関の薩摩藩に対する政治的な配慮で、斬奸ののちの京都義挙は薩摩藩にたよらざるをえない。花をもたせて奮起をうながす、ということであった（とはいえ薩摩藩は結局、この年から七年後、

慶応三年の薩長土三藩の王政復古密議までついに腰があがらなかったが）。

関は一同の顔が出そろった上で、右の件をはかり、一同の賛同をえた。

みなの視線が、治左衛門にあつまった。どの視線もこの若者にひどく好意的であった。

（オイは、やっど）

治左衛門は、涙が流れてきた。何度もふいた。拭いてもふいてもあとから滲《にじ》みあがってきて、どうにも閉口した。

「やり申《も》す、やり申《も》す」

そのあとは、にこにこしていた。

その翌二日、水戸藩士一統は、事件後、累《るい》が主家におよぶことを怖れ、小石川の水戸藩邸の目安箱《めやすばこ》（投書箱）に暇願《いとまねが》いの願書を一人ずつ投じ、そのあと大挙して品川遊里の引手茶屋《ひきてぢやや》「虎屋」に入り、さらに、同遊里の妓楼「土蔵相模《どぞうさがみ》」に登楼して最後の酒宴を張った。

治左衛門はその遊興には参加しなかった。

金がなかった。当然ついてゆきさえすれば水戸側の連中が支払ってくれはするが、気づまりであった。かれは品川へゆく同志と別れ、この日、兄雄助とともに日下部家にゆき、最後のあいさつをしている。

——が、椿事《ちんじ》があった。

これを大久保利通の日記に藉《か》りよう。むろん、大久保は当時在国だったから、のちに身辺できいた話をかきとめたものであり、多少、諸事説とくいちがいがある。

「一挙の前夜、諸同志は日下部家に会す。時に三月二日也。評議すでに熟し、客散ぜんとするとき、母（お静）儀、有村兄弟に用あるをもつて、これを留《とど》む。兄弟再び席につき、その故《わけ》を問ふ」

次兄の雄助はすでに察していた。以前からお静に、「治左衛門を頂戴して、日下部家のあとを継いでもらえまいか」と頼まれていたのである。が、雄助は、一存ながらことわっておいた。生還しがたい挙に出てゆく者を養子にするのはどう考えても無意味であろう。

果して、お静はそのことをきりだした。雄助は、右の理由でことわり、

「治左衛門、どうか」

ときいた。治左衛門は突然のことで、お伽話《とぎばなし》でもきくような遠い気持がしてしばらくぼんやりしていたが、すぐ、自分のことだと気づき、狼狽《ろうばい》した。

「こ、こまります。明朝は命はないというのに、婿《むこ》などにはなれませぬ」

ここで、大久保利通日記を藉りよう。「母儀云ふ、妾《せふ》、婦人の身といへども粗《およ》そその故を知る、しかりといへども亡父の霊夢の訳もこれあり」

霊夢、とは、ある夜、亡父日下部伊三次が娘松子の枕頭《ちんとう》に立ち、「治左衛門を養子としそなたに娶《めあわ》せん」といったというのである。

霊夢というものが存在するものかどうかは別として、松子は、夢にみるほど治左衛門のことをひそかに想っていたことは確かであろう。

また、日下部家は、当主を失ってもなお薩摩藩に臣籍をもつから、家中の士を養子にすれば、家、名、家禄は存続できるのである。薩人との養子縁組は日下部家にとって当然の利益なのだが、かといってわざわざ明日死ぬ者を婿にするとはどういうことであろう。

「婿にするなら、むしろそういう人をぜひ」

という心境になったのは、ここ一年、この母子は、井伊への復讐斬奸の密謀の渦中に身をおきすぎ、異常に感傷的になっていたにちがいない。――さらに大久保の簡潔な文意を借用すると、

「ぜひその主意を達するまでに候」

と、お静は断乎といい、

「さりながら、その志をお汲《く》み受けなきにおいては、ぜひに及ばず候につき、この席を御立たせ申すことは、相ならず」

と、涙を溜めて詰め寄っている。治左衛門はうれしかったであろう。いや恋の成就な

どというものではなく、人間、この場の治左衛門ほどに他の人間から厚遇を受ける例は、まずありえないであろう。死ぬ身へ、娘を呉れようというのである。

「治左衛門、情義、黙《もだ》しがたく」と、大久保は云う。

「快然として、それほどの思召《おぼしめし》については、随分、その意に応じ候」

「母儀、喜悦なゝめならず。娘をよびて盃をなさしめ、仮りに夫婦の契《ちぎ》りを」

とある。仮《か》り祝言《しゅうげん》をしたのである。その夜この夫婦は、添臥《そいぶ》しをしたかどうか、わからない。ただ大久保利通日記には、ただの半夜であるのに、「夫婦の契りを結びけるよし」とある。

想像するところ、年若い壮士の門出のために、お静は娘を贈ったのであろう。さらに想像すれば、壮士治左衛門を一夜でも婿にすることによって、桜田門外の斬奸は、日下部母娘にとって身内の手による仇討ということになる。

翌《あく》る未明、治左衛門は、わらじを踏みかためて日下部家の軒下を出た。路が、白い。提灯の明りの中で、しきりと白いものが降りしきっている。

(三月三日というのに、雪はめずらしい)

治左衛門はひきかえして、松子から笠をもらい、歩きだした。

集合地は、愛宕山《あたごやま》である。山上の社務所付近で落ちあうことになっている。

石段をのぼるころには、白雪がすでに二寸は積もっていた。のぼるにつれて、足もとに市中のみごとな雪がひろがってきた。雪はすでに牡丹雪《ぼたんゆき》にかわり、舞い重なって落ちてくる。

(このぶんではまだ降るな)

社務所付近には、すでに同志があつまっていた。唐傘《からかさ》、羽織、マチ高袴といった普通装束の者、笠をかぶって股引姿といった者、合羽姿《かっぱすがた》、まちまちである。同志十八人。

この少数で、彦根ほどの大藩の行列に斬り込んで功を収めうるかどうか、たれしもの気持に多少の不安があった。

「やあ、治左衛門」

と、佐野は傘をさしかけてくれた。このほか黒沢が微笑して寄ってきた。あとの水戸侍は治左衛門と馴染《なじみ》が薄いだけにどこかよそよそしかった。海後嵯磯之介《かいごさきのすけ》、森五六郎などの後日譚《ごじつだん》では、治左衛門をみるのははじめてであったという。かれらへはすべて、佐野竹之助がひきあわせの労をとった。

やがて総指揮者関鉄之助の最後の注意があり、数人ずつ石段をおりはじめた。

やがて桜田門外の掛茶屋に入った。すでに井伊屋敷付近へは斥候《ものみ》として岡部三十郎が行っており、行列が門を出るや、合図を送ることになっていた。

斬り込みは、数組に分かれて行なう。まず先頭襲撃組、これが最初にかかって行列を混乱させる。ついで右から襲う組、左からの組、この両組は、井伊の乗物を直接襲うことになろう。治左衛門は左組、佐野竹之助は右組である。さらに後尾襲撃組。

「怪しまれるから、めいめい出ろ」

と、関は眼顔で知らせた。掛茶屋に十八人も詰めていてはたれしも不審を抱こう。茶屋に残留したのは、四人。治左衛門も佐野もそのなかである。

あとは、田舎侍の江戸見物といったかっこうで、用意の武鑑《ぶかん》を手にして、大名行列を待っている。武鑑の紋所と行列とを照合しながら、

「あの九曜星《くようぼし》は、細川侯、これは真田侯」

といったぐあいに田舎侍たちが見物するのが、諸侯登城日のごく普通の風景になっていたから、たれもあやしむ者はないであろう。

「佐野、オイは一番駈けをするぞ」

「抜け駈けするなよ。関殿の指図どおりにするのだ」

やがて、午前八時《たつのこく》。

その刻《とき》を報ずる城内の大太鼓が、鼕々《とうとう》と鳴りだした。

降雪がますます激しくなっている。

「来た」

「いや、尾張侯」

と、治左衛門は答えた。薩摩の幼児遊びに諸侯の紋所を覚える遊びがあるから、治左衛門は遠目の直覚でわかる。

その行列が桜田門に消えたころ、井伊家の赤門が、さっと八ノ字にひらいた。

行列の先頭が、門を一歩。

やがて、一本道具を先に立て、いずれもかぶり笠、赤合羽という揃いに装《よそお》った五、六十人の行列が、きざみ足で、しずしずと押し出してきた。

総指揮者関鉄之助は、唐傘を一本、高目にさし、合羽、下駄《げた》、通行人といった行体《ぎょうてい》で、ゆっくり井伊の行列にむかって歩いてゆく。そのあと、佐野らがつづいた。

佐野は羽織のヒモを解《と》こうとしたが、関は空を見あげたまま、

「まだまだ」

という。

左組の治左衛門は、松平大隅守《おおすみのかみ》の長い塀のあたりを、数人で歩いている。

行列の先頭は、やがて治左衛門の眼の前をすぎ、二、三十歩進んだ。

（まだか）

合図に短筒《たんづつ》が鳴るはずである。

行列の先頭が、松平大隅守屋敷の門前の大下水《おおげすい》まで達したとき、かねて辻番小屋の後ろにひざまずいていた先頭襲撃組の森五六郎がにわかにとび出してきて、

「捧《ささ》げまする、捧げまする」

直訴人のような連呼をした。

「なんだ」

と、先頭にある井伊家の供頭《ともがしら》日下部三郎右衛門、供目《ともめ》付《つけ》沢村軍六の二人が近づいた。

そのとき、森は、ぱっと自分の笠をはね、羽織をぬぎすてた。

すでに白鉢巻、襷《たすき》を十文字にかけており、ツツと雪を蹴ってかけてきたかとおもうと、いきなり供頭を斬りさげた。

「あっ」

と斬られながらも刀のツカに手をかけたが、抜けず、第二撃で斃れた。この降雪のために、井伊家の供廻りは、すべて刀にツカ袋をかぶせ、鞘《さや》は羅紗《ラシャ》、油紙製のサヤ袋をかぶせ厳重な雪支度をしていた。ツカ袋のヒモを解かないかぎり刀はぬけない。

「狼藉者《ろうぜきもの》」

と叫んだ供目付沢村軍六も、踏みこんできた森に右袈裟真二つに斬られた。

さらに井伊家にとって不幸だったのは、このとき、轟《ごう》っと空で風が巻き、雪が舞い、視界五、六尺というほどにはげしくふりはじめたことである。

後方では、先頭で何がおこっているかよくわからなかった。

やがて、合図の短筒がひびいた。

治左衛門は、左から突進した。駕籠までの距離は二十間はあろう。

佐野は右から突進。

駕籠の右脇には、井伊の家中できっての使い手とされた供目付川西忠左衛門がいる。すばやく大刀のツカ袋を脱するや、まず飛びこんできた稲田重蔵を片手で斬り、さらに脇差をサヤのままぬいて、広岡子之次郎《ねのじろう》の一撃を受けとめた。川西、両刀使いで知られた人物である。つづいて飛びこんできた海後嵯磯之介に浅傷《あさで》を負わされ、広岡に踏みこまれて肩を斬られ、斬られながらも広岡の額を割った。

そこへとびこんできた佐野竹之助は、まず川西に致命の一刀をあびせ、死体をとびこえ、まっすぐに井伊の駕籠へすすんだ。

駕籠は、雪の上に捨てられたままである。

「奸賊」

と、駕籠の中を突きさした。

が、そのとき、むこう側から駕籠にとびついて駕籠を串刺《くしざ》しした治左衛門とどちらが早かったか、わからない。

いや、この二人より早く、重傷で倒れていた稲田重蔵が、這《は》いながら駕籠を突きさした一刀が、初太刀だったかもしれない。

目撃者がいる。目と鼻のさきの松平大隅守屋敷の窓からのぞいた同藩留守居役興津某の談が、『開国始末』という書物にのっている。「大兵の男一人（治左衛門か）、並の背の男一人、駕籠をめがけ、やがて裃《かみしも》を着たる主人（直弼）を引きだし、一人は背中を三太刀ほど撃ちしが、マリなどを蹴るような音が、三度ばかりした。かの大男、首を切り、大音を発し、井伊掃部《かもん》とまでは聞こえた。さては井伊殿、とそのとき知った」

治左衛門は、駕籠の戸をひきむしり、井伊の襟くびをとって引き出した。まだ息はあった。井伊、雪の上に両手をついたところを、治左衛門はあらためてふりかぶり、一刀で首を打ち落した。

そこで「薩音《さつおん》で叫んだ」というが、要するに、味方一同にむかって討ちとめた旨を報告したのであろう。

同時に、申しあわせによって鬨《とき》をあげ、思い思いに引きあげた。

争闘は十五分ぐらいの間だったらしい。降雪のなかを不意にあらわれた敵のために彦根藩士はほとんど木偶《でく》のように斬られ、十数人がツカ袋を脱して戦ったが、いずれも、闘死、または昏倒《こんとう》させられた。

その間、現場からほんの四、五丁むこうにある彦根藩邸の門は閉ざされたままであった。はげしい降雪のため気づかなかったのである。

一党のなかでは、稲田重蔵が二刀流の川西忠左衛門に斬られて現場で死亡。井伊方の即死者は、川西忠左衛門、加田九郎太、沢村軍六、永田太郎兵衛で、ほかに、重傷者のうち三人が日ならず死亡した。

ただ一党のなかでは、見届役《みとどけやく》、検視役といった数人のほかは、全員手傷を負った。引き揚げの途中、現場からいくばくも離れずして精根つき、自殺した者も多い。

佐野竹之助は、現場で、

「治左衛門、おれはこれから脇坂閣老の屋敷まで斬奸状を届ける役目がある。ここで別れる」

といって歩きだしたが、歩行に堪《た》えない。乱闘中すこしも気づかなかったが、足、肩、腕いたるところ手傷を負ったらしく、それがそれぞれ激しく血を噴いて、一足ごとに雪を血で染めた。刀を杖にしてやっと脇坂屋敷にたどりつき、斬奸状を提出しおわるや、死んだ。

治左衛門自身も、駕籠わきに飛びこむ前後に、二人を斬り、数人に斬られたようであった。自分では返り血だとばかり思っていたが、喉《のど》から襟にかけて痛むので指を入れてみると、ずぶりと入った。ほかに左の目の上下にわたって長さ三寸、骨に達する傷があり、ほかに右の手の甲、さらに左手の人さし指が斬り落されている。

が、井伊の首を運ぶ重任があった。首を剣尖《けんさき》につきさし、広岡子之次郎と二人で現場を退去し、米沢藩邸の門前を通って日比谷門の近く、長州藩邸の前まできたとき、雪を踏んで背後から、瀕死《ひんし》の重傷者が追ってきている。

二人は気づかない。

追跡者は、彦根藩士小河原秀之丞という者であった。かれは駕籠わきで戦って十数創を負い、昏倒した。

すぐ眼がさめた。そのときは、主人の首を持って敵がひきあげてゆくところだった。

小河原は、血みどろの姿であとを追った。

主人を討たれたばかりか、首まで持ち去られては彦根藩としてこれほどの恥辱はない。

ついに、長州藩邸の門前で追いついた。

降雪で、幸い、相手は気づかない。杖にしていた刀をふりあげると、力いっぱい、斬りつけた。

刃は、治左衛門の後頭部にあたった。傷の長さは四寸、が、ぱっと皮がはじけて幅が七寸ほどになり、血がざあっと、襟くびから尻まで垂れた。

が、治左衛門は倒れず、

「広岡君、敵じゃ」

と、顔をしかめていった。

広岡はふりかえりざま、小河原を斬り倒した。小河原は、再び気絶した。のち蘇生《そせい》してこのときの様子を語っていた。

治左衛門らは、なお歩いた。しかし和田倉門前から竜《たつ》ノ口《くち》の遠藤但馬守《たじまのかみ》屋敷の辻番所までできたとき、まず治左衛門が歩けなくなった。

「広岡君、オイはここらで切腹する」

と、いった。

広岡も重傷で、意識がもうろうとしているから、聞こえない。ただ、歩いた。しかし、すこし離れた酒井雅楽頭《うたのかみ》屋敷の前まできて、どかっと大石に腰をおろし、

「有村君、おれはここで腹を切る」

と、いった。治左衛門がそばにいると思ったのであろう。腹を一文字に切り、さらにのどをふた突きに突いて、つっ伏した。

治左衛門はそのころ路上に倒れ、脇差を抜き、倒れたままやっと腹に突きたてたが、それ以上の余力が残っていなかった。

遠藤家の人が出てきて、

「いずれの御家中のお人か」

と、耳もとで訊いてやると、

「島津修理大夫《しゅりだゆう》元家来……」

そうつぶやいただけであとは聞こえず、やがて息が絶えた。

この桜田門外から幕府の崩壊がはじまるのだが、その史的意義を説くのが本篇の目的ではない。ただ、暗殺という政治行為は、史上前進的な結局を生んだことは絶無といっていいが、この変だけは、例外といえる。明治維新を肯定するとすれば、それはこの桜田門外からはじまる。斬られた井伊直弼は、その最も重大な歴史的役割を、斬られたことによって果たした。三百年幕軍の最精鋭といわれた彦根藩は、十数人の浪士に斬りこまれて惨敗したことによって、倒幕の推進者を躍動させ、そのエネルギーが維新の招来を早めたといえる。この事件のどの死者にも、歴史は犬死をさせていない。

残されたお静と松子については、大久保利通日記は、「治左衛門、戦死致し候ところ、母子の悲哀は申すばかり無く候へども、義において断ずるところ尋常にあらず、この上は娘の心底、一生再嫁《さいか》せざるの決定《けつじょう》にて、母子ともその志操《しそう》、動かすべからず」と、事変直後に書いている。

ところが、その翌年の文久元年九月、母親は亡夫の故郷の鹿児島に帰り、その十二月、治左衛門の長兄の俊斎を婿にして結婚させてしまっている。

俊斎の直話を集録した「維新前後実歴史伝」(大正二年六月、啓成社刊)では、俊斎談といったかたちで、

「時に文久元年十二月某日、俊斎故ありて故日下部伊三次の養子となり、海江田武次と

称す」

海江田姓は、日下部の原姓である。

「娶《めあわ》すに、松子をもつてせり」

その間の機微《きび》は、わからない。要するに俊斎、すなわち海江田武次は風雪のなかで無事生きのこり、維新後は、弾正大忠、元老院議官などに任ぜられ、松子は子爵夫人になり、お静も、しずかな余生を送っている。

なお次兄雄助は、薩摩藩工作のために西走したが、鹿児島についた三月二十三日、藩庁はこの桜田事件の関係者を到着の夜、早々に切腹させている。理由は幕府への遠慮であった。

奇妙なり八郎

一

「剣相《けんそう》」

という占術《せんじゅつ》がある。

手相、骨相とおなじ類《たぐ》いだが、幕末の志士のあいだで流行し、長州の高杉晋作などは土州脱藩の田中顕助《けんすけ》（のちに光顕《みつあき》・伯爵）の安芸国友安《あきのくにともやす》をひと目みて「これアいい相をしている」と無理やりにとりあげ、そのかわり門弟にしてやった。顕助は高杉の引き立てによって浪士のあいだに名を得た人物だから、友安の一刀はむしろ顕助に幸いしたといえる。とにかく風雲のなかで命をさらしていると、自分の差料《さしりよう》の吉凶が気になるものらしい。

諸国の志士のなかでも怪物的な才人といわれた出羽浪人清河八郎の刀は、相州無銘の業物《わざもの》で、引きぬくと七カ所に光芒《こうぼう》が立った、といわれた。

剣相のほうでは、こういう刀をもっとも瑞剣《ずいけん》であるとし、

「七星剣《しちせいけん》」

といった。薄暗い灯《ほ》あかりで刀身をすかすと、刃の地肌に匂いたつ「湯走《ゆばしり》」が点々と星のように青く冴《さ》えてくる。それが七つまで数えることができるのだ。この瑞剣をもつ者は天下取りになるというのである。むろん、百万本に一本もない。

この剣の持主の清河八郎は、モトは武士の出ではなかった。羽前国《でわのくに》（山形県）の田川郡清川村の大百姓斎藤治兵衛の子にうまれ、少年のころは神童といわれた。志を立てて故郷を出たのは十八の年である。

生家の斎藤家は庄屋とはいえ戦国のころはこの地方に勢威を張っていた豪族で、刀箪笥《かたなだんす》をさがせば銹刀《さびがたな》の二、三十本はごろごろと死蔵されていた。

家を出るとき、その中から手頃な大小刀を見つけて差料としたが、父の治兵衛が別に油鞘《あぶらざや》に収まった銹刀一本をとりだし、

「無銘だが、江戸で研《と》がせてみろ。案外な逸物かもしれん」

と手渡した。

「荷物になる」

と八郎はいやがったが、無理やりに持たせた。

江戸では学問を最初、東条一堂、佐藤一斎につき、ついで安積艮斎《あさかごんさい》に入門し、最後には昌平黌《しょうへいこう》にまで入った。剣は千葉周作にまなび、文武とも抜群の出来であった。とくに

剣は数年で大目録皆伝をとるほどの異常児であった。軽捷果敢《けいしょうかかん》、清河に胴を撃たれると息がとまる、という評判が、他道場にまできこえていた。安政元年二月、早くも独立して神田三河町に北辰一刀流の町道場をひらき、同時に学問をも教授した。当時、浪士のあいだで勢力をえようとする野心家は私塾をひらいて門人食客を集めるのが普通であった。

このとき、年二十五。金は国もとに腐るほどある。それに非常な洒落者《しゃれもの》だったから服装、道具に凝《こ》り、外出にはかならず中間一人に書生数人を従え、まるで大名の御曹司《おんぞうし》のようだといわれた。たちまち人に知られ、三河町の清河といえば江戸の尊攘家のあいだでは一方の大物として立てられるようになった。

そのころのことである。例の銹刀を芝愛宕下の研芳《とぎよし》に研ぎにやったのは。――もしこの刀を研ぎにやらなければ、清河の運命はよほどちがったものになっていただろう。

研芳は一目みるなり、目をみはって、

「こ、これは古備前《こびぜん》でございますな」

といった。

「初代兼光《かねみつ》とお見受けしましたが、おそれながらこれほどのものは諸侯のお蔵にも少のうございます」

「浪人の差料では分際《ぶんざい》にすぎるというのか」

「めっそうもない」

「口裏に気をつけるがいい」

諸事、高飛車なのが清河のわるい癖であった。この男からみれば世の男は愚鈍《ぐどん》にみえて仕方がなかった。

そのまま置いてかえって、ふた月ばかりして取りにゆくと、刀はうまれかわったように研ぎあがっていた。

「ほう」

鞘をはらって刀身を立ててみると、刃にみごとな蛙丁子《かわずちょうじ》がみだれ、地肌がおそろしいばかりの青味をたたえている。二尺四寸、反《そ》りがカラリと天に鳴るほどに腰高であった。

（こいつは斬れる）

わが刀ながら茫然としていると、研芳は両手をついて刀を見あげながら、

「稀代の瑞剣とお見うけいたします。差し出たことを申すようでございますが、刃文に七つの星が浮いているのをご存じでございましょうな」

「ほう。――」

なるほど、出ている。

「なんのことだ」

「剣相に七星剣というのがございます」

「そちは、剣相もするのか」

「いえ、手前ではございませぬ。お叱りを受けるかもしれませぬが、松平主税介《ちからのすけ》さまが手前どもへお立ち寄りのせつ、ふとこの刀にお目をとめられて、これは七星剣である。剣相秘伝には世に七星剣というものがあると伝えているが、こうして眼でみようとは思わなかった。持主さえよければ屋敷に遊びにきてほしい、ということでございました。もしおよろしければ、手前どもがお供をつかまつってもよろしゅうございます」

「いや、それにはおよばぬ」

帰宅して、剣相の書物を調べてみると、七星剣は聖徳太子の佩剣《はいけん》もそうであったという、この相の剣をもつ者はかならず王者になるという。また覇者《はしゃ》として天下をとる、ともいう。

（おれが、将軍になるのか？）

清河はまじめにそう思った。そういう男であった。自分の器量が万人にすぐれていることは、かれはたれよりもよく知っていた。その上、去年、米国の水師《すいし》提督が四隻の戦艦をひきいて幕府に開国をせまって以来、幕閣は狼狽、野《や》で攘夷論が沸騰《ふっとう》して、世はすでに乱れのきざしをみせはじめていた。

（まさか、元亀《げんき》天正の戦国の世ではないから、天下は望めぬが、とにかくおれほどの男だ、世に驥足《きそく》をのばしてみよう）

それには一介の町道場主では、いざ風雲が到来しても、飛びたつ足がかりがない。権門に近づく必要がある。

清河は、さっそく薬研坂《やげんざか》の松平屋敷をたずねた。

七星剣が結んだ縁である。この松平主税介の家系は、徳川家の血縁のなかではふしぎな取り扱いをされている家で、三代将軍のとき謀叛《むほん》の疑いで取りつぶされた駿河大納言《だいなごん》家《け》の唯一の血統である。というより講釈や小説で有名な馬切り長七郎の血統だという方がわかりやすかろう。代々幕府から連枝《れんし》の待遇で三百石の捨扶持《すてぶち》をもらい、いわば永世飼い捨てのような扱いをうけていた。

当主の主税介は柳剛流の達人で剣をとっては幕臣のなかでは男谷《おたに》精一郎につぐ腕という評判があったから、清河は家系といい、腕といい、この主税介にある種の叛骨を期待した。かつては将軍家光の地位をおびやかしたほどの謀叛人の子孫なのである。

しかし清河の期待に反した。主税介は骨柄こそたくましいが、気だての温和な貴公子で、清河の人物よりその刀に興味をもち、四半刻《はんじかん》ばかり刀をなめるようにながめてから、

「いや、眼福でござった」

と茶人のような顔つきで礼をいった。主税介はただそれだけの男であったが、その後しげしげとこの屋敷に通うことによってこの屋敷にあつまる幕臣たちと知りあった。

幕臣というのは、のちの鉄舟、山岡鉄太郎、泥舟《でいしゅう》、伊勢守の高橋精一、それに松岡

万《よろず》などそれぞれ武術凝《ご》りで知られた連中で、後年、清河が対幕府工作のうえで大いに利用した連中である。かれの七星剣は、さっそくその持主を一歩、権門へ近づけることになった。

二

しかし大吉《だいきち》の運には、おもわぬ裏目もあるものらしい。この剣をもっていたがために、清河は意外な奇禍《きか》に巻きこまれるハメにもなった。

文久元年五月のことである。

当時、三河町の道場が焼けてしまったために神田お玉ケ池にあたらしく塾をかまえ、常時数人の食客をおき、江戸に来る名のある尊攘家はほとんど清河の門をたたくほどになっていた。門柱には、

「文武教授　清河八郎」

と表札を打ち、邸内は、道場、母屋《おもや》、長屋、土蔵といった堂々たる構えである。

女が、一人いた。

「可憐なり」

というので、清河がお蓮《れん》と名づけ、掌《て》で温めるようにして可愛がっていた女である。

お蓮はもともと清河と同国の出羽熊井出村の医者の娘だったというが、十八のとき鶴

岡の娼家に売られていたのを清河に身請けされた。小柄で信心深く、むしろ清河をわが身の本尊のようにあがめている。

そういう女だったせいか、事件の当夜、しきりと奇妙な予感を訴えた。

「どういうわけでございますか、日暮れから体が小刻みにふるえてなりませぬ」

「体でもわるいのか」

抱きよせてやると、肌がひどくあつい。風邪でもひいたのか、と訊けば、そんな具合もないという。さては寝たいという謎じゃな、と清河は書物を仕舞い、

「土蔵で待て。すぐゆく」

といった。

そのころ清河は母屋で起居せず土蔵を使っていた。志士との密会ももっぱら土蔵でやる。いつ幕吏に踏みこまれるかもしれぬ危険があったのである。

土蔵の戸をあけると、お蓮はすでに枕行燈《まくらあんどん》に灯を入れて寝支度をととのえていた。

「今夜は、蒸す」

このとき清河がこうつぶやいたことまで、おどろくべきことに幕吏の耳にちゃんと入っている。

清河は例の七星剣を枕もとに置き、帯を解いた。やがて素裸になった。出羽の風《ふう》である。

そのころ床下で幕府の偵吏《ていり》が這いずっていることは、清河ほどの男でも気づかなかった。

というのは、清河屋敷の裏は、湊川《みなとがわ》という当時知られた力士の家と背合せになっている。幕吏はすでに一月ほど前から湊川の家から地下道を掘りぬいて鑿道《さくどう》を清河屋敷の土蔵の下まで通じていた。浪士らとの密会は常に筒抜けである。この事実は、明治になって故老のはなしから明るみに出た。

むろん当時の清河は、夢にも知らない。

なにぶん大老井伊が、昨春殺されている。つぎは老中安藤の暗殺だといううわさが、江戸では高かった。その策源地の一つが清河屋敷の土蔵であることは、すでに火付盗賊《ひつけとうぞく》改《あらため》渡辺源蔵の手もとで知られており、手先がいちいち盗み聴きしては出入りの浪士の名簿をつくり、日ならずして一網打尽《いちもうだじん》にする手はずをきめていた。

この夜、湊川の家では、渡辺源蔵みずから出役していた。

——日没後、水戸の過激浪士が数人清河屋敷にあつまる。

という情報があったからである。

しかし清河は手ごわい、というので、とくに源蔵は、小普請組《こぶしんぐみ》七百石佐々木家の部屋《へや》住唯三郎《ずみただざぶろう》という男に加勢をたのみ湊川の家にひかえさせていた。佐々木唯三郎は、のちに京都見廻組《みまわりぐみ》組頭として、新選組とともに京都市中で血の雨をふらせた剣客である。風心流の小太刀の名人といわれ、居合は夢想心流《むそうしんりゅう》を使った。痩せ黒の小男で、底冷えのするような奥眼《おくめ》をもっていた。

そのうえかれは清河に面識がある。

この男も、主税介の邸に集まる常連であった。昨秋、松平屋敷で、

「昼の観月会」

というのが催されたとき、佐々木ははじめて清河を見た。

清河は、色白で鼻すじがとおり、声が低く眼がするどい。服装は、黒羽二重の紋付袷《あわせ》にしぶい七子《ななこ》の羽織、大小は朱鞘、つばは半車透《はんぐるますか》しで金銀の葡萄《ぶどう》が嵌《は》めこまれ、一見、旗本寄合席《よりあいせき》五千石の当主といっても通る。

(なんだ、こいつ)

佐々木は、まずその押し出しに反感をもった。というより気圧《けお》されたというほうが正直なところだろう。

清河は一座の中心であった。彼が笑えば、一座が笑った。が、その清河は、佐々木に一瞥《いちべつ》もしない。佐々木は無教養で、天下のことになんの理論もなかった。清河の眼からすれば佐々木などは人間ではない。

(ちっ、山岡、松岡の徒輩も徒輩だ。直参《じきさん》でありながら、浪人づれの取り巻きのようになっている)

それより我慢ならなかったのは自分自身だった。

「清河先生。卒爾《そつじ》ながら」

と、気がついたときには、幇間《ほうかん》のような世辞笑いをうかべているのである。

「それなる佩刀が、評判の七星剣でござるか」

清河は、よく光る眼でじろりと佐々木をみた。しばらくだまってから、

「そうです」

といった。三国志の英雄を思わす風貌である。

「ちょっと、拝見」

「いや、剣相などはくだらぬこと。世に立って事をなすのは佩刀の器量によるものではなく、男子の器量によるものです。それが証拠に、こんにち諸侯が城館に幾百の名刀を貯《たくわ》えていても、攘夷を断行するほどの気概の者はおらぬではないですか」

「いやいや」

佐々木はみじめな具合になった。

「左様な固苦しい訳《わけ》あいではなく座興に、と思って申したまででござるが」

「座興に人の佩刀を見ようと佐々木君は申されるのかな」

これが清河流である。一たび論難すれば相手の肺腑《はいふ》をつかねば我慢のならぬところがあった。論敵には必ずとどめを刺した。自然、清河自身こそ気づかなかったが、かれに

はじめて会う者は、はげしくかれを嫌悪するか、もしくは信者のようになるか、どちらかであった。佐々木は前者であり、山岡など進歩的幕臣は後者であった。

このため座が白けかけたが、山岡の取りなしで一座にやっと談笑がよみがえった。が、佐々木だけはついに最後まで沈黙した。

よほど肚《はら》にすえかねたのか、後日松平主税介にむかい、

「あなたは御連枝に準ずるご身分でありながら、なぜあのような浮浪の論客をおちかづけになる。清河の説くところをきき、かつその行動を見ていると、あの男はゆくゆく清河幕府でも作りかねまじきところがございますぞ」

「清河幕府？」

荒唐無稽《こうとうむけい》である。主税介は、一笑に付してしまった。

さて。――

佐々木唯三郎と火付盗賊改の渡辺とが角力《すもう》湊川家の雪隠《せっちん》わきにしゃがんでいた。目の前に掘抜き穴がある。ほどなく、渡辺の手先になっている嘉吉《かきち》という小ばくち打ちが這いあがってきて、

「わるい卦《け》だった」

「どうした」

「どうやらあっしの眼違《めちげ》えだったようで。屋敷うちをしらべやしたが、今夜にかぎって

浪士どもがかけらもいねえ」

「たしかか」

と佐々木は念を押した。嘉吉は面憎《つらにく》げに笑って、

「自慢にゃならねえが、むかしひと様の家に忍び入ってわるさを働いたこともある。お疑いのようなら御得心のいくように、どうぞご自身でお這入りなすっておくんなさいまし」

「これ、嘉吉、口がすぎる」

渡辺がたしなめたが、佐々木はもう穴の中に身を入れていた。

佐々木はそんなところがある。のちに京都の浪士狩りの武功で千石見廻組組頭にまでのしあがったほどの男だが、多少偏執的《へんしってき》で人の話は信ぜず、なにごとも自分の眼でたしかめないと気の落ちつかぬたちだった。

(ここか。——)

土蔵破りのような用心深さで土蔵の床下に這いあがった佐々木は、顔を寝かせ床板の裏に耳をつけた。奇妙なひびきが伝わってくる。

(いた。——)

が、気配で察すると、物音の一人は女であった。その女がいま男に何をされているかがありありと眼にうかんだとき、佐々木はさすがに武士としての自分の行為を愧《は》じた。

（それにしても）
あの傲岸《ごうがん》な男がいま床板一枚をへだててどう戯《たわむ》れているかと思えば滑稽《こっけい》であった。清河もただの人間だ、と思うと、にわかに胸中の清河像がひどく他愛ないものになってきた。

しかし床板の上のお蓮はそれどころではなかった。
清河に抱かれながらもときどきふと、
（どうしたのかしら）
と気のぬけるような思いがし、肌寒さが消えず、かぶさっている清河の体が、なにかの拍子に急にかるくなり、どこかに消えて行きそうな思いがしきりにした。

翌朝早く、清河に心酔している彦根脱藩石坂周造がたずねてきて、師匠の清河をさそいだした。石坂は心形刀流の免許皆伝の腕で、据物《すえもの》斬りの名人とされていたが、お蓮にはいつも、

「やがて先生の天下がきますよ。そうなれアお蓮さん、あんたは御台所《みだいどころ》様だぜ」

そんな俗なことをいう。かと思うと、

「魁《さきが》けて、またさきがけん死出の山、迷ひはすまじ皇《すめろぎ》の道」

という清河愛詠の歌を途方もない節をつけて朗吟し、吟じおわるとかならずせきあげ、声を放って泣いた。お蓮にはこういう男のえたいがつかめない。

「お蓮」

と出がけに清河はいった。

「夕刻にはもどる。行くさきは両国の万八楼《まんぱちろう》だ。書画会がある」

清河にはめずらしく行先を云い残した。

この日、万八楼での会合は、表むきは書画会であったが、内実は水戸藩の有志七、八人と語らって閣老安藤対馬守《つしまのかみ》を暗殺する密議であった。

その帰路、編笠の前をかたむけ、おなじく笠で顔をかくした山岡鉄太郎、石坂周造とともに日本橋甚右衛門町にさしかかったとき、偶然、渡辺源蔵の手先嘉吉が、むこうからきた。

(清河か)

と嘉吉はとっさに逃げようとしたが、なあにこっちは知っていてもむこうは知るめえ、──それに嘉吉は盗賊のころ、むささびと異名をとったほど身軽だったから、たとえ相手が高名の剣客でもいざという場合の逃げ足には自信がある。

(こいつアいいみやげだ。一つ、笠の下から面《つら》を確かめてやろう)

嘉吉はすばやく懐ろに両手を入れて褌《まわし》を搔《か》いあげ、両袖を弥蔵《やぞう》に作りながら酔ったふりをして近づいた。盗賊のあがりだけに胆《きも》だけはすわっている。

甚右衛門町の往来というのは江戸でもとくに狭く、二人ならんで歩けば肩があたった。

清河が先頭、それに山岡がならび、石坂周造、芸州脱藩池田徳太郎、薩州脱藩伊牟田《いむた》尚平《しょうへい》などと清河の子分がつづく。

「旦那」

嘉吉はふらりと十数歩へだてて立ちはだかった。

「どいてもらおう。広くもねえ往来を武者押しじゃあるめえし、二人ならんで歩くたア、どういう料簡でえ」

「わるかった。ご機嫌だな」

山岡は苦笑して清河の背後にまわったが、清河は懐ろ手のまま足をゆるめない。

嘉吉も、笠の中をのぞく気だから動かずに往来の真中につっ立っている。

やがて、清河は嘉吉の鼻さきまできて、ぴたりと白い足袋の両足をとめた。

「嘉吉」

清河はこの男が何者であるかを知っている。

「えッ」

「笠の下をのぞいてみたいか」

すぐ見物が、立った。あちこちの軒端《のきば》からこわごわのぞいている人目に気づくと嘉吉は虚勢を張り、にッと凄んでみせた。

「見てえや。――」

このとき清河の備前無銘の業物《わざもの》が一閃した。ぐわっと嘉吉の胴から血がふき、首は笑ったまま、軒の上まではねあがって、やがて三軒むこうの瀬戸物屋のどぶ板に驚くほどの音をたてころがった。

（斬れる）

清河は歩きながら刀身をぬぐい、鞘におさめた。首を切ってもまるで手ごたえがなかった。

——清河の七星剣は、これで第二回目の運命の変転をかれに与えることになる。

三

この当座は、

「たかが町人首」

と清河も気にもとめなかったが、幕府はこれを奇貨とし、詮議《せんぎ》にかこつけてかれの一統を一せいに検束《けんそく》する方針をたてた。その内報が清河の耳にも入ったから、すばやく道場をたたんで江戸から身をかくし、武州川越在の奥富村の百姓家を借りてひそんだ。

「逃げたわけではない。みずから所構《ところかま》いになって役人の手数をはぶいてやっただけのことだ」

と、清河は相変らず堂々としていた。

事実、かれのまわりは相変らずにぎやかで、お蓮、伊牟田尚平、石坂周造、村上俊五郎、それに清河の実弟斎藤熊三郎などが同居し、諸方の志士に対しても、

「清河は川越にあり」

と公然と報《し》らせていた。川越は武蔵平野の中心にあり、徳川家が江戸を開府するまでのあいだは、府中とならんで武州の国政の中心であったから、石坂らにも、

「どうだ、川越幕府と名づけるか」

などと冗談をいった。

が、幕府は甘くはない。

ある夜、清河がひそかに江戸小石川の高橋伊勢守（泥舟）の家で山岡鉄太郎らと会合していると、石坂周造が駈けこんできて、

「いかん、先生、川越は捕吏に踏みこまれたらしい」

すぐ人をやって調べさせると、お蓮と実弟熊三郎が捕縛され、すでに江戸へ引きたてられているという。

「どうなさる」

と石坂はいった。

清河は、いきなり剣を抜いた。一同、かたずをのんだ。長剣が灯《ほ》あかりに映《は》えて、地肌に匂いたつように七つの星があらわれてきている。

ぱちりと鞘におさめ、

「かまわぬ。男にはいろんなことがある」

山岡はそういう清河を惚れぼれとみて、

「しかしお蓮どのが気の毒だな」

「死ぬだろう、お蓮は。おれのためならばよろこんで死んでくれる女だ。しかしそれまでの拷問のむごさを思うと、身をきられるような思いがする」

「清河さん」

山岡と高橋が、ほとんど同時にいった。

「あんたは江戸を出ることだ。これを機会に諸国をまわってみるのもむだではない。われわれがうわさを立てて、清河八郎は窮死したということにしておこう」

清河は気がすすまなかったが、みながしつこくすすめたためにやっと腰をあげ、その夜、高橋の家で旅装をととのえて出た。

山岡の智恵で、清河は夜半、永代橋《えいたいばし》まで行き、両刀、紋付羽織、簡単な遺書をそのたもとに残して水死を粧《よそお》い、中身の清河は服装を変え、舟をやとって行徳《ぎょうとく》へ行き、そのあと漂泊《ひょうはく》の旅にのぼった。

が、幕吏もばかではない。

だまされなかった。加役《かやく》の渡辺源蔵が松平上総介《かずさのすけ》（主税介を改名。当時すでに講武所教

授）に清河の遺品の大小をみせ、

「相違ござらぬか」

　というと、上総介が、

「相違ない。しかし清河は別に差料として剣相でいう七星剣をもっていた。それを遺《のこ》していないかぎり、清河は死んでいない。かれはいまごろその剣をかかえてどこかの山野に起居している」

　上総介は、結局、清河を愛していなかったのだろう。

　時をうつさず諸国に人相書がくばられた。

「歳《とし》三十位」

　とその人相書に書かれている。

「中丈《ちゅうた》け、江戸お玉ケ池に住居、太り候《そうろう》方《ほう》。顔角張《かくばり》、惣髪《そうはつ》、色白く、鼻高く、眼鋭《まなこするど》し」

　眼鋭し、という当の清河は、その後、水戸、会津、庄内、越後、仙台、甲州、伊勢、と転々して京に入った。

　京都では、過激派の策士として知られる浪人田中河内介《かわちのすけ》と相知り、数夜語りつづけるうちにたがいに影響しあってついには思いもよらぬ結論に飛躍した。

「京で兵をあげよう」

というのだ。

田中は、公卿侍《くげざむらい》の出だが、京都人ではない。但馬《たじま》出石《いずし》の人で中山大納言家の家来筋にあたる田中家の養子となり、その激越な尊王攘夷論で京都論壇を牛耳《ぎゅうじ》っていた。

この二人で作りあげた密謀とは、京の相国寺《しょうこくじ》で蟄居《ちっきょ》されている獅子王院宮《ししおういんのみや》を奪い、これを擁して、江戸の将軍家に対抗する京の征夷大将軍家をつくり、天下の浪士を京によびあつめて、一挙に攘夷を断行し、つづいて倒幕軍を起こそうというのである。幕末史上、最も壮大な想像力に富んだ陰謀がここにはじまった。

「おもしろい」

清河はいきなり剣をぬいた。

河内介は仰天して、

「な、なにをしやはる」

「見なさい。この剣があるかぎり、天下の大事は成る。七星剣です」

「あっ、なるほど」

剣相学はもともと寛永のむかし、京の神官和佐伊勢守以信《もちのぶ》から出たものだから、河内介にはその素養があった。

素養があるだけでなく、田中も自分の差料を清河に見せ、

「これは私の差料どす。銘は、なんとお見やす」

清河が手にとって透《す》かすと、先反《さきぞ》りで平肉《ひらにく》がつかず、沸《にえ》こそみごとだが妖気のたつほどに全体の感じがするどい。

「姿がすさまじすぎる。村正とみたのはひが目か」

「いやいや、ひが目やごわへん。村正どす」

村正は徳川将軍家の家祖家康の前後数代にわたってしばしば不吉な事故をおこし、諸侯でさえ徳川家に遠慮をして所蔵していない。

ただし、徳川家に仇《あだ》をなそうとする者はことさらに村正を帯びたという故実がある。大坂の陣の豊臣方の軍師真田幸村などがそうであったし、木村重成も冬ノ陣の講和使節に立つときにはわざと村正の脇差を用いたという。

河内介の村正佩用このかた、尊攘の志士はあらそって村正をもとめ、のちに西郷隆盛でさえ村正の短刀を身につけていた。

「清河はん、奇瑞《きずい》じゃ。わしの村正で徳川家を討ち、あんさんの七星剣によって王権を復活させる。奇瑞やおへんか」

「奇瑞ですな」

清河は、なおもその村正を凝視した。物打ちから一寸ばかりあがった鎬《しのぎ》にきずがある。剣相によればこの場所のきずは凶穴といい不慮に命を失うという。

「このきず」

「ああ、そのきず」

河内介も気づいている。

「なんの益体《やくたい》もないこっちゃ。たとえわが身は凶運に堕《お》ちようとも、奸賊徳川氏を倒すことができれは、男子の本懐どす」

「さすが、豪気だ。上方《かみがた》の人に似合わぬ」

「男は坂東《ばんどう》とかぎったもんやおへん」

二人はそれぞれ刀を鞘におさめ、挙兵の準備として河内介は京都工作に、清河は西国《さいごく》工作にさっそく奔走することになった。

清河の九州工作はみごとに成功した。かれ自身もおどろくほどであった。

かれはまず、

「諸子は僻陬《へきすう》の地に住んで、中央の動きを知らぬ。攘夷倒幕の機は熟しきっている」

と説く。九州各地の志士は、もともと風雲に置きざりされることを恐れていたから、清河の法螺をきいてふるいたち、

「もはや、時勢はそこまで進んだか」

と思った。京に新将軍家を樹立するとなれば、その親兵が要《い》る。

かれらは清河の弁舌によってぞくぞく京をめざしてのぼってきた。幕末の風雲は、この清河八郎の九州遊説から開幕したといっていい。

四

ところが、一時は京都将軍まで樹《た》てるつもりでいた清河が、その翌文久三年八月、江戸に舞いもどっていた。

小石川伝通院裏の山岡鉄太郎の家に入るなり、ねむい、といった。

「しばらく寝かせてくれ」

部屋のひと隅に枕屏風をめぐらし、袴も解かず横になったまま、翌朝になっても起きない。夕餉《ゆうげ》にやっと起きてきて、

「西国の武士は頼むに足らん」

と眼をそらし、ひとことだけいって、あとは山岡がどう水をむけても、何も語らなかった。

清河が上方、西国で一体なにをしてきたのか、山岡は明治になるまで知らなかったが、清河は挙兵一歩手前にまでこぎつけていた。

九州の諸浪士はぞくぞく大坂に集結し、大坂土佐堀の薩摩屋敷に入った。当時薩摩藩は島津久光以下諸重役は佐幕派で、過激派の西郷隆盛などは流罪《るざい》に処せられている状態だったから、藩邸ではこの招かざる客たちに大迷惑したが、とにかく空《あ》き棟《むね》になっている二十八番長屋をかれらに提供し、体よく軟禁した。

が、志士たちは軟禁されたとは思わず、清河らのいう「薩摩の大軍」の来着を待った。

薩摩の大軍とは、島津久光が京都守護のために兵をひきいてのぼってくるのを途中で擁し、これとともに兵を京都であげるつもりであった。久光こそ迷惑だったろう。

久光は清河のいう「薩摩の大軍」をひきいて文久二年四月十日、大坂の薩摩屋敷にはいった。が、かれは浪士たちの計画をきき、藩士一同にかれらと交渉するのをきびしく禁じ、同時に浪士の計画を黙殺した。

しかし浪士たちは、まだ清河計画の挙兵が空中楼閣《ろうかく》であることに気づかない。清河自身でさえ自分がえがいたこの空中楼閣に酔い、国もとの老父に生別の書簡を送っているほどだから、かれらが信じたのはむりはなかった。

「天運ようやく叶《かな》い」

と、清河は、その手紙でいう。

「死して忠義の鬼となり、万古不滅の名をとどめ候うえは、一家一族の面目とも相成ることと存じます。この挙兵、あとのうわさをお楽しみくださいますように」

しかも、友人某が京の過激派の公卿三条実愛《さねなる》に手づるのあるのを幸い、実愛を通じて天子にまで上書している。

「陛下よくこの機会に乗じ、赫然《かくぜん》として奮怒《ふんぬ》せば、王権復興すべき也」

奮怒せよ、と無位無冠の浪人のくせに天子まで煽動した幕末の志士は、おそらく清河八郎をおいていないだろう。

ところが、一朝にして画餅《がべい》におわった。

挙兵直前に、旗頭の清河自身が、味方である二十八番長屋の浪士団から追放されてしまったのである。理由はない。かれの倣岸不遜な行動が、殺気だった浪士にきらわれ、最初からの発案者である田中河内介からさえ、

「清河君は、将たるお人やおへん。義軍の和のためには退去せしむべきどす」

と蔭口《かげぐち》をたたかれ、一人大坂を離れざるをえなかったのだ。

（七星剣、われに天運を恵まぬか）

清河は悔いたが、なお運はかれを見すてなかった。かれが上方を去った直後、寺田屋ノ変がおこったのである。薩藩有馬新七ら浪士団の首脳の一部が伏見寺田屋で挙兵準備をしているとき、島津久光の内命を受けた八人の剣客によって誅殺され、清河なきあとの謀主田中河内介は逮捕され薩摩兵の手で海上護送の途上、その子左馬助とともに殺され、遺骸は海に投じ、のち小豆島《しょうどしま》に漂着した。この浜には、いまだに河内介の亡霊ばなしが多い。

五

そのころ、佐々木唯三郎は、立身して講武所教授方に抜擢《ばってき》されていた。江戸の剣客と

しては最高の栄誉職である。

ある日、小川町の講武所構内の休息所で稽古疲れの息を入れていると、人影があり、白洲を横切って、不意に縁側越しに立った。

清河八郎である。

あっ、とおびえるほど驚いた。幕府のお尋ね者ではないか。

が、清河は、亀甲《きっこう》の袷《あわせ》に白の襟をのぞかせ、この男らしくみずみずしいこしらえで立っている。

「ひさしぶりだな」

と、清河はいった。相変らず、浪人のくせに、直参、しかも講武所教授という佐々木に敬語もつかわない。

「江戸へ立ち帰ってから無聊《ぶりょう》で体がなまっている。一汗ながしてみたい。一つ天下の講武所のいきのいい太刀筋を教えていただこうか」

（幸いだ）

と思った。この男を息の根もとまるほどに撃ちのめしてやろうと思い、

「ちょうど道場があいています。私は清河先生の太刀というのを見たことがない。こちらこそ御教授ねがいたいと思っていました。――しかし」

「とは？」

「私は古い流儀ですから、清河先生の北辰一刀流のようにいざ試合のときには面籠手《こて》をつけない。いかがでしょう」

「ああ、すると、竹刀《しない》は韜竹刀《ふくろじない》とやらいうやつかね」

「それは当世《とうせい》竹刀でいいでしょう」

二人は道場で稽古着に着かえ、竹刀をえらび、清河は軽そうな三尺九寸、佐々木は、百六十匁山城真竹《もんめやましろまだけ》の重いものをえらんだ。

勝負は古式によって一本である。

立ちあがるなり、双方三間の間合で飛びはなれ、清河は左諸手上段、佐々木は星眼にとって剣尖《けんさき》をやや沈めた。

（出来る。——）

と佐々木はおもった。相手がこれほどの腕とは思わなかった。佐々木の剣尖のむこうに、清河が胴をあけっぱなしにして振りかぶっているのだが、その姿がみるみる山のように聳《そび》えはじめた。しかも、気合を詰めたまま抜かない。

（この男は、息をしているのか）

「やあ」

と誘ったが、清河は乗らず、息をつめたまま腰を推進させ、さらに押し、その間、佐々木は数度誘ったが相手は構えを微動だにせず、ただ腰だけでじりじりと押し、ついに佐々木が道場のすみまで押しきられたとき、清河の姿がわずかに小さくなった。息が洩れた。

（いま。――）

佐々木は、清河の籠手をねらってまりのように飛びこんだあと、清河の竹刀が窓からの光をうけてキラリと閃《ひらめ》くのが眼にうつった。その瞬間、迅速に変化した清河の竹刀が佐々木の左胴のあばらをへし折るまでにたたきつけていた。

「参った」

佐々木がよろめくのを清河は静かに見おろしながら、ふたたび竹刀を上段にもどし、

「浅かった。いますこし」

と強要した。

おのれ、と佐々木は跳ねあがるなり、はげしく突きをかけた。その竹刀を清河は物打ちでたたいて、面を撃った。かるく撃った。が、素面である。

「参った」

と叫んだときは、佐々木は前へのめり、眼がくらんで立ちあがれなかった。

（猫。――）

自分は、ねずみである。佐々木は、板敷にうずくまりながらも、清河が猫のような残忍さでなお撃ちかけてくるかもしれぬ恐怖におそわれ、頭上で夢中で竹刀をまわしてい

たらしい。

某日。

佐々木唯三郎は、清河が、松平上総介を通じて、幕府肝煎《きもいり》による浪士組の結成を老中板倉周防守《すおうのかみ》（伊賀守）勝静《かつきよ》に働きかけているというはなしを当の上総介からきき、わが耳をうたがうほどにおどろいた。

「清河は、いかに表面巧言でかざっているとはいえ、倒幕論者ではありませんか。それがいわば幕権擁護のために、在野の剣客をつのるとはどういう判じ物です」

「私もよくわからない」

と、上総介はおだやかな口調で、

「清河狐がどんな呪文《じゅもん》でこんなことを考えだしたのかは知らないが、いま公儀が打つべき手としては妙を得ている。京都は、清河が九州から嘯集《ふきあつ》めた浪士どもに長州、土州の者もまじり、近国の浮浪浪士まで加わって毎日毎夜の刃傷《にんじょう》騒ぎだ。すこしでもおのれどもと意見のちがうのを見つけると、天誅と称して容赦会釈《ようしゃえしゃく》なく血祭りにあげてしまう。幕府に好意《こうぎ》をもつ九条関白家の諸大夫島田左近が首を斬られて先斗町《ぽんとちょう》の磧《かわら》にさらされたというし、おなじく宇郷玄蕃《うごうげんば》は、首になって宮川町の川岸に古槍の穂で突《つ》き梟《さら》しにされていた。多い日には数人も殺されている。あの連中は、清河にあざむかれて京にのぼってきたものの、脱藩の身では餓えは迫る、気はあせる、国には戻れぬ、というわけで、物狂いの状態だ。剣をもって鎮圧するしか手がない」

「それにしても妙なはなしだ」

京で跳梁している浪士は、清河が天竺魔法《てんじくまほう》のような術策でよびよせたものではないか。それをこんどはおなじ清河が剣をもって鎮圧するとはどういうわけだろう。

「ところで清河は町奉行所に借りがあるはずですが、その一件はどうなっているのでしょう」

「そのことだ。清河はこの妙案との引きかえに、大赦《たいしゃ》運動をもちかけてきている。大赦になれば清河自身も青天の身になるし、入牢《じゅろう》している妾も、昔の仲間も解きはなたれる」

「手のこんだ男だ」

そのころ、清河は小石川伝通院裏の山岡の家で起居していたのだが、伝馬町の牢に手をまわしてお蓮の消息をしらべたところ、すでに先月、病死していることをはじめて知った。

(殺されたか)

も、同然であった。獄中で一年も送れば体の繊弱《せんじゃく》な者なら十中八九は死ぬ。

お蓮の獄死を知った夜、清河は山岡の女房に灯油を無心し、台所のすみを借りて夜おそくまで出羽庄内清川村の母親へ長い手紙を書いた。山岡の女房がその横顔を障子のかげからみたとき、ひどく子供っぽい顔だったという。

清河がこのとき美しいひらがな文字で母にあてた手紙が残っている。

――さてまたおれんのこと、まことにかなしきあはれのことといたし、ざんねんかぎりなく候。（中略）なにとぞわたくしの本妻とおぼしめし、あさゆふのゑかう（回向）御たむけ、子供とひとしく御思召《おぼしめし》くだされたく、繰《く》り言《ごと》にもねがひあげ申し候。

清河にはこういうやさしさがある。さらに筆をなめながら戒名《かいみょう》も考えたらしく、

――清村院貞栄香花信女とおくり名いたし候。

と書き送った。

が、その夜から数カ月後の文久三年二月八日、清河は、幕府が江戸で徴募した二百三十四人の浪士団とともに中山道板橋宿を京をさして出発している。

浪士掛頭取には鵜殿鳩翁《うどのきゅうおう》、取締には山岡鉄太郎。松岡万。

いずれも、歴《れっき》とした幕臣であり、その職名は幕府の官制によるものだが、名は取締とはいえ、内実は戦闘指揮官ではなく事務官にちかく、いわば世話役のようなものだった。

浪士組は一番隊から七番隊まで編成され、それぞれ三十人たらずで「伍長」という官制によらざる浪士隊長が指揮していた。「伍長」は清河が指名したらしく、のちに分派して新選組をつくった近藤勇、土方歳三、沖田総司、原田左之助、藤堂平助、山南敬助、井上源三郎、永倉新八ら近藤系の剣客は、清河にその名を知られていなかったために近

藤をふくめて平隊士として隊列にくわわっていた。

清河は、列外で歩く。

かれには、何の職名もない。当然、この隊の立案者であり、世に知られていることからいえば徴募浪士とは雲泥の差があって総隊長になるべきところだし、事実上の総帥《そうすい》だが、幕府は清河に用心してそういう職名を設けず、清河自身も、凡百の浪士と混同されるのを好まず、超然とした立場に独りいた。

道中十六日で、一行は京に着き、洛西壬生《みぶ》郷《ごう》の郷士屋敷数軒に分宿した。

清河が、浪士たちにとって驚天動地《きょうてんどうち》の放れわざをやったのは、その到着の夜である。浪士一同二百余名を壬生新徳寺本堂にあつめ、本尊阿弥陀《あみだ》如来《にょらい》を背にしてすわり、

「諸子に、わが浪士組の本意を告げる」

といった。

「なるほど、幕府の召募によってわれわれは京にのぼってきた。が、浪士はあくまで浪士であって幕府の禄位《ろくい》は受けておらぬ。当然幕府の施策に対して自由である。われわれは幕府を奉ぜず、尊王の大義のみ奉ずる」

これには、一同驚いた。もともと、近く上洛する将軍家茂《いえもち》の身辺守護と京都における浮浪浪士の鎮圧のために召募されたのではないか。が、清河はさらに語を継ぎ、

「もし皇命をさまたげる者があれば、たとえ幕府の高官なりとも容赦なく斬りすてる」

たとえば皇命に反すれば守護職、所司代といえども斬る、というのである。いいかえれば幕府よりも上位の新機関がここに樹立したわけであり、ついに清河の野望が達せられた。清河はこの瞬間、事実上の新将軍になった。

あとは浪士組の名において天皇を擁しさえすればよく、その手は、むかし木曾義仲をはじめ織田信長、豊臣秀吉などの歴代の覇王がやってきたところである。

「ご異存あるまいな」

ひざもとに七星剣をひきつけ、左右に腹心の石坂周造、池田徳太郎が、万一斬りかかる隊士があればたちどころに斬りすてる身構えでいる。

一同、気を呑まれ声もなかった。

「ご異存なければよし。明朝、闕下《けっか》に勅諚《ちょくじょう》を請い奉る《たてまつ》」

翌日も、清河は刀を引きつけたまま新徳寺本堂の座を動かなかった。幕下の者が動揺すれば立ちどころに斬るつもりであった。

腹心の石坂、池田らが、右の骨子を上奏文にし、学習院勤仕《ごんし》公卿を説きまわって猛運動したところ、意外にも近衛関白から、

「すでに叡聞《えいぶん》に達した。御感《ぎょかん》なためでない」

との達しがあり、ひきつづき、正式の勅諚がさがった。

当時、イギリス人が武蔵生麦《むさしなまむぎ》で薩摩藩士のために斬られ、その後事件の発展次第では

英国艦隊は関東で兵火をひらくかもしれないという風聞があったので、関白以下朝臣は大いに怖れ、勅諚のなかにも、

「浪士達はすみやかに東下し、粉骨砕身忠誠を励むべきもの也」

というくだりがあった。これで、浪士団は天下の武士のなかで幕府の支配を受けない唯一の浪士団となった。

「では朝命により、関東にくだる」

と、清河が、在京わずか二十日で隊士に関東出動の命をくだしたが、うち芹沢鴨、近藤勇を首領とする十数名だけは東下に反対し、京都に残留した。これが壬生屋敷に屯営し、会津守護職支配新選組となる。

ところが本隊の浪士組（新徴組）が京都を出発しようという矢さき、江戸から幕命によってあらたに浪士組取締として着任した六人の旗本がある。まず、佐々木唯三郎であった。ほかに、速見《はやみ》又四郎、高久保二郎、永井寅之助、広瀬六兵衛、依田哲二郎、いずれも講武所教授方で、旗本のなかでは屈指の剣客である。

それらが京都着任とともにすぐ浪士組は帰東すべく出発したため、佐々木らも京の茶屋酒を飲むまもなく道中同行した。

途中、中山道馬籠《まごめ》の宿《しゅく》の本陣島崎吉左衛門方に入ったとき、佐々木は、山岡鉄太郎の部屋に余人がおらず山岡が独り座禅を組んでいるのを見きわめてから、そばににじり寄

った。

「山岡さん、話がある」

「なんだ」

「隣室を確かめてよいか」

「その必要はない。隣りは無人だ。相談というのは、清河を斬ることだろう」

「知っていたのか」

「いや、知らん。あんたが不意に浪士組取締になったのはそんな含みだろうと思った。指金《さしがね》は板倉(伊賀守・老中)さんだな」

「ご想像にまかせる。とにかく、八郎奇妙なり、とさる閣老が申される。あの清河がこのさき江戸に入れば、稀代の策士だ。勅諚を笠になにをやりだすか。おそらく江戸、神奈川で攘夷騒ぎをまきおこして、あわよくば天下の一角に旗をあげようとするだろう」

「しかし」

山岡は口をつぐんでから、やがて、

「あんたに八郎が斬れるかね」

「斬れる」

「一人で？」

と、山岡はこわい顔をしてみせた。

「いや、兵略は答えるすじではなかろう。ただ相談役としてあんたに一言《ひとこと》申しておくべきだと思って罷《まか》り越した。ただしこのこと、くれぐれも清河に明かしてくださるな」

「ご心配に及ばん。口のかたいことだけがわしの取り柄だ。ただし言っておくが、清河をわしはあくまでかばうよ。あれは百世に一人という英雄だ。ただ惜しいことに背景をもたぬ。われわれには大公儀という背景がある。薩長の縦横家《じゅうおうか》たちも藩の背景がある。そこへゆくとあの男はたった一人だ。一人で天下の大事をなそうとすれば、あちらをだまし、こちらをだまし、とにかく芸がこまかくなる。いますこし、あの男が英雄らしくなるまで生かしておいたらどうだろう」

「上意ですよ」

「あんたは板倉閣老の家来かね。われわれ直参で上意といえば将軍家がおわすだけだ」

六

その日、清河は朝から頭痛を病んだ。文久三年四月十三日である。

ここ数日来、山岡家とは一つ家同然の隣家高橋泥舟の屋敷で寝泊りしていたが、泥舟の妻女が、

「風邪でしょう。きょうは外出はおやめなさいまし」

と心配してくれたが、

「いや、まずい日に約束をしてある。先方が折角酒を買って待っているそうですから」

そう言い残して出かけた。行先は、麻布上之山《かみのやま》藩邸のお長屋である。かつて清河とは安積艮斎の塾で同学だった金子与三郎という儒官をたずねるためであった。

金子のほうではこの日、清河が訪ねてくることは数日前から連絡を受けており、酒を置いて待っていた。

約束の刻限からすこし遅れて清河がやってきた。

用件はわかっている。攘夷連名簿に血判署名することである。すでに清河はその懐中の帳簿に五百人の署名をあつめており、日を期して挙兵し、まず横浜の外交施設を襲撃することになっていた。むろんその挙兵と同時にこの軍団は王権復興の倒幕軍に早変りするのである。

「古い学友だ。いまさら喋々《ちょうちょう》せずとも私の気持はわかってくれるだろう」

「わかっている。加えていただく」

金子は快く署名血判し、あとは妻女に酒を出させ、徳利《とっくり》をさしのべた。その徳利の口が猪口《ちょこ》にあたってカチカチ鳴ったことに清河は気づかない。

そのころ、藩邸の裏門のあたりをしきりと往き来している数人の武士がある。

裏門からの道は一筋に赤羽橋まで伸び、橋のたもとによしず張りの茶店があり、そこでも数人の武士が、茶を飲んで屯《たむ》ろしている。いずれも二、三百石取りの直参の風体であった。

　そのなかで首領株の佐々木唯三郎だけが、陣笠をかぶっている。あとは講武所教授方速見又四郎、高久保二郎、窪田千太郎、中山周助。

　四ツすぎ、清河は藩邸を辞した。

　清河も佐々木同様、檜《ひのき》に黒羅紗をはった陣笠をかぶっている。

　したたか酔っていたが、たしかな足どりでしかしやや歩みを落して麻布一ノ橋をわたり切ると、不意に横あいから、

「清河先生」

　と佐々木唯三郎が声をかけた。

「ふむ?」

「佐々木です」

　と、ここからが唯三郎が工夫しぬいた兵略だった。すぐ会釈をするふりをして陣笠をとった。

　清河もやむをえない。右手に鉄扇をにぎったまま陣笠のひもに指をかけた。

　とたん、背後にまわっていた速見又四郎が抜き打ちをあびせた。ほとんど横なぐりといってよく、清河は左肩の骨を割られて前のめり、一歩踏みだしてつかに手をかけようとしたが、右手首に通した鉄扇のひもが妨げて抜けない。

「清河、みたか」

致命傷は、佐々木の正面からの一太刀だった。右首筋の半分まで裂き、その勢いで清河の体は左へ数歩とんで横倒しになり、半ば切れた首がだらりと土を噛んだ。土に、酒のかおりがむせるように匂っていたという。

佐々木唯三郎は、このときの功でのちに見廻組組頭になり、千石に加増されている。清河は、素朴すぎるほどのわなにかかったことになる。策士だっただけにかえって油断した。

おそらくかれ自身が不審だったろう。ひとが自分をだますなどとは、夢にも思っていなかったにちがいない。

花屋町の襲撃

一

京も師走《しわす》にちかい。

この日朝から紅葉《もみじ》くずしの粉雪がふったが、午後になって雨にかわった。

河原町の酢屋《すや》、といっても商売は材木商である。そこへひっそりと訪ねてきた浪人者がある。宗十郎頭巾《ずきん》に黒縮緬《くろちりめん》の羽織、背が高い。

海援隊《かいえんたい》くずれの陸奥《むつ》陽之助（のちの伯爵陸奥宗光）で、

「いるか、お桂《けい》さんは」

と、台所の土間から中庭を通りぬけて、お桂が仮り住いしている離れの明り障子の前に立ち、ちょんちょんと掌《て》をたたいた。

「私だ、海援隊の陸奥だよ」

「……………？」

予期しなかった客である。

お桂は立ちあがって請《しょう》じ入れてやった。客は覆面《ふくめん》のまま炉のそばへゆき、炭火をかか

えるようにしてしばらく凍えた体をあぶっていたが、やがて防寒用の頭巾をぬいで、

「大役がある。やってくれるか」

顔をあげた。

声がふるえている。色が白く、剃《そ》りあとが青い。お桂は、陸奥が存外いい男だと思った。

「どんな？」

とお桂はいったが、例の一件だと肚《はら》の中で直感した。陸奥たちの頭目だった坂本竜馬が、先日、河原町三条の近江屋《おうみや》新助方の二階で、不意を襲った正体不明の刺客団《せっかくだん》のために殺されている。陸奥はやがて懐ろから、坂本の遺品の桔梗紋《ききょうもん》を打った黒漆の印籠をとりだして、

「この一件、復讐することにきまった」

といった。顔が青い。

「下手人は？」

「いま、話す」

陸奥は顔を伏せて、印籠を撫でている。故人への愛惜《あいせき》が、掌のふるえに出ていた。

「死ぬような人ではなかった。油断があったのだ」と陸奥はいった。

陸奥のいうとおり、この印籠の持主はかつては千葉道場の塾頭をつとめたほどの男で、

むざむざ殺されるような男ではなかった。事件は、慶応三年十一月十五日、いまから十日程前におこった。二階で、坂本は丸腰でいた。

丸腰で腹ばいになり、同志の中岡慎太郎（陸援隊長・洛北《らくほく》白川村に屯営する浪士団の頭目・土州藩士）と世間話をしていたところを疾風《しっぷう》のように駈けあがってきた刺客数人のために抜き打ちで殺された。刺客は何者かはわからない。よほど腕のある連中だったのだろう。

当時坂本は、幕府にとって第一の危険人物であった。数年前から長崎に本拠をすえて、陸奥ら諸藩の脱藩浪人をあつめ、海援隊と称する過激浪士団を組織していた。単なる浪士団でなくこれに操艦術《そうかんじゅつ》を教え、諸藩から借りてきた軍艦に乗せて常は回漕問屋《かいそうどんや》をやった。いざ倒幕戦争がおこったときは私設艦隊に化するという危険があり、現に去年、長州を攻めた幕府艦隊を相手に馬関沖《ばかんおき》で海戦をやっている。その男が、たまたま京へのぼってきたのだ。しかも、おなじ土州系浪士団の陸援隊長中岡慎太郎と、二人きりで市中の下宿にいる。数日前から新選組、見廻組が執拗《しつよう》に探索し、ついにこの十五日の午後九時すぎ、暗殺《や》らるべくしてやられた、といっていい。

海援隊副長格の陸奥陽之助は、隊士六名とともに坂本に従って京にのぼっていたが、兇変を知るとともに白川村の陸援隊本部に走って潜伏し、同志一同、

「かならず復仇《ふっきゅう》する」

と誓った。が、成算はとぼしい。

海援隊は、不幸なことに雲烟《うんえん》はるかな長崎が本拠であった。坂本横死《おうし》の悲報については、すでに岩崎弥太郎が伝達者となり、隊の所属艦空蟬《うつせみ》に乗って神戸から長崎にむかいつつあったが、前後の日数を考えると、陸奥らは本隊の到着は待てない。

幸い陸援隊のほうは、京に本部がある。しかもこの浪士団も隊長中岡の横死に遭《あ》い、副将格の田中顕助、斎原《さいばら》治一郎（土州藩士・後の大江卓・明治の政客、部落解放運動家）らが別途に復仇を企てている。

——無駄だ。合同しよう。

斎原が陸奥に提案し、この洛北白川村に陸奥を中心とする六人の探索委員会が結成された。まず下手人をさがすことである。探索には、主として菊屋の峰吉があたった。

十六歳の少年である。

河原町三条の古書籍商菊屋のせがれで、坂本を兄のように慕《した》っていた。坂本が京に来るたびに入りびたって身辺の雑用をしていた子で、兇変のあった夜も、坂本の使いで鶏肉を買いに行っていた。もどって変事を知ると、その場で自刃しようとし、駈けつけた板垣退助におさえられた。坂本というのは、よほど魅力のあった男なのだろう。

ところで。——

例の十一月十五日の兇変の現場には、刺客団のものと思われる遺棄品《いきひん》が二つあった。

一つは下駄である。表に刻印がある。瓢簞《ひょうたん》のなかに亭《てい》の字を入れたもので、この刻印で、先斗町《ぽんとちょう》の料亭瓢亭《ひょうてい》の下駄とわかった。菊屋峰吉がこっそり瓢亭へ行ってたずねると、この店には新選組の者がよく遊びに来るという。

いま一つの証拠品は、現場にすてられていた蠟色《ろういろ》の鞘であった。この鞘については、御陵衛士伊東甲子太郎《かしたろう》（元新選組参謀、坂本・中岡の横死後三日目に油小路で斬り死）が手にとって見て、

——相違なく、新選組副長助勤原田左之助の差料である。

といった。

刺客団は新選組とわかった。

早速、菊屋峰吉は、餅売《もちう》りに変装した。少年ながら、気はしが利いた。探索の目的は、新選組屯所の見取図を作るためである。

当時、新選組は、西本願寺境内から不動堂村に移って、新築の屋敷に駐営していた。規模は一丁四方、小大名の屋敷ほどある。

峰吉は、一個五文の相場の餅を二文という安値で売ってまず門番たちの人気を得、やがて大胆にも邸内に出入りするようになった。

「——それで」

と、陸奥はお桂にいった。

「ほぼ、屋敷内の間どり、様子もわかった」

「あとは？」

「あとか」

陸奥は、眼がうつろである。

「どうなさるのです」

お桂は、さすがに体が小きざみに慄《ふる》えている。相手が新選組なのだ。新選組の本拠への斬り込みは、尊攘浪士のあいだで何度か計画されたことがあったが、いまだに実現した話はきかない。

「あとは」

と陸奥ははっと気をとりなおしたように、

「斬り込むだけさ」

「人数は？」

「海援隊、陸援隊の残党のなかから剽悍《ひようかん》決死の剣士数人をえらぶ」

「どなたと、どなたどす？」

「未定だ。が、もっとも」

と、陸奥はきっぱりといった。

「一人だけはきまっている」

「どなた」

「大将のおれだ。おれが指揮をとる」

「陸奥さんが？」

お桂は、この男が海援隊でも文官だったことを知っている。

この二十四歳の青年は、紀州藩の上士伊達宗広の末子にうまれた。弱年のころ江戸で学問修行をするうちに脱藩して京にのぼり、諸藩の志士とつきあううちに坂本に見出され、海援隊結成とともに、測量官兼隊長秘書のような役目についてきた。この閲歴からみても、剣に格別の心得があるとは思えない。

「まあ、やってみるさ」

と陸奥は自分に云いきかせるようにうなずいた。この血の気の多い秀才は、自分の才能を愛してくれた坂本に酬《むく》いるために、すでに死ぬ気になっている。

「そこで、あんたに頼みがある」

「さっきの大役どすか」

「そうだ。まず、だまって請《う》けてくれるかどうかを訊こう」

「請けます」

お桂はいった。

が、そう答えたとき、自分でも割りきれぬものが残った。当の坂本とは、言葉もかわしたことがないのである。

請ける気になったのは、たった一つの理由だ。お桂は、死んだあの土佐人から二十両借りていた。

お桂は、もともと洛東妙法院の寺用人の娘だったが、数年前に両親が相次いで死に、やむなく縁者の酢屋を頼って離れ座敷を借り、近所の子供に読み書きを教えてひそかに暮らしている。

すでに婚期はすぎていた。

ところが最近、仲に立つ者があって、柳馬場に住む医者で、公家に出入りして割合羽振りのいい男の後妻に入る縁談《はなし》がすすんでいた。

婚礼には支度が要《い》る。

お桂には、金の貯えがなかった。ろくに衣裳ももたずに嫁《い》くほどなら、そこは京気質《かたぎ》で、死んだほうがましだった。

それを、坂本が耳にしたらしい。

坂本は、この酢屋が、土州藩邸の出入りをつとめている関係で、京に来れば、ここか、近江屋を下宿にし、一時は京における海援隊出張所のようになっていた。

お桂は離れに住んでいるから、坂本らとは没交渉に近かった。お桂の印象では坂本は風采にかまわぬ大男で、総髪《そうはつ》のびんをぼさぼさにして、いつも袴に折り目もない。靴をはいていた。靴の印象だけがお桂にある。顔は、いまよく思いだせない。

数カ月前の九月、坂本がちらりと京へ姿をみせたときが、後年思えばかれが薩長連合の秘密工作をしたころらしいが、この在洛中に一日だけ酢屋にとまった。このとき、お桂の縁談を店の者からきいたらしい。

——これを離れの娘にやってくれ。

と、二十両の金を酢屋の亭主にあずけた。お桂はおどろいた。京者にはない親切である。が、見ず知らずに近い他人から大金をもらう理由はない。感謝よりも屈辱を感じた。すぐ返そうと思ったが、その後坂本の行方がわからず、たまたま今月のはじめ酢屋に用があってきたこの陸奥陽之助に相談した。そのころまだ坂本は生きていた。陸奥は、何を想像したのか、はっと顔を赤らめて、

——貰っとけ。

といった。情婦だと思ったのだろう。すくなくともこの娘と坂本との間になにかあったものと陸奥は誤解した。いまもそう信じている。だからこそ、「復仇」の加担を、お桂にも負わせようとしているのだろう。

お桂は陸奥の誤解がわかっていたが、だまっていた。

「どういうお役目どす」

二十両の借りがある。

死人にはもはや返せない。復讐に参加することによって、あの親切すぎた土佐人に報いようと思った。すこし気が重かったが、お桂はそんな義理のために、十分死ねる女であった。むしろそれが義理であるがために気持が勇んだ。

陸奥がお桂に頼んだ用というのは、ある剣客をさがすことであった。伊予宇和島《いようわじま》の脱藩浪士で、居合の名人であるという。

「その人物も、坂本さんに恩義があるときいている。どんな男かも私は知らない。坂本さんが死ぬ前、ちらりと話していた。名前はなんでも、後家鞘《ごけざや》の彦六というそうだ」

「後家鞘？」

奇妙な名前である。

「どうせ、異名《いみよう》だろう。本名は知らない。大坂にいるという」

「大坂のどこ？」

「それは知らない。坂本さんも知らなかったようだ。それをあんたに探して頂く。口説《くど》いて、復仇の同志に加えて貰う。本来、われわれのたれかが行くべきだが、近頃では伏見の舟着場と、大坂八軒家の船着場には、新選組が常に出張していて、浪人とみれば監察しているそうだから、女のあんたにおねがいするわけだ」

お桂は、その夜の船で、伏見をくだった。

慶応三年十二月七日の天満屋《てんまや》事件は、このときから出発したといっていい。

二

京に残った陸奥は、海援隊、陸援隊の残党四十余人のなかから厳選をかさねて、ついに、十六人の壮士の名簿を作ったが、名誉の剣客がいない。先鋒になって斬り込む腕達者が、二人は必要なのである。

「いる」

といったのは、水戸脱藩で最近陸援隊にころがりこんでいた香川敬三（後の東山道鎮撫総督府の軍監・伯爵）である。

「だれだ」

「あす、連れて来よう」

それが十津川《とつがわ》郷士中井庄五郎であった。

京の尊攘浪士のあいだでは有名な男らしいが、長崎にいた陸奥は、名も知らなかった。人斬り庄五郎の異名のある男で、去年、長州藩の品川弥二郎に頼まれ、長州藩から新選組に脱走していた村岡伊介を斬ったときなどは、一刀で村岡のみぞおちまで斬りさげたほどの凄腕《すごうで》であったという。

市中で新選組とも何度か衝突したが、そのつど、命を全《まっと》うしている。

陸奥は、白川屋敷の書院に請じ入れ、

「お頼み申す」

と、両掌をついた。

庄五郎は、このとき二十一歳である。不愛想な男で、ちょっと頭をさげ、

「やります」

と、一言だけいった。香川にきくと、死んだ坂本は、この男と一面識があった。伏見の船宿寺田屋伊助方でたまたま中井が坂本と同宿したとき、坂本はかれを自室に招《よ》んでやり、酒を馳走したことがあるらしい。中井は、単純粗豪な男で、他の同志からも軽んじられていたが、坂本ほどの天下の名士が、自分と対等で時勢を談じてくれたことに感激し、その後、一つばなしに触れまわっていたという。

(これならよし)

たった一杯の酒だが、この男は坂本のために死ぬだろうと陸奥は安堵した。坂本にはそういう奇妙な魅力があったことを陸奥はたれよりもよく知っている。

(あとは、後家鞘が来てくれれば)

陸奥は、お桂の帰洛を待った。

その夕、陸奥が白川屋敷で、素麺《そうめん》に鳥肉を入れて煮たものを食っていると、陸援隊の白井金太郎という若者が入ってきて、

「陸奥さん、人を斬ったことがありますか」

ない、と答えると、白井はシンからの親切顔で、

「それアいけない。それでは討入りができない。今夜、斬り方を教えて差しあげましょう」

といきなりきいた。

といった。この男は水戸脱藩で、神道無念流目録者だという。去年の夏、清水寺の境内で桑名藩士と衝突し、二人斬り倒したのをひどく自慢にしている男だった。むろん、十六人の選士に入っている。

「どう教えてくれる」

「今夜、実地に斬る。ついて来なさい」

用意して、白川屋敷を出た。

斬る相手は、水戸藩京都周旋方でちかごろ京都で羽振りのいい酒泉《さかいずみ》彦太郎であった。極端な佐幕論者で早くから尊攘浪士のあいだで、天誅の対象としてねらわれていた人物である。

「酒泉はどこにいる」

「夕刻、祇園《ぎおん》花見小路の一力《いちりき》に入ったのを香川さんが見届けています。私が初太刀をつけます。陸奥さんは、後詰めだ。一度血をみればすぐ自信ができますよ」

予行演習といっていい。

祇園石段下で香川と、水戸系の浪人ふたりが待っていた。

一行は、花見小路に入って提灯を消し、一力の付近の物蔭に一人ずつひそんだ。路上に、午後ふりつもった雪が溶《と》けていない。

と、黒縮緬の羽織に白柄の大小を帯びた立派な武士が一人、提灯をもった若党を先行させて一力から出てきた。提灯の定紋からみて、酒泉らしい。

白井は、ツト物蔭から出た。

さすがに豪胆である。ゆっくりと酒泉に近づきながら、

「水戸の酒泉さんではありませんか」

「いや」

武士は歩きながら、

「薩藩の国詰めで、中馬《ちゆうまん》と申します」

なまりがある。むろん、酒泉の作り声だが、白井はこの詭計《きけい》にかかった。

人違いした、と白井は思い、そのまま擦《す》れちがった瞬間、ふりむいたのは酒泉のほうである。

ふりむきざま、抜き打ちに白井の頭上にあびせかけたとき、白井はまだ刀もぬいていなかった。

どう、と雪の上に倒れた。

そのあと、すぐ陸奥は刀を抜いておどりかかったが、白井の死体につまずいて、勢いよく酒泉の足もとにころがった。

これには酒泉のほうが驚いたらしい。新手《あらて》が手もとに斬り込んだと錯覚したのか、ぎゃっ、と叫んで飛びのいた。

そのまま、酒泉は逃げた。

すぐ白井をかつぎあげると、まだ息があった。頭を割られている。

「大丈夫だ。縫ってやる」

陸奥には、医術の心得がある。隊にかついで帰って油紙の上に寝かせ、傷口を焼酎《しょうちゅう》であらい、木綿針で縫った。が血に脳漿《のうしょう》がまじって流れ出た。白井は最期に微笑《わら》ってみせて、

「わかったでしょう、剣というものが。陸奥さん」
といって息をひきとった。なるほど、そういわれてみれば何かわかったような気がせ
ぬでもない。この騒ぎが、十一月二十六日。

三

お桂が、大坂で後家鞘さがしにかかりはじめたのは、ちょうどその日である。京は雪であったが、大坂は雨で、ひどく寒かった。

こういう用件の場合は、公事宿《くじやど》にとまる。宿の亭主を公事師といい、役所むきのことなら何でも知っている。

お桂は、八軒家の船宿から紹介されて、肥後橋北詰めの公事宿釘屋《くぎや》十兵衛方にとまった。

この肥後橋から筑前橋にかけての川筋には四国諸藩の大坂藩邸が多い。むろん宇和島伊達家の屋敷もある。釘屋の亭主は宇和島役人に明るかったから、

「左様、脱藩人でございますな、異名が後家鞘の彦六という……」

宇和島に問いあわせてくれた。なるほどそういう男は国許にいた、と藩邸の蔵役人は言明してくれたが、

「が、所在のほどは知れぬぞ」

むろん、役むき上のうそである。知っていても、いわない。

いかに世が乱れたとはいえ、脱藩は武士として重罪である。大坂藩邸としては、たとえ後家鞘が市中に潜伏していることを知っていても、知っていると云えば、公式に捕縛《ほばく》しなければならない。

「なあに」と公事師は、お桂にいった。「あたしにまかせておきなさい。手がかりだけは、そっと教えてくれた。佐野屋橋のあたりに、後家鞘の伯父貴がいるという。そこで訊けばわかりましょう」

公事師が藩邸で仕入れてくれた知識では、なるほど後家鞘の彦六とは藩中第一の居合の名人らしい。

年のころは、二十六、七。

そのくせ、姓も名も、藩のたれもが知らない。

といえば奇怪だが、この男は、五歳のときから覚えきれないほど姓名が何度も変わった。

はじめ、城下の元結掛町《もとゆいかけちょう》の組屋敷に住む大塚南平祐紀《すけのり》という小身の士の六男にうまれ、幼名万之助。

その後、転々と養子にやられた。同藩の松村彦兵衛方の養子として保太郎と名乗っていたころが修行時代で、武芸、学問、算学までまなんでいずれも抜群であった。

事情あって松村家を出され、最後に入ったのは、同藩の御船手組中村茂兵衛の家で、ここは娘がいた。入夫《にゅうふ》である。が、子も生《な》さず、ほどなく家付の女房が死んだため、養家を出された。庭木でいえば、よほど根付《ねつき》のわるい運をもった男らしい。

脱藩したのは、その後である。藩邸の記録では慶応元年七月十八日。その後、大坂に出たらしい。すでに足かけ三年になる。

「不幸なお人どすな」

と、お桂はいったが、ちょっと失望もした。

閲歴《えつれき》では、秀才すぎるのである。刺客にふさわしいような病的な性格ではなく、ひどく健康な「いい子」のように思われた。

「しかし、腕は」

凄い、と公事師はいう。

春の祭礼の日、宇和島城下の和霊《われい》という社《やしろ》で餅まきが行なわれた時、

——餅百個に一粒の割合で、銀が入っている。

といううわさがあった。

後家鞘は、同藩の若侍と一緒に参拝したが、若侍の一人が、

——あの餅。

と社殿の欄干《らんかん》ごしに粉黛《ふんたい》をこらした巫女《みこ》が、餅を三つずつ摑《つか》んではまいているのを指さし、

——手を触れずに、餅の中の銀の有無《うむ》を確かめることができるか。

といった。

できる。

といったのは、後家鞘である。参拝の町人たちをのかせ、餅の降ってくるのを待った。

餅が三つ、たかだかと舞いあがって、やがて落ちてきた。

一閃、餅は両断され、さらにキラキラと白刃を翻転《ほんてん》させて、都合三個、地上に落ちる

までに真二つにした、という。

「神業《かみわざ》でごわすな」

と、公事師はいった。ソノ術最モ精妙、といまも和霊神社の社家の日記にのこっている。

「あの、後家鞘というのは」

と、お桂はその理由をきいた。想像ではなんとなく艶《つや》めいた内容をもっていそうで、訊くのにためらう気持がある。あるいは彦六は、女癖がわるいのかもしれない。

「いやいや」

それはちがう、と公事師は首をふった。お桂の想像を見抜いている顔つきである。

「あれはちがいます」

彦六の貧乏を嗤《わら》ったあだ名なのだ。後家鞘とは刀身と反《そ》りあわない鞘のことで、彦六は、そういう差料を帯びていた。

銘は、土佐鍛冶久国で、新刀ながらも上乗の作。これは国許でもきこえていたほどだから、大坂の蔵役人まで知っている。

彦六は、五歳のときまで育ててくれた生家の刀簞笥から白鞘のその刀を持ちだし、最後の養家の中村家の納屋から剝げた古鞘一つ見つけだして、鞘の中を削り、むりに刀身《み》を押しこんだ刀なのである。

鞘と刀身と別々のものを一つにしたものを刀剣の世界では、後家鞘という。

彦六の刀は、容易に抜けない。

その抜きづらい刀をもって、あれだけの居合業《いあいわざ》をみせる彦六の腕に感嘆して、
後家鞘――

という異名がついた、という説。

いま一つは、後家鞘は、反りがあわない。そりがあわぬという言葉の語源はそこからきたものだが、彦六の場合、養家を鞘にたとえ、彦六自身を刀身にたとえると、この刀身はどの養家に入れても反りがあわない。それで、後家鞘《さや》の彦六。

（なるほど）

お桂は、会ってみたい気がした。公事師はお桂との関係を色模様と想像したのだろう。

おかしそうに笑って、

「その彦六さまは、いまは抜き身でお暮らしなされております」

といった。

夕方、手代がもどってきた。

佐野屋橋付近に住む彦六の伯父、というのはつきとめた、という。

「町人だす」

薪炭商で、屋号は出身の伊予屋。名は為蔵である。彦六の実父の次兄で、同藩の武家

へ養子に行きそびれたために早くから大坂に出て、商人になった。

後家鞘の彦六は、脱藩後、この伊予屋為蔵のもとにころがりこんでいたという。

ところが為蔵は臆病者で、脱藩者をかばうと連座するのをおそれ、自分の友人で心斎《しんさい》橋筋《ばしすじ》に住む高池屋《たかいけや》三郎兵衛という大坂の南組《みなみ》では知られた町人に押しつけた。

いまでは、その高池屋の手代になっているという。

「その高池屋とは、稼業《なりわい》はなんどす」

「京のお方やさかいご存じないのは無理やおまへんが、これは高利貸《かねかし》だす」

「高利貸」

お桂は、考えこんでしまった。金貸しの手代になっているような男が、新選組への斬り込みを請け負ってくれるかどうか。

市中に、前夜来の雨が降りやまない。

四

京では、なお雪である。

討入りの計画は、陸奥陽之助のいかにも事務官らしい正確さで、進行していた。

鉢金、手槍、拳銃といったもので、むろん、十六人全部には行きわたらない。拳銃は、堺の鍛冶が作ったという元込め雷管《らいかん》つきの単発。弾丸が一発きりで、拳銃も一挺しかない。

そういう矢さき、ちょうど二十七日の夜、それも物売りに身をやつして意外な人物が白川村の陸奥のもとに忍んできた。

紀州藩の出入りの材木屋で藩から苗字《みようじ》ももらっている加納喜兵衛の子宗七である。町人ながらもかねて勤王運動に関係している若者で、陸奥とは同郷の関係から、懇意であった。

「びっくりしなさるな。坂本様を斬《や》れ、と守護職を通じて新選組、見廻組をそそのかした張本人がわかりましたぞ。意外な人物じゃ」

「たれだ」

「紀州藩用人三浦休太郎でございます」

(あっ)

ちがいない、と陸奥は思った。

三浦は、坂本に恨みがある。

この春、坂本自身が搭乗して、長崎から神戸にむかって航海していた海援隊蒸気船いろは丸(一六〇トン)が、四月二十三日夜十一時、讃岐《さぬき》箱崎の沖合にさしかかったとき、闇のなかから山のような汽船があらわれた。その白色の檣燈《しようとう》と青色の右舷燈をみとめた海援隊当直仕官佐柳高次はすぐ船を左転させて避けようとしたが、巨船側はよほど操舵《そうだ》が下手なのか、なお右旋しつつ驀進《ばくしん》してきて、ついにいろは丸の横腹に衝突し、真二つにした。が、木造船だからすぐには沈まない。

坂本は、

――それ、飛び乗れ。

と巨船の甲板によじのぼり、船長室に乗りこんでまず航海日誌をおさえた。この船が紀州藩の藩船明光丸（八八七トン）であった。

むろん、非は紀州藩にある。坂本は英国の海事判例をもちだして多額の賠償金を紀州側に要求し、このため紀州藩と海援隊とが紛糾した。ついに最後の談判は長崎で行なわれたが、このとき坂本は、

――金を出さぬなら、紀州徳川藩に攻め入って国を占領する。

という意味のヨサコイ節を長崎の花柳街ではやらせて紀州側を圧迫しつつ、ついに賠償金八万三千両を支払わせるところまで漕ぎつけた。そのあとすぐ坂本は長崎から京にのぼり談判成立後、一カ月目に死んでいる。

（三浦が、下手人の指令者だ）

と陸奥は思った。紀州藩用人三浦休太郎といえば、京都政界での佐幕系の大立者で、新選組の近藤勇、見廻組組頭の佐々木唯三郎などとは、とくに親交が深い。

「三浦を斬ろう」

目標はそれときまったが、三浦の身辺はつねに新選組隊士数人が護衛している。戦う相手がかれらであることはかわらない。

しかもうわさによれば、三浦は、近い将来に大挙藩兵を京都にのぼらせ、大垣藩と共同して市中三軒の薩摩屋敷を焼き、一挙に京における反幕勢力を粉砕しようとしているという。

「三浦は、常時どこにいる」

「ご存じのように、紀州の京都藩邸は聖護院《しょうごいん》ノ森の東にあって市中への足場が遠いものですから、祇園で夜を更《ふ》かしたときは、かならず下京の油小路花屋町南の旅館天満屋に泊まる習慣があります」

「よし」

戦いは、市街戦になる。

陸奥は、陸援隊の仮隊長格の田中顕助にその旨を伝えた。が、当初は復仇を叫んでいた顕助の態度が、この夜にわかに変わっていた。

「自重《じちょう》せい」

という。

陸奥は、冷笑をうかべた。臆した者を連れて行ってもなにもならない。

「君にその気がないなら、とくに勧めない。ただ、とめるのはよせ。それと、君の配下の有志は借りてゆく」

「……」

顕助は、なにもいわなかった。顕助こと後の田中光顕伯爵が、このときなぜ急に自重論を出したかということを、昭和十一年四月刊行の自伝でこう語っている。

私なども若い時分は暴発組の一人で随分乱暴なこともしたが、おいおい前途（倒幕の）に望みもでき、かつ隊をあずかっているという責任もあるので、もはやそのころは血気者流の軽挙妄動《けいきょもうどう》を戒しめ、国に許した身でもって犬死することをとくに慎しむようになった（顕助は当時二十五歳。陸奥より一つ年長）。

（中略）陸奥らが押し出したのは何としても早計であった。もっとも大号令（大政奉還維新の大号令）は秘中の秘であったので、ごく少数の人より知っていなかった。

というのは、田中光顕の自伝によれば、陸奥がこの計画に専念しているときに、京都政界（過激な公卿と薩長の謀将たち）は秘密裏に急転して、いよいよ数日後の十二月九日に王政復古の大号令が突如出るという密謀が進んでいたというのである。

陸奥のような末輩の志士が、むろんそんなことは知らない。自分である田中顕助だけが知っていた――だから制止したと自伝ではいうのだが、田中が知っていたはずがない。王政復古の号令と討幕の密勅工作は、薩長の首脳のみでやっていたことで、土州藩に洩らさなかった。土州は藩主がなお救幕的傾向がつよく、秘密の漏洩を怖れたからである。

田中顕助の自重論は、単にかれの性格によるものだろう。

陸奥はその点、律義だった。

坂本の仇はかならず討つ。それが、海援隊官僚だった陸奥の業務であった。後年、陸奥は日清戦役当時の外相として剃刀《かみそり》の異名があったほどの理論家で、このときも冷静に復讐が理にあうと考えていたのだろう。

五

そのころ、十一月二十九日の午後、大坂肥後橋の公事宿釘屋十兵衛方で、お桂は後家鞘彦六のやってくるのを待っていた。

後家鞘は、釘屋の使いの者を通じ、

——当方から伺う。

と、お桂に云ってよこしている。それが、あと四半刻《はんじかん》もすれば来るのである。

(どんな男だろう)

お桂は、期待した。

その後、手代が、心斎橋筋の金貸し高池屋の付近で集めてきたうわさでは、彦六は界隈でも高名な男であるという。

非常な計数家で(これには、お桂も失望した)旦那の三郎兵衛に信頼され、帳付けから

複雑な金利の計算、貸金の取りたてにいたるまでを切りまわし、

——金貸しの手代としては大坂一や。

と、三郎兵衛が自慢してまわっているほどの男だった。

同業の仲間でも、町内でも、彦六の前身が武士だったことはむろん知っているが、そんなことよりも、かれが、伊予宇和島の算学家不《ふ》川《かわ》顕賢《あきかた》先生の愛弟子《まなでし》だったことを尊敬し、

——高池屋の手代の金利勘定は、ただの丁稚《でっち》あがりの算盤《そろばん》やない。えらい算学から弾《はじ》きだしたものやさかい切れがちがう。

といっていた。もっとも、お桂にすればそんな金利勘定はどうでもよかった。算学では新選組は斬れない。

ところが、この彦六、のちの土居《どい》通夫《みちお》には南《みなみ》組じゅうを沸《わ》かした逸話があった。

主人高池屋三郎兵衛というのは、稼業が稼業だけに人に恨まれることが多い。といってもこの店は庶人《しょにん》が相手ではない。船場《せんば》の問屋筋が相手であった。そういうなかで、返済に困《こう》じはてた問屋があり、当時の大坂ではよくあった話で、喧嘩屋というものを傭《やと》って、ある日、常安橋を北に渡りきったところで、三郎兵衛をかこませた。

証文を破れ、という。

背後に、辻行燈が一つある。

が、それもわざと灯を消している。目の前に柳川藩の蔵屋敷の門があっても、門番は知らぬ顔である。

相手は五人。角力くずれ、浪人、無頼漢《くすぶり》といった顔ぶれだった。

後家鞘彦六は、主人の背後で、最初はわざと青くなっていたが、一歩、首領株らしい角力くずれのそばに近づくなり、

——うっ。

と、肩を動かした。

そのとたん、角力の鼻柱が砕け、わっと顔をおさえて卒倒した。腰の矢立《やたて》でなぐりつけたものらしい。

あとは、すばやく角力の腰の長脇差を抜きとり、峰打ちで四人とも右肩の鎖骨をたたき割って始末した。

この事件は、むろん奉行所まで行ったが、三郎兵衛が手をまわして、彦六はおかまいなし。

が、面倒なことがおこった。

当時、大坂松屋町《まっちゃまち》のぜんざい屋に潜伏していた長州系浪士数人を、夜陰、新選組谷万太郎以下が襲ったいわゆる松屋町騒動というのがあった(このとき、田中顕助もその浪士のなかにいたが、たまたま道頓堀に所用があって外出していたために助かった。殺されたのは土

佐藩士大利《おおり》鼎吉《ていきち》、無外流の目録者である)。

この松屋町事件のあと始末のために新選組幹部数人が大坂までくだり、たまたま奉行所与力から彦六のことを耳にした。

——ぜひ、入隊させよう。

ということになり、奉行所から公式に差紙《さしがみ》をまわして、彦六を東町奉行所(いまの国際ホテルのあたり)に呼びつけた。

「どうか」

と勧《すす》められたが、彦六には別の存念があったから、八方陳弁《ちんべん》して請《う》けなかった。

そのときの新選組隊士のなかに、彦六と同年輩ぐらいの眼のするどい若者がいて、これが顔つきのわりにはひどく優しい態度で、

——みれば私と同じ年恰好らしい。せっかく、ああ申されているのです。ぜひ入隊されよ。共に国事に尽そうではありませんか。

と、武州なまりで口添えした。これが、あとでわかってみると、局長近藤勇の甥宮川信吉で、当時平隊士だった。

さて。——

ちょうど約束の刻限になったとき、階下で人声がして、お桂の待っている奥座敷に、釘屋の手代があがってきた。

「見えました」

手代の背後に、男がいる。

意外に小男で、なんとなく物食いのいい健啖家《けんたんか》を思わせる切れの大きな薄い唇をもっている。理財家らしく若いくせに額がぬけあがり、眉毛が薄い。どこからみても、高利貸の手代であった。

ただ、おそろしく無口である。

お桂は、釘屋の手代を退《さが》らせたあと、声をひそめて陸奥一味の密謀を語り、語りおわったあと、膝もとで懐剣を抜いた。

後家鞘が、もし、否、といえば立ちどころに乳房を突いて死ぬ気でいた。自分が死ぬ覚悟でなければ、相手を死ぬ危険にやる交渉はできないことを、お桂は智恵で知っている。

「どうなされます」

「加盟する」

と後家鞘はいった。

お桂は懐剣を鞘におさめたが、相手が意外なほど容易に応じてくれたことが、かえって不安になりはじめた。この男は、真実、坂本のために死ぬ気があるのか。

「念のために、あなた様と坂本様との御縁をおきかせねがえませぬか」

「一度、お会いした」

お桂は、声をあげるところだった。この男も、自分と同じように薄い縁でしかない。

「それも、四年前だった」

当時、坂本の閲歴からみて、土佐を脱藩する直前のころだったらしい。剣術詮議のために藩庁に届け出て長州にむかう途中、宇和島の城下に足をとめ、旅籠に滞留した。坂本は、将来のためにこの隣藩にも同志を獲ておくつもりだったのだろう。

が、当時、坂本の名が宇和島まできこえていたのは、国士としての名ではなく、江戸で千葉道場の塾頭までつとめたという坂本の剣名のほうであった。

宇和島藩でも家中の若い剣術修行者はあらそってたずねたが、その中で田宮流居合の名誉後家鞘彦六もいた。

坂本は、この彦六に興味をもったらしい。

「ちょっと、その差料を」

と、坂本は餅切りで家中に名の高い後家鞘の佩刀を借り、抜こうとしたが、容易に抜けない。やっと、ひきちぎるようにして抜き放ってから、

「おお」

と、笑いだした。「見なされ」と坂本は自分の佩刀を彦六の膝に押しやり、双方、抜きならべてから、彦六も坂本の笑った意味に気がついた。

同じ土佐鍛冶久国なのである。

「これア、刀同士が兄弟じゃ。お前《まん》さんとわしア、前世に契《ちぎ》りがあるかも知れませんぞ」

と坂本はいってくれた。

後家鞘は、この一言で参って、翌夜も坂本を旅館に訪ねた。

坂本は、しきりと天下の風雲を論じたが、後家鞘はそれに相槌を打ちながらも、そのあいま合間に、自分の養家におけるつらさや、養父との折りあいの悪さを愚痴《ぐち》った。むろん彦六は、それ以前もそれ以後も、そんな湿っぽい愚痴などは、肉親にも洩《も》らしたことはないが、坂本とは、ふしぎな男だった。それを訴えたくなるようなところが、この無邪気で豪快で、そのくせ策謀の好きそうな土佐人にはあった。

「家など、捨ててしまえ」

と坂本はいい、さらに、

「藩も捨てることだ。いずれ京都を中心に新しい武権が出来る。そのときは、藩を捨てた天下の浪人がその武権に参加するのだ」

そう煽《あお》ったまま翌朝坂本は宇和島を発ち、ついに会っていない。

幸い、というか、ほどなく家付の女房の安子が死に、彦六は元結掛町の実家に帰ったが、もはやトウの立った年頃で養子のあてがおいそれとない。そのうえ、隣国からのうわさで坂本が脱藩したと聞き、しゃにむに彦六も脱藩して、大坂へ出てきたのである。

が、坂本は脱藩しても、すでに天下の名士で、薩長その他の志士との交遊もあり、むしろその世界にこそ、彼の活躍舞台があったが、彦六は尊攘志士のたれをも知らない。

頼りは坂本だけであったが、当の坂本が神出鬼没で、どこに居るかも知れず、むなしく炭屋の伯父の居候から高利貸の手代にまでなりさがってしまったのである。

「お桂どの、頼みがある」

意外に、平凡な顔になった。

「髪を、武家まげに戻す。いまここで、お手を貸してくださらぬか」

「はい」

「男を一人、生まれ更えさせていただく。あなたの手で……」

そんなことをいう。

お桂は、階下から耳だらいを借りてきて、梳《す》きあげてやると、いままで思っても見なかった男という生きものへの可愛さがえずくようにこみあげてきて、

「あの、お顔も剃《あた》りましょう。襟足《えりあし》もお剃りしてうまれかわったような殿御《とのご》にして差しあげとうございます」

「願いたい」

男女とは妙なものだ。そのあと彦六はいったん高池屋に立ちもどって来、あすは京へ

発つために釘屋で一泊したが、その夜、ごく自然なりゆきでふたりの仲は出来た。

「お桂。――」

彦六は寝床のなかで低声でいった。

「おれは、はじめていい鞘ができたらしい」

婚期こそ逸していたが、お桂にとってもはじめての男である。

「ほんまに、お桂もうれしおす」

と、京言葉でいった。

「わしもよろこんでいる。藩や養子という鞘に適《あ》わなかったが、いまこそ陸奥どののおかげで、海援隊という鞘ができた」

「……」

お桂には、男というものが、またわからなくなった。

六

その日。

たしかな情報が入った。

すでに後家鞘彦六が、洛北白川村に入って八日目、慶応三年十二月七日である。

加納宗七が紀州藩邸で籠絡《ろうらく》したある諜者からの報らせによると、今夕、三浦は定宿天満屋で酒宴をするという。

「たしかか」

陸奥は青い顔でいった。

「たしかに」

すぐそのあと、新選組屯所の前で餅を売っていた菊屋の峰吉が駈けもどってきて、三番隊長斎藤一、大石鍬次郎、蟻道《ありみち》勘吾、中条常八郎、梅戸勝之進、前野吾郎、市村第三郎、中村小次郎、宮川信吉、船津謙太郎ら十数人が、屯所を出たという。

——紀州、三浦。

という話し声がきこえたところをみると、三浦と会合するためか、それとも三浦の護衛に出かけるのではないか。

「相違ない」

うなずくと、すぐ陸奥は、すでに吏僚らしい冷静さにもどって、つぎつぎと必要な下知をくだした。

「ご一同、手配り部署はかねて相計り、相決めたとおりである」

動員数、十六人。

同志から香川敬三が田中顕助と同じ理由で脱落したが、そのかわり、町人ながらも加納宗七がとくに志願して参加している。

「では」

陸奥は立ちあがった。

が、すぐは天満屋には行かない。白川村から下京まで遠すぎるため、かねて下京の西《にし》洞院御前通《とういんおまえどおり》料亭「河亀《かわかめ》」を支度所《したくしょ》として指定してあった。そこへ、白川村から、三々五々めだたぬようにして出かけてゆく。

陸奥陽之助、中井庄五郎、後家鞘彦六ら三人は、一番に「河亀」へ入った。彦六は、

「宮地彦六」

と改名している。

例の後家鞘二尺五寸の大刀をかかえて床柱にもたれていたが、さすがに一刻後には白刃の下に身を曝《さら》すかと思えば、体内《たいない》がひきしまって歯の根がしきりと鳴った。

が、顔だけは微笑している。歯が鳴って頬だけが微笑している顔は、人間の表情のなかでも類なく醜怪《しゅうかい》なものだった。が、彦六は、シンからうれしかった。伝手《つて》なくむなしく大坂の町家ですごした二年を思えば、いまは天下の志士の仲間なのである。はじめて鞘をえたうれしさといっていい。

それにくらべると十津川郷士中井庄五郎は、端然と酒をのんでいた。年若いがさすがに職業的な人斬りといった落ちつきがこの男にはある。

やがてぞくぞくと集まってきて、逃亡者もなく十六人。

陸奥の事務がはじまった。

一同、目印のために白鉢巻をくばり、そのあと、十六人に四両ずつを配った。これは材木商加納宗七が寄付したもので、討入り後四散して京を落ちるときの用意である。

「戦闘は、一組ごとに」

陸奥は、念のために云い添えた。新選組の格闘法にならったものである。二、三人が一組となり、連繋しつつ戦うのだ。

あとは、静かな酒になった。

「河亀」から天満屋まで、半丁もない。その間、二間幅の往来。狭い。あたりは密集した民家の町である。

五つ半（九時）の鐘が、興正寺、本願寺と入りまじって聞こえてきた。

すでに、路上に人影がない。

探索に出かけていた菊屋の峰吉がもどってきて、

――すでに酒がまわっています。敵は二十四、五人にふえた。唄まで出ている。声は新選組の斎藤らしい（この唄声は、斎藤の酔ったとみせた誘いの手だったという見方もある。新選組では、すでに市中の土州浪士の動きから察して、今夜あたり、事があるのではないか、と見ていた）。

「よかろう」

陸奥の声とともに十六人は立ちあがった。

部署は、
表口からの斬り込みは、陸奥を将として、中井庄五郎、後家鞘彦六、本川安太郎、松島和助、竹野虎太、山崎喜都馬《きつま》の七人。

表路の固めは、岩村精一郎を将として六人。

裏口の固めは、斎原治一郎以下三人。

以上十六人。

一同、路上を小走りに走った。

月はないが、道の両側に三尺ほどの雪が真白に積みあげられていて、足もとに不自由はない。

陸奥は、例の拳銃をもっていた。

(撃てるか)

機能に多少の不安があったが、弾丸が一発しかないために、試《ため》しておくことができなかった。が、撃てれば威力がある。銃身は薄い鋼製《はがねせい》で、銃口がばかに大きい。腕にでもあたれば肩の付け根から吹っとばされそうな代物だった。

ばらばらっと天満屋の表口をかこむと、先鋒《せんぽう》斬り込みの二人の剣客が進み出た。

後家鞘彦六

中井庄五郎

のふたりである。陸奥は、総帥《そうすい》だからその背後の雪の上に立っている。

後家鞘は、格子へ二歩進んでから、不意に足をとめて、陸奥をふりかえった。

（臆したのか）

陸奥は思ったが、後家鞘は心中の動揺をかくすように、

「どうでしょう。坂本さんが殺《や》られたとき敵が用いた手で、偽名の名刺をさし出して不意を衝《つ》きましょうか」

このときの後家鞘のたじろぎを、やはり知識人らしい気の弱さだ、と陸奥は後日、自分の気持と思いあわして忖度《そんたく》している。

が、熊、とあだなのある十津川の山里うまれの人斬り庄五郎は、まるでちがっていた。

ずしりと一歩ふみだすと、

「お先に御免」

ただそれだけをいって、いきなり格子戸をあけ、だっと踏みこんだ。

すぐ、土間である。

後家鞘も、夢中でつづいた。

すぐ、階段がある。宴席は二階である。中井、後家鞘のふたりは足音を消してトントンとのぼりきるなり、奥の間のふすまを、

カラリ——

とひらいた。

敵方の一同二十数人、おどろいて不意の侵入者を見あげた。

中井は豪胆にも、新選組の隊士の押しならぶ真只中に進んでゆきながら、床柱を背負った黒縮緬の羽織の武士をにらみ、

「三浦氏はそこもとか」

といった。気を呑まれて三浦が、

「おう」

立ちあがるところを、中井は、三浦の前にある卓袱台《ちゃぶだい》の上に右膝をつき、

「参る」

ぱっと抜き打ちに斬った。その間一瞬で、ほれぼれするような居合だったという。

が、中井は間合をはかりそこねた。

「わっ」

と立ちあがった三浦の面上を割るにいたらず、眼の下の肉をわずかに裂いた。

と、そのときが、中井の最期だった。三浦の横にいた新選組三番隊長斎藤一が、ほとんど同時に中井に抜き打ちをあびせ、左頸筋から胸にかけてざくりと割った。

「不覚。——」

中井の身体がのめった。が、のめる瞬間、中井の背後から重なるようにして、まるで中井の死体が起きあがったかと錯覚させるようなすばやさで、おなじ抜き打ちが斎藤を襲った。

後家鞘彦六である。

斎藤は右籠手を叩き斬られて刀を落したが血は出ない。鎖の着込みを着ていた。が、打撃は骨にひびいた。

このため、当夜第一の使い手だった斎藤が思うさまに使えず、陸奥方はその分だけ楽な戦闘になった。

その右膝ついたままの後家鞘へ、左から一人が斬りかかった。

すかさず後家鞘は刀を逆にはねあげてその男の下あごを割り、

わっ――

とのけぞるところを左膝をすばやく前へ出して胸に突きを入れた。

男は、杯、器物を散らして横倒しにたおれた。それが、かつて東町奉行所で、

――おなじ年恰好のようですが、

と、入隊をすすめてくれた宮川信吉であるとは、現場では後家鞘も気づかなかった。

とたんにふすまが倒れ、海援隊士関雄之助（のちの沢村惣之丞）、小野淳輔《じゅんすけ》（坂本竜馬の甥）、竹野虎太らが斬りこんできた。

そのころには、後家鞘は、三浦の家来平野藤左衛門に致命傷を負わせ、新選組隊士梅戸勝之進の左股を骨まで切っている。

が、新選組側は、さすがにこういうことに場馴れしていて、すばやく灯りを消し、

「三浦、討ちとった」

と、隊士の一人が叫んだ。

このため斬り込み方はあざむかれ、

「退《ひ》け」

と、階段を駈けおりる。

そのあとを、新選組船津謙太郎が真先に迫ったが、階段から飛びおりたところで、長身の陸奥がのっそり立っていた。

とっさに陸奥は、引金をひいた。

家が割れるほどの轟音がおこり、拳銃をもっていた陸奥はその発射の反動で土間にころげ落ちてしまった。

同時に、船津も肩を射ぬかれて、陸奥のそばであがいている。

「退け」

陸奥は跳ね起きて路上に走り出るなり叫び、一同、雪の路上へ四散し、それぞれ思う方角に落ちた。

この天満屋騒動での双方の損害は、いまなお諸説があって明確な数字はない。

ただ死者は、新選組側が宮川信吉、海陸両援隊側が中井庄五郎。

それぞれ一人で、これだけははっきりしている。三浦休太郎は重傷を負っただけで一命はとりとめた。

事件後、陸奥は夜の町を北へ走って相国寺門前の薩摩屋敷の門をたたき、

「御開門くだされ。海援隊陸奥陽之助という者でござる。ただいま、隊長坂本の仇を討って参った」

というと、この屋敷の者には、陸奥はほとんど面識もなかったのに、これだけ喋ると意外にも開門してくれた。坂本の死は、薩藩にも同情者が多かったからだろう。

小門をくぐってほっと一息つくと、なんと後ろに、後家鞘が立っている。

「ついてきたのか」

「いかにも。それがし、各々のように頼って落ちてゆく先がない。お願い申す」

後家鞘にすれば、以前に坂本に離れて浮浪しているだけに、こんどこそは食いついても離れまいというつもりだった。

この男は運がいい。

事件から二日後の慶応三年十二月九日に維新の大号令が下り、一ト月後に鳥羽伏見の戦いが起こった。

鳥羽伏見の戦いのときには、いちはやく江州大津に飛び、官軍の兵糧確保のために米問屋に手を打ったという功績で、名が故藩まで聞こえ、脱藩の罪がゆるされるとともに藩主伊達《だて》宗城《むねなり》によびだされ、

「維新招来のための多年の辛苦、殊勝《しゅしょう》であった。わが藩からそちのような功臣を出したことは、時節柄、よろこばしい」

と賞せられた。

維新直前わずか一日の奮闘で、後家鞘こと土居通夫は新政府の外国事務局御用掛、さらに大阪府権知事、兵庫裁判所長などを相次いで歴任し、のち致仕《ちし》して財界に入り、明治二十六年大阪商工会議所会頭になった。

維新後、大阪府権知事になって、たまたま高利貸高池屋の付近を馬車で通ったとき、近所の者が、

「似ている」

と騒ぎだし、やがて数年前の高池屋の手代が、いまの権知事であることを知ってその数奇《さっき》な出世に驚いたという。

人間の運など、まるでわからない。

猿ケ辻の血闘

一

「きょうあたり、お着きやろ」

と、朝からうわさしあった。すでに客を迎えるためにこの家では、いかにも京の者らしく朝から敷石に水を打ち、中庭の奥の八畳の間には、香を入れている。

釜師《かまし》藤兵衛の東山の寮である。

ところは京の大仏裏《だいぶつうら》、――中庭に、火除《ひよ》けにいいという公孫樹《いちょう》の若木が一本うえてあって、葉はまだ黄ばみきっていない。

文久二年九月のことだ。

京の市中は、毎日のように尊攘浪士の人斬りが跳梁し、所司代の警察力も、あってなきような状態になっている（新選組創設は、その翌年のことだ。つまりこの事件は京の治安がどん底におちいっている時期と心得ていい）。

この日、午後からすこし日和雨《そばえ》がふり、ほどなくやんだ暮六ツ（六時）前、あたりをはばかるようにして入ってきた旅装の巨漢がある。帯刀が、おそろしく長い。

「会津《あいづ》から参った者」

武士はただそれだけをいい、主人藤兵衛に案内されて、奥八畳に通った。この一家が待ちかねていた客である。

「お国表《おもて》から御家老さまお差し立ての御書状を頂戴し」

と、藤兵衛は平伏しながら、

「いさい、承知つかまつっております。この寮はほとんど無人《ぶにん》でございますゆえ、ごぞんぶんにお使いくださいますように」

といった。

武士はちょっと頭をさげただけである。

そのあと、この寮にすむ藤兵衛の叔母の小里《こさと》、といっても甥よりも十も年下だが、次の間であいさつをし、進み出て茶を出した。このとき小里は、内心おどろいた。

（この方が、会津様《松平容保《かたもり》》がわざわざ京にさしつかわされたご密偵なのか）

大庭恭平《おおばきょうへい》という会津藩士はおよそ密偵という感じからは、遠かった。皮膚は三十前の桜色で眉ふとく、頬からあごにかけ、髯《ひげ》の意休《いきゅう》とまではいかないが、かなりひげを貯えている。

豪傑といっていい。が、異相である。これでは密偵にむかない。もうひとつ、密偵に不似合いなことがあった。会津なまりである。これほどめだつ男が密偵になるというのは、どういうことだろう。

「小里と申しまする」

と、小里はいった。

「主人藤兵衛や家内の者は、常住、二条高倉の家に住もうておりますゆえ、こちらは私の宰領《さいりよう》にまかされております。お身まわりのこと、御不自由がございましたらご存分にお叱りくださりませ」

「なにぶん田舎者にて京には馴れませぬ」

それだけいって、大庭は、大きなからだを音が鳴るように折った。

京に馴れぬ、といえば、今年の末、江戸を発《た》って京都守護職として京の治安に任ずる大庭の主人松平容保もそうだし、会津藩兵はすべてそうである。

奥羽のあらえびすのようなもので、徳川家の親藩のうち、会津二十三万石ほど武骨な藩はない。

その会津武士団が、この年末、京に来るのだ。

——事情は、こうである。

この年に入って、諸国から京へ流入してくる浪士の数がめだってふえ、それが薩長土三藩の京都屋敷を足場にして市中に出没し、天誅と称して、親幕派の公家侍、学者、論客を斬りまくる、といった状態で、従来の所司代程度の警備力では手がつけられない。

手を焼いた幕府ではついに「京都守護職」という新職名のもとに強大な警察軍をおくことになった。それを親藩の会津藩ときめ、藩主松平容保に交渉した。最初、容保は固辞した。

（後世、逆賊の汚名を着るかもしれぬ）

とまで考えたという。

が、説得側は、幕府の政事総裁で前代の井伊直弼などとはちがい、京都でも人気のある松平慶永《よしなが》（春嶽）である。

これがわざわざ容保の江戸屋敷に足をはこび、

——天子の在《いま》す京師の治安をまもることは武家として尊王の第一である。

といった。容保は従わざるをえなかった。

しかし、受諾にあたって会津藩上下の決意は悲痛なものだったらしい。要するに尊王派を弾圧する側である。万一の場合は、浮浪の志士ばかりか、薩摩、長州、土佐の三藩をむこうにまわして京都で血戦をしなければならぬことになるだろう。

最後に受諾ときめたとき、容保は「行くも憂《う》し行かぬも辛《つら》しいかにせむ（後略）」という歌をよんだほどだし、三人の家老を前にして、

——かくなった以上は、会津君臣は京都を死所としよう。

といった。

が、会津人は、京都を知らない。容保が辞退したときの言葉にも「わが藩、東北に僻《へき》在《ざい》し、家臣また上園《じようえん》（京都）の風習に通暁《つうぎよう》せず」とあるほどだ（もっとも京都の側からみても東北の兵を大量に迎え入れるなどは、南北朝のころ鎮守府将軍北畠顕家《あきいえ》が東北兵を連れてきていらいのことだろう）。

そこで容保は、家老田中土佐を指揮官とする京都偵察団（野村左兵衛、小室金吾《きんご》、外島《とじま》機兵衛、柴太一郎、柿沢勇記、宗像《むなかた》直太郎、大庭恭平）を先発させ、このうち大庭恭平に対してはとくに容保自身、いいふくめ、

——汝は過激人をよそおい、偽名を用い、すすんで浪士と交わり、その動きをさぐれ。

と単身先発させた。会津兵の京都駐屯は、これほどの周到さでおこなわれた。この宿もそうである。大庭の潜伏宿《せんぷくやど》として釜師藤兵衛の寮がえらばれたのも、藤兵衛の亡父が会津藩の茶坊主の家から出た縁で、いまなお藩とつながりが深い。

「いっさい」

と、大庭は、藤兵衛と小里にいった。

「わしが会津藩士であることは他言してくださるな。人がきけば、御府内浪士一色鮎蔵《いっしきあゆぞう》という偽名にしていただく」

「江戸の人、と申しあげるのでございますか」

「そうだ。わしはありがたいことに江戸で剣術修行をしたおかげで、会津なまりがな

い」

（へえ……）

ほとんど聞きとれぬほどの会津なまりのくせに、よほどの楽天家なのか、自分ではすがすがしい江戸弁だと信じこんでいる。

（いいひとなのだ）

小里が、この大男に興味をもったのはこのときからである。

その夜から、大庭の生活がはじまった。

ひどくいそがしいらしい。

毎日、市中に出かけては夜ふけにしかもどらず、ときどき家を数日あけることもある。

ある夜、小里がこの男の野袴をたたんでいると、裾のへりの羅紗から上にかけてべっとりと血が滲みとおっていた。おどろいて、

「これは、血」

と眼をあげると、

「は、血か」

とぼけてみせた。そんな肚芸《はらげい》もできるらしい。

「木屋町の暗がりで犬に吠えられたゆえ、斬りすてた。京者《きょうもの》は諸事やさしいが犬は獰猛《どうもう》とみえる。もっとも犬だけではないが」

「犬以外と申しますと西国浪人ですか」

「ふむ」

大庭に、憎しみがある。

「あの者ども、小里どのはどう思われる。好意をもつか」

「さあ」

小里は、考えた。

たしかに天誅浪人どもの跳梁はこまる。

しかし京者の感情は複雑だ。いずれかれら浪士群の働きで京が江戸になり、諸大名が京に移動して、町は大繁昌するという見方もある。

「わかりませぬ」

うつむくのを、大庭はしつこくのぞきこんで、

「小里どのも、京の人だからな。しょせん、われら会津者は、たとえわが殿が御駐留なされても、この水と油になろう」

「いいえ、会津中将さまが近々に京の守護をなされるといううわさは、京の町方では大そうな人気でございますよ」

これはこれで事実である。会津中将きたる、――といううわさは、京の浪士群を戦慄させている。

なんといっても会津は東方の雄藩だ。その藩兵は軍学長沼流で調練され、藩士いずれも武強で、藩風は殺伐の評判が高い。

――かかる藩が、王城の地に駐屯するのはいかがなものか。

公卿にそう焚《た》きつけて、さかんに反対運動をしている一派もあった。

二

秋十月になった。

すでに京の浪士間で、一色鮎蔵という名は知られはじめていた。

――腕は立つ、というのだ。しかも、激論家である（むろん偽装だが）。そのうえ、京にあらわれるなり、軟弱論を唱える志士数人を、下河原で一人、三本木で一人、四条の鴨川堤で一人、斬った。これが大そうな経歴になった。ちかごろでは河原町の長州屋敷や土州屋敷にも出入りしはじめている。

「一色鮎蔵とは、かつて聞かなんだ名だが、どういう男か」

と、興味をもったのは、錦小路の薩摩屋敷を根城とする同藩の激徒田中新兵衛である。この男は、土佐の岡田以蔵《いぞう》、肥後の河上彦斎《げんさい》とならんで、幕末の人斬り男として知られた人物である。

よほど興味をもったらしく、わざわざ河原町の土州藩邸を訪ね、知人の島村衛吉（鏡心明智流の達人で、翌文久三年、土佐藩の勤王党弾圧で獄死）に会った。

「よく知らんが、小藩の脱藩浪人のあいだでは、わりあい人気がある」

と、島村は、このなぞの東北人が浪士仲間に入りこんできた当初のエピソードをおもしろく語ってきかせた。

話とはこうだ。

仏光寺の裏に、かりがね屋という旅籠がある。

ある日、この軒下に、

——会津藩仮宿所
という札がかかった。

大庭よりもやや遅れて入洛《じゅらく》した家老田中土佐をはじめとする京都偵察団の一行の宿所である。この一行は大庭の任務とはちがうから、堂々と所在を明示している。

宿札がかかった早々、通りかかった数人の浪士がこれをみて、

「クヮイヅ藩」

と読んだ（当時の駈け廻り浪士というのは大てい無学で、この程度の教養の者が多かった）。

「クヮイヅ藩とはどこの大名であるか。聞いたことがないが」

近所の町人が見かねて、「これはアイヅでございます」と教えてやると、一同血相をかえ、

「さては守護職に就任するというアイヅとはこれのことか。さすれば、その本意を知るためにもひと議論せねばならぬ」

すぐ同志十数人をよびあつめ、肩をいからせて面会を求めた。

むろん、家老田中にとっても、尊攘浪士の様子を知るためには大いに会いたい。奥二十畳の間に通した。

浪士団は、口々に質問を発し、会津の藩論は開国佐幕であるか、尊王攘夷であるか、をききただしたが、会津側一同は、牡蠣《かき》のように黙りこくったまま、答えない。政論を吐くな、というのが藩主の内示だったからである。

もっとも黙ってばかりいるわけにもいかないので、田中土佐が、わざと強い会津なまりで、

「わが藩、辺陬《へんすう》にあるため、国論がいかようになっているのか存ぜぬ。おのおのがたの御高見をよく拝聴し、勉強せねばならぬと思っております」

と、何度もいった。が、云うたびに浪士どもは、

「え？」

と聴きかえすばかりで通じなかったらしい。

「一体、どうなんじゃァ」

ついに、備前浪人野呂久左衛門という者がおどすつもりで脇差の鯉口《こいぐち》をくつろげ、し

きりとツカをたたきはじめた。

「君、無礼ではないか」

と、とがめたのは会津側のなかでも短気者で通った小室金吾である。

争いは、この言葉からおこった。

野呂は飛びあがるなり自分の大刀をひろいあげ、

「表へ出ろ」

といった。

「心得たり」

金吾が立ちあがると同時に会津側も総立ちになった。浪士団はすでに刀を抜きつれている。

その瞬間を待っていたようにそばの襖《ふすま》がカラリとひらき、

「どちら様もおだやかに」

と入ってきた者がある。大庭恭平である。むろん会津側の仕組んだ芝居だった。大庭は左手に、鉄ごしらえの大刀をもち、

「拙者は奥州白河藩の脱藩一色鮎蔵。たまたま当旅籠に同宿している者です。この喧嘩おあずけくださらんか」

浪士側は、大庭の気合にのまれ、たじたじと後ろへさがった。

「ぬしァ、会津かよゥ」

「いまいったとおり奥州白河の浪人」

大庭は、おちついている。

「諸君と同じきを憂《うれ》える悲歌の士のつもりでいる。京で討幕の素志をとげるために国表を脱藩してきた。まず、おすわりあれ。大いに天下のことを論じようではないか」

大庭は、一同を鎮めたうえ浪士でもへきえきするほどの激論を展開しはじめた。議論もなかなか堂に入っている。折りから皇女和宮《かずのみや》の降嫁《こうか》事件で京の志士が沸きたっているときだったから、大庭は畳をどんとたたき、

「三奸《さんかん》斬るべし、両嬪《りょうひん》屠《ほふ》るべし」

などと論じた。それだけではない。徳川家こそ史上最大の賊臣であると説き、攘夷を断行するためにはまず幕府を倒さねばならぬ、といった。芝居とは知りつつも徳川家を宗家とする会津側は、大庭の言葉に一同蒼白になったほどである。

「そういう男だ」

と、島村衛吉はいった。

「そげなお人か。論ずるに足り申《も》さ」

田中新兵衛はおどりあがってよろこんだ。性単純な男だ。当時の同志の評にある、

「新兵衛、性、淡泊にして感激多し」。感激しては、政敵を斬る。

田中新兵衛が、島村の媒介《なかだち》で、河原町の土州藩邸で「一色鮎蔵」こと大庭恭平と会うことになったのは、文久二年十月のなかばである。

会った。

新兵衛はよほど気に入ったらしく、大庭の肩を抱きよせるようにして、

「お前《まん》さァの気概、この新兵衛と生きうつしに似ちょうがァ。一緒に仕事し申《も》っそ」

天誅の仕事を、であった。新兵衛によれば、二人、剣をそろえてやれば、京の奸賊はのこらず斃すことができるというのだ。それが新兵衛の朝廷様《ちょてさぁ》への忠節というものであった。

その日、ふたりは土州藩邸を出て、木屋町三条の「丹虎」(武市《たけち》半平太が潜伏して刺客団をあやつっていた料亭で、起居していた茶室は現存)で痛飲し、出たときは暗い。しかも雨になっている。

「あとは、女《おなご》を行き申《も》そ」

先斗町へ行こう、と新兵衛は云い、そのあとちょっと卑猥な顔をして、

「お前《まん》さァ、京の女《おなご》、抱《で》たこツがごわすか」

「え？」

この男の言葉がわからない。新兵衛がくりかえしていうと、

「ああ、わかりました。京の女」

ふと、小里の顔を思いうかべた。小里は、大庭の帰りがどんなに遅くても着付けを着崩さず、匂い袋を懐中にし、清雅《せいが》な粉黛《ふんたい》をこらして大仏裏の寮で待っている。茶の湯のたしなみの沁《し》みついたような折り目のある女であった。

「しかし私は」

大庭はきっぱりと、

「女は抱きません」

「それはいかん」

新兵衛は、真剣な顔でいった。

「王城の地を知るには、京女と寝るのが一番早《はよ》ごわンど。寝る、知る、これは一つでごわす。公卿の心まで読めるようになる。それに、おぬしは奥州、おいは薩州、やはりこの地にはおじけがさす。そのおじけは、京女と一度寝れば雲散霧消でごわンど」

「左様なものですか」

大庭は気のない返事をした。雨脚がひどくなりはじめていた。先斗町の狭巷《きょうこう》に入ると、ずらりとならんだ軒行燈が数丁の闇を照らしている。

「女を知るのは」

と、新兵衛は雨を避けるために軒端へ斜めに飛んだ。さらにひらりひらりと軒端から軒端へ飛びちがえながら歩く。器用なものだ。飛びながら大声で、

「人を斬るのと同様《おなよう》なもンでごわンさなァ。斬ってはじめて剣がわかりもす」

（あっ）

と、大庭は前を凝視して足をとめた。

眼の前に、よしのや、と軒行燈が出ている。

その格子《こうし》が突如ひらいたのだ。ぬっ、と出てきたのは、四十年配、大兵《たいひょう》の武士である。諸大夫髷《しょだいぶまげ》、丸に抱丁字《だきちょうじ》の定紋を染めぬいた黒羽二重の羽織に仙台平のはかま、それに暗くてみえないが、大小は黒鞘、ツカ頭《がしら》は銀、といった行装《ぎょうそう》で、どうみても尋常の身分の武士ではない。

田中新兵衛が「斬ってはじめて剣がわかりもす」と上機嫌にわめきながら、ひらっ、と軒端へとびこんだとたん、格子戸をあけて出てきたその諸大夫髷の武士の胸にもろに突きあたった。

武士は、おどろいたらしい。時節がら、

兇漢――。

とみたのは当然なことだ。田中新兵衛の奇妙な運命はこのときからはじまった。

武士はよほど使える男らしく、新兵衛の体がとんできた拍子に、とっさに刀のツカをぐっとあげて新兵衛のみぞおちを突き、たくみに新兵衛を雨中でころばせるや、

「無礼者」

と抜き打ちに斬りさげた。刀に恐怖がこもっている。新兵衛は危うくかわしてころころと転び、

「ご無礼さァして済ンもはんでごわす。事情がちがいもす」

とわめいたが、とっさの薩摩なまりだから先方に通じない。

武士も必死だ。二ノ太刀が、風を捲いて袴を切った。新兵衛もころげながら刀を抜き、

「待って呉《く》いやっ給《たも》ンせ。名を云《ゆ》もンで。薩摩藩の田中新兵衛でごわす」

「………」

愕《ぎょっ》、とした表情を、武士はした。薩摩の田中新兵衛ときいては、いよいよ最初の直感に狂いはない。武士は踏みこむや、

「死ねっ」

と一颯《いっさつ》、太刀を入れた。すさまじい撃ちである。新兵衛はクルリと体をまわし、薩摩鍛冶和泉守忠重二尺三寸の切尖《きっさき》でからくも受けたが受けきれず、肩さきに一寸ばかり斬りこまれた。新兵衛にはかつてない不手際であった。

武士が三ノ太刀を打ち込もうとした。このとき大庭恭平の影がやっと動いた。キラリと大剣をぬき、片手のまま武士の前に漂《ただよ》わせるように突きだしながら、

「待たれよ」と、ひどい会津なまりでいった。

「うぬも仲間か」

「いや、お手前の思いちがいだ。刀をひかれい」

手短かに前後の説明をすると、武士はわかったのかどうか、身をひるがえして雨中の闇に消えてしまった。後難をおそれたのだろう。

あとでよしのやに入って武士の名を訊きただしてみたところ、最近、少将姉小路公知《あねのこうじきんとも》に召しかかえられた一刀流の剣客で丹波の人吉村右京という者であるという。

(姉小路少将?)

大庭も、新兵衛もおどろいた。

姉小路といえば、三条中納言実美《さねとみ》とならんで過激派公卿の双璧といわれ、周囲に尊攘浮浪の志士を多勢あつめ、年は二十四歳ながら、当時の廟堂《びょうどう》を一人で牛耳っているような男である。つまり、志士の煽動に乗りやすい。田中新兵衛などにとっては、神輿《みこし》のようにありがたい公卿であった。吉村右京はその用心棒である。きっと、この一件はもつれる。

「田中君、大変なことになりましたな」

と、大庭はいった。新兵衛は、雨中ですわったままである。

「が、出来てしまったことです。仕方がない。木屋町の丹虎に戻って飲みなおしましょう。傷の手当もせねばならぬ」

「構《かんま》ん」

新兵衛はいきなり刀を逆さにつかんで、腹に突き立てようとした。大庭はおどりかかって、その手をつかんだ。

「短慮ですぞ」

「放《はな》っしゃっ給《たも》ンせ。公卿の傭い剣客づれに、薩摩藩士が犬《いん》の子みたいにころがされて、三太刀も受けるなどの不覚があってよいものか。生きて藩邸に戻りができ申《も》さん」

揉みあううちに、折りよく空き駕籠がきたから、押しこんで薩摩藩邸まで送るように命じ、駕籠わきから離れた。あとは、新兵衛が死のうと生きようと大庭には興味がない。

その翌夜、大庭恭平は、仏光寺裏の会津藩宿舎をこっそり訪ね、右の一件を家老田中土佐に報告した。

「ほう、それはそれは」

田中土佐は、眼を光らせた。

「耳よりなはなしじゃ。これがもし大事になれば、薩藩の宮廷における勢力を削《そ》ぐことになる。そうではないか」

「たしかに」

大庭もそう思う。いま薩長土の三藩が、それぞれ親しい公卿を擁して、京都に擬似《ぎじ》政権というべきものが誕生しつつあった。このまま放置すれば江戸政権（幕府）の癌《がん》になり、その探題である会津にとって仕事がしにくい。

「大庭、お手柄だった。おそらく、あすにでも姉小路家から薩摩藩邸へ厳重な抗議がくるだろう。それに姉小路少将は長州藩の操《あやつ》り人形だから、長州と薩州の間がまずくなる」

いい情報だ、さっそく江戸の殿にお報らせする、と田中土佐はいった。

「今後、私はどうすればよろしいか」

「それも、殿にうかがう」

大庭恭平は、大仏裏の寮にもどった。

数日、市中の様子をさぐったが、田中土佐が予測したような事態はいっこうにあらわれない。おそらく、吉村右京が、あの一件を主人の姉小路少将に報告しなかったのではないか。

「いったい」

と大庭は、小里にきいた。

「姉小路少将様とは、どんなお方です」

「黒豆はんどすか」

そういうあだながあるという。同じ過激公卿でも、三条中納言実美は白豆で、姉小路は色が黒いために黒豆であった。これは口のわるい京都人だけの異名でなく、長州藩士などもこの異名をつかい、

——こんどの廟議では、白豆にこう云わせ黒豆にはこう云わせる。

などと、隠語《かくしことば》として使った。

少将は公卿には似ず、幼少のころから武張ったことが好きで、剣も使えた。もっともどれほど出来るのか、たれも知らない。

「家来の吉村右京とは、どんな人物ですか」

「吉村はん?」

これは知らなかった。が、数日して、公卿屋敷に奉公している縁者にきいた、といって多少のことを教えてくれた。

「雑掌《ざっしょう》はんどす」

武家でいえば用人というところだ。

近ごろ公卿も金まわりがいいから、そんな名目で護衛の剣士をやとう。吉村は丹波の郷士の出であるということだった。啞《おし》のように無口な人物で主人の少将以外の者とは口をきかず、人づきあいもしない。剣は何流で、どれほど出来るのか。

「そこまでは存じまへん」

(が、あの男は、できる)

と大庭恭平はみていた。先斗町の夜、人斬り新兵衛をあれだけ追いつめた太刀業《たちわざ》のすさまじさは、尋常一様の剣客ではない。

「よほどの腕のようだ」

「せやけど、太刀持はんのほうがお強いという評判どす」

「太刀持？」

「へえ、金輪勇《かなわいさむ》はん」

「そんなのも召しかかえているのか」

公卿は、薩長土が争って献金するため景気がいい。数年前までは軒並にカルタ貼りの内職をして辛《かろ》うじて生きていたことを思うと、うそのような時勢である。

金輪勇は仁王という異名のある大男で、これも吉村右京と前後して傭われた護衛剣士であった。姉小路はどこへ行くときでもこの雑掌と太刀持を帯同している。

三

ほどなく江戸から京都の田中土佐のもとに急飛脚がきて、江戸家老横山主税の筆で、

――姉小路の件、重畳《ちょうじょう》。大庭恭平いよいよ精励《せいれい》すべき事。

とのみあった。

意味がわからない。

大庭は一晩考えてから、もう一度田中土佐に会い、

「じつは、私案がござる」

といった。

「お人払いを」

「おお」

田中土佐はいそいで座敷を空《から》にした。

「どういうことだ」

「左様」

これを決行すれば京都政界に驚天動地の大混乱がおこることになり、薩長の宮廷勢力を一挙に削ぎ、会津藩入京後の政治的立場を有利にすることができるはずだった。

——姉小路を暗殺する。

これである。姉小路を殺せば（さらにこれに三条中納言を加え二人同時に斃せば）この二人を操縦している長州藩の神通力をうしなわせることになり、さらにこの案をひとひねりして、この長州系公卿を薩摩藩士の手で斃させれば、もともと仲のよくない薩長両藩に致命的にひびが入り、同時に薩摩藩は公卿全体からきらわれて、その勢力も一時におちるだろう。

「一石三鳥の妙手でござる」

「ふむ、それも早速江戸表に。——」

急飛脚が立った。

折りかえし返書がきて、「殿の御上洛を待つように」とあった。大庭は、待った。

——文久二年十二月九日、松平容保は会津藩兵を率《ひき》いて江戸和田倉門内の藩邸を出発、同二十四日巳《み》ノ上刻、京に入った。隊列一里、行装整然として、さすがに他の諸侯の兵とはひと目みてちがう。

大庭恭平は、群衆のなかにまじって、ひそかにそれを迎えた。京の市民は、幕府親藩中の最強のこの藩が、京の治安にあたってくれることをよろこび、

会津肥後さま、京都守護職つとめます
内裏《だいり》繁昌で、公卿安堵
トコ世の中ようがんしょ

という俗謡《ぞくよう》が、その日のうちに市民の銭湯でうたわれた。

大庭はその夜、大仏裏の寮で、小里に支度をたのみ、ひとり酒を飲んだ。

「よろしゅうございましたねえ」

と、会津びいきになっている小里は、心からいった。が、恭平はだまっている。ほかのことを考えている顔つきであった。

「どうおしやしたの？」

「いや」

ぐっと冷えた杯を干し、さらに注《つ》がせた。いつもなら二合の酒で真赤になるこの男が、もう徳利を七、八本あけたというのに、すこしも酔っていない。

「猿ケ辻」

とつぶやいて、はっと小里をみた。

「いま、私はなにかいったか」

小里は、徳利をとりあげた。

（猿ケ辻？　なんのことだろう）

場所は、京の者ならたれでも知っている。御所朔平門《さくへいもん》外で、昼なお人通りが少なく、付近には下級公卿の屋敷が多い。

「猿ケ辻、と」

「申したか」

「はい」

小里は、だまって大庭恭平を見つめた。大庭は目をそらし、

「じつは今日は蹴上《けあげ》で肥後守様（容保）の行列を拝んでから、御所へまわってみた。そこで偶然、御所から退出する姉小路少将様をみた。猿ケ辻という場所だった」

「その辻どしたら、あの公卿《ごっさん》のお屋敷のお近くどす。淋しいところどすやろ」

「そうだな」

大庭恭平は考えていた。猿ケ辻には、御所の練塀《ねりべい》に沿って溝がある。その溝を発見したことが、大庭の考えを飛躍させた。

むろん、姉小路暗殺などは、大庭恭平自身でも半ば夢想だと考えていた。が、猿ケ辻には溝がある。溝に身をひそめて待ち伏せれば、朔平門外を通って退出してくる公卿は、自在に討てるはずである。この溝が、京における会津藩の政治的位置を決定するだろう。あとは、藩公の採否を待つばかりであった。

四

襲撃には、人数が要《い》る。

さいわい、京には、えたいの知れぬ尊攘浪士が毎日のように流入してきている。多くは小藩、郷士の出で、京で事をなそうと思って出てきたものの、薩長土三藩のいずれにも知人のない場合は、浮浪の徒になった。

大庭は、かつて仏光寺裏の会津先遣隊の宿陣で騒動をおこしかけた例の備前浪人野呂久左衛門を通じ、これらを組織した。

「なんのために集めるのだ」

「当然ではないか」

大庭はいった。

「われらは小藩の出身である。もし薩長土が義軍をあげるとき、われわれが個々ばらばらでは陣借りも出来かねる。あらかじめ小藩同士が一隊を組み、平素連絡を密にしておき、いざ薩長土が起《た》つときは、まとまって参軍するほうがよいと思う」

「なるほど、これは才覚じゃ」

これら一統が、木屋町三条の「丹虎」に集まったのは、文久三年二月である。

このうち多少名のある者は江戸の浪人国学者諸岡節斎《もろおかせっさい》ぐらいのもので、あとはろくな者がいない（念のため名を列記すると、伊予の三輪田綱一郎、下総《しもうさ》の宮和田勇太郎、信州の高松趙之助、因州《いんしゅう》の仙石《せんごく》佐多男、同石川一、陸奥の長沢真古登《まこと》、下総の青柳健之助、京都町人長尾郁《いく》三郎《さぶろう》、同小室利喜蔵《りきぞう》、江州《ごうしゅう》の中島永吉など。これらはほとんど、のち自殺、斬殺、牢死の悲運に会うにいたるが、大正年間、位階《いかい》を追贈されている）。

大庭恭平はこれら小藩党の結成には成功したが、席上、思わぬことがおこった。信州人高松趙之助が、

「われわれが結盟の挙を盛んにするために、洛中をあっといわせるような天誅をやろうではないか」

と云いだしたのだ。高松の案は奇抜で、生きた人間を斬るのではなく、洛北等持院《とうじいん》に安置されている足利将軍三代（尊氏《たかうじ》、義詮《よしあきら》、義満《よしみつ》）の木像の首を斬り、これを逆賊として

三条河原に梟《さら》そうという。

みな手を打って賛成し、大庭が収拾《しゅうしゅう》できぬほどに昂奮しはじめたため、

（これは、逆手をとることだ）

と、率先してこの「斬奸」の指揮をし、翌々日の二十三日、総勢十数人とともに洛北等持院を襲って木像の首をはね、それを三条河原に梟首《きょうしゅ》するとともに、深夜、ひそかに市中を走って黒谷の会津藩本陣に入った。ここで、一切を報告したのである。

家老横山主税、田中土佐は、事の重大さにおどろいた。斬ったのは木像とはいえ、三条大橋の制札場にかれらのかかげた高松趙之助起草の斬奸文によれば、暗に徳川将軍をもって同罪の賊としていることがわかる。

「捨ておけぬ」

と松平容保は断乎として検挙を命じ、二十六日、会津藩兵が市中に押し出し、かれらの大半をそれぞれの宿所で捕えた（因州浪士仙石佐多男は捕吏の前で自殺）。これが京都守護職による最初の浪士弾圧で、数ヵ月後、守護職御預《おあずかり》新選組が設けられるにおよんで京は浪士殺戮のちまたになる。

松平容保は、徒士《かち》の身分の大庭恭平をとくにお目見得をゆるし、

「手柄であった」

とほめたが、大庭恭平にすれば、密告が意外な結果をよんでしまった。他日、姉小路

暗殺につかうために組織した浪士団が一挙に潰滅したことになる。

その上、

「不憫《ふびん》じゃが、そちも同罪にするぞ」

と、容保はいった。一色鮎蔵こと大庭恭平だけが捕縛をのがれたりすると、かえって密告の秘密がばれる。

このため、大庭は、諸岡節斎とともに信州上田松平家の家臣にお預けになり、京を離れた。

が、ほどなく上田を脱走し、京に舞いもどって大仏裏釜師藤兵衛の寮に潜伏した。むろん、容保承知のうえである。

——姉小路を討つ。

これが、大庭恭平が、主家に報いるための執念になっていた。男の生甲斐が仕事だとすれば、数ならぬ恭平風情《ふぜい》が、この朝廷第一の実力者を斃して京都政界に大波瀾をおこさせることほどの快事はない。

すでに、死は決している。

帰洛してすぐ、木屋町三条の「丹虎」に顔をだすと、意外にも木像事件の逮捕もれの連中数人が飲んでいて、一色鮎蔵の不敵な脱走に狂喜し、

「鮎蔵の腰にちぎれ縄がみえる」

と、諸藩の志士にその勇気を大いに宣伝してくれた。

この日、かれらの口から姉小路少将についての奇怪なうわさをきいた。

――少将は、公武合体（佐幕）論に寝返ったらしい、という。

「そ、それはまことか」

大庭は昂奮のあまり、傍らの硯《すずり》に手をつっこんであたりに墨汁をとばしたという。

「いま、うわさの真偽をしらべさせているが、どうやら勝（海舟・当時摂津《せっつ》神戸村の幕府海軍操練所の長官）の口車に乗ったらしい」

姉小路は、大庭が舞いもどるすこし前の文久三年四月、公用で摂津へくだったとき、勝がこれを迎えて、兵庫港に繫船《けいせん》している幕府軍艦順動丸に案内した。

勝には、下心があった。この若公卿が、無智な尊攘家どもにかつがれて、開国反対、醜夷討つべし、などという固陋《ころう》な硬論を吐いて朝論を主導しているのを、実物教育で目をさましたかったのである。

姉小路は、勝にすすめられるままに順動丸に搭乗したが、紀淡《きたん》海峡をすぎるころには風浪がおこったためにはげしく船に酔い、艦砲操作も見学できないほどになった。

――殿下、醜夷は船酔いはしませんぞ。それにあの者どもは、これほどの軍艦を揮《は》いて捨てるほど持っている。

勝は遠まわしにおどしたうえ、セバストポールの戦図や撤兵答知機《さっぺいとうちき》と称する兵術書などをみやげに持たせた。

帰京してのちは、姉小路は、婦女子が悪夢を物語るような表情で、朝廷の国事掛の詰めの間で毎日、洋式軍艦のおそるべき威力を物語っているという。

開国論に奔《はし》った、というわさはここから出た。当時、開国論が佐幕で、鎖国論が尊王（孝明帝はほとんど精神病的な外国恐怖症におわした）という図式になっている。

大庭恭平は、すぐ、東洞院蛸薬師《ひがしのとういんたこやくし》東側に借家ずまいしている田中新兵衛をたずね、この情報をもらした。

「田中君、これを捨てておけますか」

と、刀のツカをたたいた。

いつもの新兵衛なら、

――遣《や》っ中《も》そ。

とすぐ剣をつかんで立つところだが、どうしたことか、悪戯《いたずら》をした少年のように銷沈《しょうちん》して、要領をえない。

新兵衛のこのころの銷沈ぶりは、いまでもなぞになっている。原因は、祇園に女ができたためともいい、またこれよりすこし前の正月二十八日、新兵衛は同志とともに下立売千本東入ル《しもだちうりせんぼん》賀川肇《はじめ》（親幕派の公卿千種《ちぐさ》有文の雑掌）の屋敷を襲い、賀川の一子弁之丞（十一歳）の泣きさけぶ前でその父の首を落した。これ以降、鬱々《うつうつ》として楽しまなかったともいう。おそらく両方とも原因だったのだろう。

「一色君。おはんも武士なら、わけは訊いてたもるな」

大庭は、しぶる新兵衛を木屋町の「丹虎」にひっぱって行き、

「浮かぬときは、酒にかぎります」

と、「丹虎」の娘おゆう（土佐脱藩浪士吉村寅太郎の恋人）にすすめさせて、臓腑《ぞうふ》も溶けるほどに飲ませた。

そのあと、三条縄手を下《さが》った鴨川べりにある「小川亭」で飲みなおすために大橋を越えたとき、

「一色君」

と、新兵衛はいった。大庭恭平はすかさず、

「申されるな、わかっています」

「何《なん》が、じゃ」

「あんたには臆心《おくしん》がある。去年の秋、先斗町の妓楼の前で、あんたは不覚をとられた。姉小路卿の雑掌吉村右京がこわいのでしょう」

「何《な》ン」

新兵衛は、ぱっと下駄を捨てた。すでに二尺三寸和泉守忠重を抜いている。

大庭もとびさがって、二尺七寸の大剣を上段にかまえた。酔っていない。

新兵衛は泥酔しているはずだが、薩摩風に八双《はっそう》にかまえ、両足を撞木に踏み、剣尖を天に衝きあげるようにしてじりじりとせまった。が、息がみじかい。

(斬れる)

と、大庭恭平は、新兵衛の粗《あら》い呼吸を一つ二つとはかった。ふっ、と新兵衛は息をとめた。同時に撃ちこんできた。大庭はすばやく上段から刀を落して、その出籠手を鋒《みね》で撃った。

新兵衛の刀が飛び、それが暗い地上におちたときは、大庭恭平はすでに姿勢をひくめて東へ走っていた。

手に、新兵衛の愛刀をひっさらっている。

その翌日、大庭は、木像事件の残党六人を大仏裏の寮にあつめ、

「いいか、黒豆(姉小路卿)が軟化しはじめている。黒豆が軟化すれば、莫逆《ばくぎゃく》の白豆(三条卿)も影響されずにはすむまい。このさい、二卿を斬って宮廷の惰気《だき》を払うのだ」

「よかろう」

この連中に、思慮などはない。血気と功名心だけがあった。さっそく手配りして宮廷の情報をあつめると、明後日の五月二十日は廟議があり、最近の例からみて長びきそうだという。

大庭はその前日、一同を御所周辺に連れて行って、十分に地形地物をみせた。

「公卿衆は」

歩きながら、さりげなくいう。

「この公卿門から出てくる。三条卿は南のほうの梨木町の屋敷へ、姉小路卿は、逆に通りを北にむかって帰邸する」

大仏裏にもどってから、両方面にそれぞれ手配りをし、三条卿に対しては清和院門の蔭で待ち伏せし、姉小路卿の方は、猿ケ辻の溝の中で身を伏せて待つことにした。

「ぬかるまいな」

念を入れ、刺客たちを解散させたあと、大庭恭平は小里に酒の支度をさせた。

（あすは、死ぬ）

そんな覚悟でいる。物心《ものごころ》のつきはじめるころから、武士とは主人のために死ぬものだ、と教えられてきたこの会津者は、その前夜、自分でもおどろくほどに恐怖がなかった。

ただ淡い寂しみは、名の残らぬことであった。この男が密偵になったころから、脱藩者として名を会津藩から削《けず》られている。

しかし、明夜の挙については、黒谷の会津屯所に出むいて、家老の横山主税にまで手みじかに申しのべておいた。主税はおどろいて二条城の容保のもとに伺候した。ほどなくもどってきて、

「お耳に入れた」

といった。容保はなにもいわなかったらしいが、武士はそれだけで死ねる。恭平はそう教育されてきて、疑いもなくこれで死ねる。容保の耳にはたしかに入ったはずである。その証拠に、下賜金《かしきん》として五十両が、横山の手から大庭に渡された。大庭は、それを、狩り集めの浪士一統に、

――さる藩邸から出たものだ。

といって配った。浪士らは、出所はおそらく薩長土三藩のいずれかだろうとおもい、深くは問わなかった。天誅の前後には、この三藩のいずれかから金が出るのがふつうだったからである。

その夜、酒をすごした。

小里は、この男の様子がいつもとちがうことに気づいたが、問えなかった。うかつに声をかけられないようななにかが、この会津武士にはあった。小里にはうまく説明ができないが、三百年の武士道がそこに沈澱《ちんでん》している、という顔だった。

こういう表情は、小里のせまい見聞では、薩摩者にもある。双方とも、日本の辺陬《へんすう》にあるだけに、古い武士道が濃厚に残っているのかもしれなかった。

翌夕、大庭ほか六人は、御所にちかい相国寺門前の茶店で落ちあい、日暮れとともに、三々五々、闇のなかに散り、ふたたび所定の待ちぶせ場にあつまった。

一隊は清和院門わき。

大庭自身が率いる三人は、猿ケ辻の溝のなか。所定の手配どおりである。

この夜、月がなかった。

背後は御所の塀、前は粘《ねば》るような五月《さつき》の闇である。

——よいか。

と、大庭は、いった。

——金輪勇と吉村右京には君ら三人でかかれ。僕は姉小路を斬る。

（来た。……）

と、大庭が一同の袖をひいたのは、亥《い》ノ刻《こく》（夜十時）の鐘が鳴りおわったころである。

闇のむこうに数人の足音がきこえ、先頭に定紋の入った箱提灯がゆれている。少将は徒歩であった。

少将の右わきに吉村右京、左わきに太刀持の金輪勇が従い、背後には、沓持《くつもち》らしい小者、といった一行五人で、ひたひたと近づいてくる。

それが眼の前にきたとき、吉村右京が何事かを感じたのか、

「殿下。——」

と立ちどまった。が、そのときに大庭恭平がおどり出て、少将のこめかみを、ざくっ、と割りつけた。

（しまった。浅い）

とっさに刀に馴れぬ、と思い、新兵衛の和泉守忠重をカラリと捨てて、自分の刀をぬいた。

少将の影は、跳《は》ねとび、跳ねとび、逃げようとするが、足がもつれて逃げられないらしい。

「太刀を。金輪、太刀をもて」

当の金輪は、少将の太刀を持ったまま逃げまわっていたが、やがて提灯持、沓持が泣き声をあげてばたばたと遁《に》げはじめたのにひかれ、自分もそのあとを追って逃げてしまった（のち金輪は市中潜伏中、町奉行の手で逮捕、容保の命により、主人の急を捨てたかどで、六角獄で斬首）。

吉村右京は、金輪とはまるでちがっていた。三人の刺客にかこまれながらもたえず踏みこんですさまじい太刀業をみせ、三人それぞれに太刀を当てたが、浪士はころがるばかりで傷をおわない。鎖を着込んでいたからである（事件後、朝廷から銀五枚を下賜。その後の消息知れず）。

その間、大庭は少将の腰を斬ったが、闇で眼がきかず刃が骨ではねかえされ、少将を横倒しにたおしたにすぎない。少将ははね起きた。逃げればこの場合たすかっていたろう。が、利かぬ気の少将はどう血まよったか、泣き声をあげながら素手《すで》でつかみかかってきた。大庭は息をつめた。太刀をあげ、据物《すえもの》を斬るように、

――うむっ。

と気合を入れ、肩を右袈裟に割ってから、

「退《ひ》け」

と命じた。

少将は、五丁さきの自邸玄関まで吉村にかつぎこまれ、

「枕、枕」

とふたこと叫んだ。が、吉村が式台までかつぎあげたときは死体になっていた（なお、三条中納言襲撃のほうは、中納言の人数が多かったため一戦も仕掛けずに遁走している）。

この夜、田中新兵衛、東洞院蛸薬師の借家でたしかに寝ていた、と同宿している同藩の仁礼《にれ》源之丞が証言している。

が、現場に遺留品がある。

銘は和泉守忠重、二尺三寸、幅一寸一分、反り八分、鮫皮《さめがわ》のツカで、鞘は黒。ツカ頭《がしら》は鉄で、藤原と高彫《たかぼり》があり、表に英、裏に鎮という二字がある。

早暁現場にかけつけた土州藩士那須信吾（伯爵田中光顕の叔父で、のち天誅組に参加し討死）がひとめみて、

「あっ、田中の」

と口走った。

すぐ薩摩屋敷御用の刀師清助（烏丸竹屋町）がよびだされて検分《けんぶん》し、「まぎれもなく田中新兵衛様の差料に相違ございませぬ」といったことから、松平容保は田中逮捕にふみきった。

ただ、薩藩とのもつれを避けるためにこの捕縛令は朝廷から出してもらい、その住居をおそって町奉行所に拘禁した。

新兵衛とは、奇妙な男である。

奉行永井主水正《もんどのしょう》の追及に対し、はじめ頑強に否認していたが、

「これに見覚えがあろう」

と、自分の差料を見せられたとき、この男はいっさいの弁解をやめた。

「どうじゃ」

町奉行永井は、幕臣のなかでも能吏として知られていたが、薩摩人の気質《きしつ》を知らない。自分の奪われた差料を衆人の前で示されるような恥辱をうけたとき、かれらには、たった一つの行動しかなかった。

「どうじゃ」

と永井がふたたび畳みかけたとき、田中新兵衛はわっと中腰になり、その腹にはすでに脇差を突きたてている。

「これは」

永井が立ちあがった。と同時に新兵衛は脇差をひきぬいて宙にかざし、やがて血ぶるいして躍りあがったかとみると、

「やっ」

と、自分の首をはねていた。場所は、西町奉行所槍ノ間である。事件はこのまま、謎になった。

大庭恭平は、その後行方不明。が、釜師藤兵衛の菩提寺である鳥辺山《とりべやま》の蓮正寺にはかれの墓碑と思われるものが、いまも朽《く》ちて残っている。

文久三年五月二十一日歿、と読めるから、これが大庭の墓碑ならば、事件の翌日自害したことになる。

なんのために自害したか、かれの場合もまた、当時の会津人になってみなければわからない。

冷泉斬り

一

文久四（元治元）年の正月、当時、京の鞍馬口《くらまぐち》の餅屋の二階に潜伏していた長州脱藩の浪士間崎馬之助のもとに、夜陰、川手源内と梶原甚助のふたりの同志がたずねてきた。用件というのは、絵師冷泉為恭《れいぜいためたか》という者を殺すことであった。

「何者だ、それは」

「絵師だ」

「なぜ絵師づれを斬らねばならぬ」

間崎はそういうことよりも、同志がもってきてくれた酒を冷《ひ》やのままのどに押しながすことのほうに気をとられていた。温和な性格の男だったが、ひどく大酒家で、久坂玄瑞《くさかげんずい》も「間崎の酒は胃の腑を溶かしながら飲むような酒だ」といったことがある。酒で体をそこなうことを心配したのだろう。

間崎馬之助は、論客の多かったいわゆる勤王の志士のなかではきわだって無口な男で、秘密の会合のときなども、いつも後ろの座でねそべってほとんど口をきいたことがなかった。そのくせ、なんとなく同志のあいだで重んじられていたのは、かれが、長州につたわる間崎夢想流《まざきむそうりゅう》という抜刀術の流儀の相続者で、剣をとっては京にきている諸国の脱藩浪士のなかではおよぶ者がないといわれていたからである。

事実、こういうことがあった。

去年の文久三年の春、間崎が土州浪士三人と相国寺門前の旅籠屋の二階で会合していたとき、路上で見張りをさせていた者が二階へ合図の小石を投げこんできた。手入れである。

間崎馬之助は、落ちついて行燈の火を消してから窓から下をのぞいた。暗くてよくわからなかったが、すでに軒先を三、四人の武士が固めている。提灯の文字をみると、京都見廻組の隊士らしかった。そのうち、階段を忍び足でのぼってくる気配がした。

「ひと足さきに逃げてください」

かれは、落着いていった。土州の者は当惑した。逃げろといっても階段は二つしかない。階段の下は敵がぬからず固めているにちがいないし、かといって窓から飛びおりることは、路上にむらがっている見廻組の猛者《もさ》に餌食《えじき》をくれてやるようなものであった。

「造作はない。廊下のむこうに明り窓がある。それを蹴やぶって出れば裏の屋根に出られます。あとは屋根伝いに走って、ほどよいあたりで寺の境内にとびおりればよろしいでしょう。

「あなたは」

と土州の者は、逃げながら、ふりむいた。

「私ですか」

間崎は、ちょっと微笑し、すぐ手をふって、行け、とするどくいった。かれは窓から路上にとびおりるつもりであった。敵の注意を自分に集中させなければ、土州の者が裏口から逃げだせないとみたのである。

やがて敵が二階へあがってきた。四人である。幸い、手燭をもっていない。間崎はひとり闇のなかに沈んでいた。

「逃げたらしい」

と先頭の男がつぶやいた。

「暗い。あかりをもって来い」

と、その横の者がいった。ところがその男の声がおわらないうちに、ぐわっ、と頭蓋骨を断ち割るにぶい音がきこえた。

「あっ」

とあとの三人が叫んだ。足もとに敵が伏せていることにはじめて気づいたのである。

しかし奇妙なことに、斬られた男が倒れた気配がなかった。

そこが間崎馬之助の妙技といえた。かれは先頭の男を立ち姿のままでたたき斬ると同時に死体のふところにとびこんで倒れかかる死体を自分の背で受けとめていたのである。死体を背にのせたまま、ツツ、と横ばしりに走って窓ぎわへ寄った。

「あっ、いた。逃げたぞ」

敵は、押しならんで迫った。間崎は窓から、死体を背から外へほうり投げた。死体は生ける者のように、闇の虚空にとんだ。階上の者も、路上の者も、それが間崎自身であると錯覚したのはむりもなかった。死体はやがて路上に落ちた。いかにも人がとびおりたような感じであった。軒先の見廻組隊士はわっと押しかこんだ。ふた太刀ばかりあびせてから、それが仲間のうちでも腕ききの男として知られた平野詮十郎という者であることに気づいたころは、頭上からもう一人の男が降《ふ》ってきた。

やはり死体か、と思う先入主があった。一瞬、刀をひいてたじろいだとき、降りおちた男はすぐとびあがって、袈裟斬りに一人を斬り倒し、死体が倒れたときには、闇のなかにすがたを消していた。神わざといえるほどの機敏さだった。

このことは同志のあいだで評判になり、

「馬之助は昼あんどんのような男だが、いざとなれば大変な智恵が出る」

といわれた。平素はよほど愚物のようにみえた男だったのだろう。

鞍馬口の餅屋の二階をたずねた二人の同志も、馬之助が、冷泉為恭の名さえ知らないことにむしろあきれた。

「京では、高名の絵師だ。この男に、ふすま絵を一枚かいてもらうにしても、千金の金が要る。いま宮廷に仕え、正六位下で式部《しきぶ》大丞《だいじよう》の官位をもらっている」

「それをなぜ斬らねばならぬ」

「奸物である」

川手源内がいうところでは、冷泉為恭は、絵師という職業がら、高位の公卿や宮門跡《みやもんぜき》などに接近する機会が多く、しかも定見もないくせに国事を談ずることがすきな男だという。為恭はそういう座談のあいだにきいた機密を幕府側に売り、多額な礼金を受けとっているという。

「公儀の諜者《ちようじや》か」

「そうだ。しかもこの男は絵師だから京都所司代にも出入りし、さきの所司代酒井若狭《わかさの》守《かみ》などからひどく可愛がられていたそうだ。所司代役人のなかでとくに親交のある者には、与力加納伴三郎という者がいる。加納が冷泉を使っているといううわさもある」

「なんだ、うわさなのか」

つまらぬ、という顔で、馬之助は、茶わんのふちに厚い唇を寄せた。

「酒は、おけ」

「ああ」

馬之助は素直に、茶わんを膝もとにおいた。

「うわさだけではないぞ。あんたは、さきごろ、朝議の機密がしきりと幕府側にもれて大騒ぎになった一件をおぼえていよう。あのときは、三条実美公が、機密漏洩《ろうえい》の張本人らしいという疑いがあった。三条公だけしか知らないはずのことが所司代に筒抜けになっていたからだ。機密が洩れたために、幕吏につかまった同志も二人や三人ではない。このために、三条公に天誅を加えようという者も出た。わすれたか」

「おぼえている。しかし、ほどなく三条公の疑いが晴れたときいている」

「晴れていない。一時ほどではないが、いまなお機密が洩れつづけている。どうやら調べてみると、三条公の身辺に冷泉為恭という名が出た。この男は、ふるくから三条邸に出入りし、家来同然に昵懇《じっこん》にしてもらっているらしい。三条公のはなしではこの男に語ったことだけが洩れている、というのだ。これが動かぬ証拠である。しかも三条公が、それに気づいて冷泉を遠ざけるにつれて、機密の洩れが少なくなった」

「なるほど。——それで？」

「天誅を加える」

「可哀そうではないか」

「なぜだ」

「たかが絵師づれに」

「絵師とはいえ、六位の朝臣だぞ。しかもうわべながらも攘夷論を論ずるのが好きな男だ。彩管《さいかん》一本をもたせておけば機嫌のいい絵師ではない」

間崎馬之助はだまった。口に出してはいわなかったが、ここ数年、諸藩の脱藩浪士のあいだで「天誅」が流行しているが、すこしやりすぎではないか、とかれは思っている。

京はひどく血なまぐさくなっていた。一昨年の文久二年七月二十日には、九条家の家来島田左近が木屋町二条下ルの妾宅で殺されているし、その二カ月後に島田の同僚宇郷《うごう》玄蕃《げんば》が自宅で妻子と語らっている所を刺客にふみこまれて首をはねられた。その翌月には、目明し文吉が殺され、去年の五月二十日には国事係の公卿姉小路少将公知が御所を退出した帰路を要撃されて落命した。さらに千種家の雑掌賀川肇が、下立売千本東入ル町の自邸で殺されている。

尊攘派の刺客が賀川の家にふみこんだのは夜だったという。下女の竹というのが応対に出た。奥の間にいた賀川が玄関の様子を耳にしてすぐ立ちあがり、かねてしつらえておいた床の間のうしろの二重壁のあいだに身をかくした。

刺客は、家中を捜索したがついにみつからなかった。やむなく刺客たちは竹を座敷の真中にひきすえ、顔を二度なぐりつけ、おどした。

「申さぬか。たしかにたったいままで亭主はここにいたはずじゃ」

竹は、頑固にだまっていた。浪士の一人が刀をぬき、竹のふとももにプツリと突きたてた。竹は痛みに悲鳴をあげながら、「殺しとくれやす」と叫び「どのような目にあわされようとも、主人が殺されるのをわかっていてそのありかを申しあげるわけには参りまへぬ」といった。

「それほど主家が大事か。それならば考えがある」

と、刺客は、賀川肇の一子で弁之丞という名の十一歳の男児をつれてきて、

「この子は、賀川の世取りか」

「はい」

「いわねば賀川の身がわりにこの子を殺すがどうだ」

このひとことが、二重壁のかげにかくれていた賀川肇をおどろかせた。やにわにころび出て、

「しばらく」

と、刺客にすがりつき、

「子供に罪があろうはずがない。この上は逃げもかくれもせぬ。疾《と》う、首を打て」

「奸物ながら覚悟がよい。よう申したぞ」

一刀のもとに首を落した。刺客の名は当時わからなかったが、あとで、播州姫路の脱藩浪士萩原虎六、江坂元之助、薩摩藩士田中新兵衛ら五人であることがわかった。間崎馬之助は、刺客のひとりの播州浪人松木鉄馬という者と懇意だったが、鉄馬が、「首を切ったとき、子供が火のつくように泣きだした。あの声がいまだに耳について離れぬ」

と述懐していたのをおぼえている。

「その冷泉為恭は、どうしても斬らねばならぬのか」

「われわれが斬らねば、他藩の者が斬る。げんに水戸脱藩の福良十次郎や土佐の神谷新兵衛などがねらっている。間崎さん、あんたは臆しているな」

「私が？」

とぼけた顔をしてみせ、

「臆してなどいない」

「それでは、いやなのか」

そうだ、といいたかったが、昨今、いよいよ殺気だってきている仲間の前で、それをいう勇気は馬之助になかった。

この二人の仲間の気持ははっきり馬之助にもわかっていた。為恭の天誅を他藩の浪士に出しぬかれたくないということである。浪士たちは競争でねらっている。いずれ冷泉為恭というあわれな絵師は殺されることになるだろうと馬之助は思った。

「あんたがやらねば、われわれだけでやる。われわれは、あんたも加えようという好意でここまできたのだ。ただ、冷泉の身辺には、近ごろ所司代の手で警護され、新選組の者も、ときどき見廻りにきているらしい。他藩の者は、それを恐れている。間崎さんもこれに加わらなければ、新選組を恐れたことになる」

「やってみよう」

と、馬之助は顔をあげた。

「ただ、しばらく探索させてくれ。冷泉為恭の屋敷はどこにある」

「ここだ」

「川手源内が、市中地図をひろげて、御所の堺町御門にちかいあたりを指さした。

二

翌朝、馬之助がその町まで出かけてみると為恭の屋敷はすぐわかった。昨夜の源内のはなしでは、所司代から巨額の礼金をとっていたということだったが、それにしては粗末な板塀でかこまれた案外小さな家で、となりの雅楽寮《ががくりょう》の楽人多《おおの》備前守のほうがはるかに宏壮だった。

玄関は、しまっている。

翌々朝もこのあたりまできたが、玄関はしまったきりであった。新選組が護衛しているというのだが、その気配はない。

間崎馬之助は、去年の秋から鞍馬口の餅屋太兵衛のもとで住みこみの、手代になっていたから、町人のなりにかえている。太兵衛は、長州の郷士の出で、馬之助とは縁つづきであった。幕府の長州系浪士への弾圧がきびしくなりはじめたころ、かれのほうからすすめてかくまってくれたのである。

鞍馬口にもどってから太兵衛に、「冷泉為恭という絵師のことをご存じですか」とたずねてみると、意外にも、

「手前どもの得意先でおす」

といった。太兵衛自身、節句の餅などをとどけに行ったことがあるという。

「どういう男でしょう」

太兵衛はすこし思案して、田中訥言《とつげん》という絵師はえらかった、といった。尾張のうまれで京都にのぼって画名をあげ、晩年は朝廷から法橋《ほっきょう》に叙せられたほどだったという。宮殿の図や位官の人物を描くのに長じ、剛直清廉で、うそをいうことをきらった。

田中法橋は、平素、

「眼はわしのいのちや。そんなことはないやろが、もし盲目になったなら、わしは死ぬ」

ところが、晩年、法橋がもっともおそれていた眼病をわずらい、失明した。訥言は、平素のことばがうそになることを怖れ、失明したその日から食を断った。ところが十日ばかりを経たがなお死ねなかったため、ついに舌を嚙み切って死んだ。

太兵衛のはなしでは、それほど頑固一徹の師匠の弟子にしては、為恭はひどく軽い感じの男らしい。

「世間の評判は、どうでしょう」

「よくもわるくもおへんが、市中のうわさに冷泉様の名がよく出るのは、お裏様《うらさま》のせいやということどす」

太兵衛のはなしでは、為恭の内儀は綾子《あやこ》といい、男山八幡宮の社家新善法寺家のむすめで、京洛随一の容色であるという。御所の後宮にも、公卿の姫にも、綾子ほどうつくしい女はいなかった。太兵衛のいうのは、綾子の容色がうわさに出るときに、その亭主として為恭の名が出る程度だというのである。

「小柄で、おとなしいおひとでござりましてな。お口数のすくないおひとで、あまり外へお出ましになりまへぬ」

数日たって折りよく冷泉家から女正月のための餅の注文があったので、馬之助がとどけにゆくことになった。

勝手口から入ると、下女が出てきて餅をうけとった。

この日はそれだけのことで、為恭の姿をみることができなかった。しかし馬之助は失望せず、邸内の構造をすばやく読みとり、庭の西側の低い塀が、となりの多家《おおのけ》の庭に接していることに気づき、忍び入るには隣家から入れば容易だろう、とおもった。

その翌日、冷泉家の前を通りかかると、為恭が出てきた。

（この男か）

拍子ぬけするほど貧相な四十男であった。はやりの黒縮緬の無紋の羽織に細身の大小をさし、毛の薄いあたまに諸大夫まげをのせていた。

しかし為恭のあとからもう一人、背の高い男が出てきたとき、馬之助の顔が、おもわずこわばった。新選組の探索方で、米田鎌次郎という男である。人斬り鎌次郎といわれ、神道無念流の使い手で、この男に殺された尊攘浪士の数は、五人や六人ではなかった。

（鎌次郎が、付け人になっているのか）

二人は、馬之助とすれちがった。鎌次郎はチラリと馬之助をみたが、気づかない様子だった。

その日の夜陰、馬之助は、雅楽寮の楽人多備前守の屋敷の塀を乗り越えた。武家屋敷とはちがい、ほとんど無防備にちかい家で、そのまま庭を横切って、冷泉家との境界の塀をやすやすと越えることができた。

時は、亥ノ刻をすこしまわったころおいで、月はなかった。家々の灯は、とっくに消えている。ところが、庭からみると、冷泉家の雨戸だけは、かすかに灯が洩れており、人が起きている気配だった。

馬之助は、厠《かわや》のそばまで近づいた。目の前に、船形の大石を据えたツクバイがあり、そのむこうに縁側がある。いまにたれかが手洗いに立ってくるだろうと、気ながに待った。

やがて、奥のほうで女の笑う声がした。軽忽《きょうこつ》なほどの高調子だった。半刻も待つほどに、手燭の明りがゆらゆらと近づいてきた。

ほどなく縁側がにわかに明るくなり、男女があらわれた。女が手燭をもち、男の足もとを照らしていた。為恭か、と思って凝視すると、ひどく若い男だった。公卿まげと着ながしの白い小袖が、長州そだちの馬之助の眼には異風にみえた。

「あぶのうおすえ」

女は、つと手燭をさしのべた。男は、縁からとびおりようと身がまえていた。手燭の明りのなかに浮かびあがった女の顔は、馬之助が思わず息をとめたほど美しかった。

――これが綾子か。

男がとびおりた。そのままの姿勢で、もう一度、縁側の上に立っている綾子を抱こうとした。綾子は、上体をくねらせて、いやいや、いやの仕草をした。そのため手燭がひどくゆれた。

「もう、おやめやす」

「いやじゃ。まだ、おぬしに堪能《たんのう》はせぬ」

男は、綾子を抱きながら、顔をいきなり女の腰のあたりにうずめた。

「おやめやす、と申しておりますのに」

あとは、うめき声にかわった。やがて男は、つと身をはなし、二、三歩しりぞいてから、

「では、また」

男は馴れた足どりで闇の庭を横切った。馬之助がみるうち、男は東の塀にとりつき、足をかけた。おどろいたことに馬之助が侵入してきた道とおなじであった。隣家の者である。

あとで餅屋太兵衛にきくと、その年頃、顔立ちの者なら、多備前守の長男美麿《よしまろ》という者にちがいない、と教えてくれた。

「両家は、ご姻戚どす」

「というと」

冷泉為恭の姉のたつ子という者が、多備前守の後妻だというのである。美麿は先妻の子だから、血縁はないとはいえ、叔母と甥のあいだで不義が行なわれていることになる。

その夜、綾子は美麿を見送ったあと、そのまま厠へ入った。馬之助はツクバイのかげにひそみながら、

（この探索は、これ以上やめだ）

とおもった。いかに王事のためとはいえ、他家の庭にひそみ、しかも見るべからざる不義をぬすみ見るなどは、武士のすべきことではない。

——やがて、厠から綾子が出てきた。馬之助はそっと立ち去ろうとした。そのとき、不覚にも、足の裏で小石をきしませてしまった。

「どなた」

青い顔で、綾子は暗い庭のほうをすかし見た。馬之助は、ツクバイのかげから観念して立ちあがった。

「長州浪人間崎馬之助という者です」

綾子は、あっと逃げかけるのを、馬之助は手で制し、この男にしてはせい一ぱいの微笑をうかべて、

「決して物盗りではない」といった。綾子は、くたくたと折りくずれた。むりはなかった。京洛の地で、血に餓えたように天誅の白刃を舞わせているのはたいていは長州脱藩の浪士で、長州ときけば、この場合、物盗りよりもおそろしかった。

「無礼は詫び入る」

と馬之助はいい、

「しかし、正直に名を名乗っているのは、私が危害を加える気持のない証拠と思っていただいてよい。そのかわり、余人には、私がここへ来たことも、むろん私の名も、洩らしていただいてはこまる。お洩らしになれば、私も、いま目撃したことをご亭主に告げる。つまり、双方、秘めごとの交換をしようというのです。この交換に応じてくださる

だろうか」

綾子は両手で顔を蔽《おお》ったまましばらくだまっていたが、やがて、

「はい」

と、聞きとれぬほどの声でうなずいた。案外、損得にさとい女かもしれなかった。

「たった一つのことをきけば、すぐ退散する。ご亭主どのは、いずれへ参られたか」

「ぞ、ぞんじませぬ」

「やむをえぬ」

と、馬之助は、一歩近づいた。綾子は、腰をすべらせて、あとじさりした。

「教えてもらえぬならお命をいただかねばならぬ」

「も、もうしあげます。あるじは、きょうから、ふすま絵を描くために、西加茂明神の神光院に参っております」

「いつもどられる」

「明後日」

（ひとがさわぐはずだ。これほどの容色の妻をもったのは、むしろ為恭の不幸かもしれない）

「内儀――」

と、馬之助は、絶え入るような風情で倒れている綾子の肩をみながら、かすれた声で

いった。かれ自身、綾子を抱きすくめて、凌辱《りようじよく》したくなる自分をおさえかねていた。

「はい」

綾子は、眼をあげた。その眼は、馬之助に犯されるのを待っているような眼だった。

「後ろをむいていただこう」

綾子がそのとおりにすると、馬之助は闇のなかにとびさがって姿を消した。抜け出る道を知られたくなかったのである。

翌日、馬之助は、東山妙法院に潜伏している川手源内を訪ねた。

「冷泉為恭の居どころがわかった」

「どこだ」

西加茂の神光院である、というと、気の早い川手はもう佩刀をつかんでいた。「よせ」と馬之助はするどくいった。

「西加茂は守護不入の地だ。社頭を血で汚しては、世の聞えもわるい。為恭は、明日の小正月に家にもどるから、その帰路を扼《やく》せばよかろう」

「なるほど」

「しかし、わしはことわる」

「なぜだ」

「自分でも、よくわからぬ」

正直な返答のつもりだったが、この答えは川手を激昂させた。

「かまわぬ。当方で有志を集めるだけだ」

三

この月の十五日のことを京では女正月とよぶ。松の内のあいだ、家々の女たちは来客のもてなしに平素よりもかえっていそがしいため、かわりにこの十五日に正月をするのである。

この日は、夜来から思わぬ雪になり、御所の松がたわむほどに降りつもったが、それでも往来は、着かざって芝居見や物詣《ものもうで》にゆく女たちがしきりとゆききして、ひどくあでやかであった。

ところが、市中のうわさに、この朝、百万遍のあたりで浪人が殺されていたという。

このところ京ではありふれた事件にすぎなかったが、馬之助は、はっとした。

早速、太兵衛から笠と百姓蓑《みの》を借り、なかに刀をしのばせて、ふりしきる雪のなかを出た。現場についてみると、死体にはムシロをかぶせてあり、近所の男女が数人、それをかこんで立っていた。

「ほとけは、どなたです」

「さあ、知りまへんな」

どの顔も、おそろしく不愛想だった。この付近の五人組の者らしく、おそらく町年寄からいいつけられて、死体が雪にうずもれないようにときどきムシロの上を手ではらいおとすために立っているのだ。いい迷惑にはちがいない。

「ちょっと、みせていただく」

ムシロをめくると、予感はしていたが馬之助の顔色がかわった。まぎれもなく川手源内であった。左袈裟を心ノ臓まで一刀で斬りさげられている所からみれば、よほどの腕利きの仕業とおもわれた。

(とめるべきであった。それとも、自分が加われば、かようなことにはならなかったかもしれぬ)

そのとき、死体の番をしていたものが、悲鳴をあげて散った。

(……………?)

間崎馬之助は、なにげなく背後をふりかえってから、万一の用意に笠の結び目を解いた。武士たちがちかづいてくるのである。

武士の笠と蓑の上に雪がつもっていた。武士は十歩ほど手前でとまり、

「町人」

と声をかけた。馬之助はうずくまったまま、へい、と笠を解くまねをし、そっと上眼づかいに武士を見た。米田鎌次郎である。新選組がよくやる手だった。人を斬ってお い

てから、死体をそのままにしておき、同類の者が引きとりにくるのを待ち伏せるのである。

「この者の縁者か」

「いえいえ、ちがいまする」

「ほう、妙なナマリがあるな。名前と住《すま》い生国をいえ」

馬之助は、ときどき使っている「生国播州高砂在、大坂で打紐《うちひも》を商《あきな》う高砂屋与兵衛の手代与吉」という名をいうと、

「ちょっと、顔をあげてみろ」

鎌次郎は、二、三歩ちかづいた。みたことがある顔だ、という表情だが、おもいだせない様子だった。

「高砂屋」

「へい」

「面擦れがあるな」

米田は、云いおわるなり抜き討ちで斬ってきた。馬之助は、雪の上にころび、五、六度勢いよくころがったが、鎌次郎のするどい太刀をかわしきれなくなった。

幸い、鎌次郎も雪に足をとられて、十分には踏みこめない。

馬之助は、そのスキにやっと立ちあがった。蓑のなかに大脇差がある。そのツバモト

を左手でおさえ、腰をわずかに沈めた。

「ほう、やはり武士だったようだな」

鎌次郎は、切先を上段にあげた。

「何藩だ」

「………」

馬之助は、居合に構えたまま、何物も見ざるごとく眼を細めて立っている。ただ視野のなかをおびただしい雪片のみがいそがしく通りすぎた。真剣の立ち合いでは、鎌次郎のほうが場馴れているだけに一日の長がある。しかしいま鎌次郎が仕掛けてくれば、馬之助の手は無意識にはたらいて相手を斬り倒すことができるだろう。

が、鎌次郎は、

「やめた」

といって、刀をひき、

「いい芸をもっている。何流の居合だ」

「………」

「いずれ、顔をあわせることもあるだろう。そのときは君の首胴、所を変えるとおもって居たまえ」

と鎌次郎は、京の浪士のあいだではやっている「給えことば」でいった。きざな男だと馬之助はおもった。君、僕、などということばも、新選組や尊攘浪士のあいだで、ちかごろしきりとつかわれはじめている。いわば志士ことばといっていい。

雪は夕方になってやんだ。

その翌日、間崎馬之助は、別に用があって河原町の土州屋敷へゆくと、顔見知りの坂本竜馬が暗い土間で呼びとめた。馬之助はおどろき、

「いつ京へのぼられたのです」

「きのう」

と竜馬は、みじかく答えた。この男のくせで、懐《ふとこ》ろ手をして首をしきりとふっては、骨をコクコクと鳴らしている。

「ところで」

懐ろ手のまま、この男独特のえたいの知れぬ微笑をうかべ、

「きょうの昼は、この藩邸では君の話でもちきりだったぞ。貴国の人が三人きて、川手源内の一件でひどくあんたを罵っていた。あんたは約束しておきながら逃げたというではないか」

「それがどうしたのです」

「どうもしないさ」

竜馬は、相変らずコクコクと首を鳴らしている。

「では、なぜ私を呼びとめたのです」

「いい男だ、と思ったからさ」

からかっているのだ。竜馬が三十歳で、馬之助は二十九歳である。一つちがいなのに、坂本竜馬はすでに天下の志士のあいだに名があり、馬之助を子供あつかいしていた。

「なぜ、いい男なのか」

「怒ってはこまる。ほめている。くだらぬ鼠族《そぞく》のような絵師いっぴきにかかずらわっておらぬ所が、あんたのよいところだ。天誅さわぎなどは、愚劣すぎる」

竜馬はそのまま行ってしまった。しかし馬之助を妙なぐあいにほめてくれたのは竜馬だけで、あとで会った土州屋敷の者は、いずれも白眼をもって馬之助をみた。

しだいに事情がわかってきた。川手源内ら長州人三人は、百万遍で冷泉為恭を待ち伏せたのだが、米田鎌次郎のために逆に源内が斬られると、他の二人は死体をすてて逃げたらしい。

その翌日土州屋敷へやってきて、冷泉暗殺の助力を乞い、自分たちの立場をよくするために、

「間崎が、決行途中で逃げた。そのため人数が敵方よりも少なくなり、失敗した」

川手は間崎が殺したようなものだ、とまでかれらは極言したという。馬之助は、かれらの卑劣さを憤るよりもむしろ、腹の底の冷えるほどの思いで、

（これはまずい）

とおもった。友を売ったといわんばかりのうわさが出てしまえば、もはや京で国事に奔走する立場をうしなってしまう。仲間がかれを支持してくれなくなり、馬之助は京から去らざるを得なくなるだろう。

（為恭に同情はしておれぬ。あの絵師を殺さねば、自分自身が京の仲間たちからのけものにされてしまう）

これは保身に似て保身ではない、と馬之助はおもっている。自分がのけものにされることは国家の損失であり、そのゆえに私情ではない、というほどの気概がこのおだやかな男にもあった。おだやかなようでも、国許を脱籍して京の風雲のなかで身をおいているほどの男なのである。

馬之助は土佐の京都屋敷のなかでも、矯激な性格で知られている吉村善次郎と会い、

「あの一件は自分にもいい分はあるが、いまは弁じないことにする。とにかく冷泉為恭は私が斬る」

馬之助の本意は、もし土佐側で暗殺を考えているならしばらく手をひいてもらいたい、ということであったが、吉村は鼻で笑い、

「それは君のご勝手だ。しかしわれわれの方にも多少の用意はある。それに、十津川郷士の桜井忠蔵、大倉大八なども、冷泉のことで悲憤していたようだから、天誅は君だけ

にゆだねるわけにもいくまい」

やはり冷泉斬りは、諸藩の浪士の競争のようなものになりそうだった。

四

そのころには、冷泉家の裏方綾子は、自分の主人が、執拗な刺客にねらわれはじめていることを知るようになっていた。

為恭も、門を閉ざしたまま外出しないし、三人の婢女《はしため》はおそれて暇をとってしまった。家のなかが急にさびしくなったうえに、訪客はいっさい断わっているために息のつまるような毎日がくりかえされた。

為恭は、気が落ちつかないのか絵も描かず、逃げ場をうしなって家鼠が、部屋のかたすみでふるえているような姿で、終日、画室で火桶《ひおけ》をかかえたますますわりつづけていた。

綾子がしみじみと腹だたしかったのは、なぜこれほど小心で、絵をかくことのほかあまり芸のなさそうな男を天下のために殺さねばならないのかということであった。

佐幕派ならば、京ではもっと大物がいるはずである。公家では九条前関白、武家では京都守護職松平容保がいる。かれらが殺されずに、なぜこういう貧弱な肉体の絵師が殺されねばならぬのだろう。

しかし綾子は、こういうはめになった遠因が自分の容色にあるということを気づいていなかった。

そのくせ、所司代与力加納伴三郎が数年前から自分に特別の好意をもっていることは知っている。加納自身、しばしば冷泉家を訪れるようになったのは、

「お裏がおらるるゆえじゃ」

とぬけぬけと綾子の前でいったことがある。綾子の手をにぎったり、細い頸《くび》を抱こうとしたことも、何度かあった。綾子も、この恰幅《かっぷく》のいい、口をひらけば軽妙な冗談ばかりをとばしている中年の役人はきらいではなかった。

「いちど、寝てたもらぬか」

冗談に抱きしめて、耳もとでぬけぬけといったことがあるが、綾子は笑ったきり、否応《いなや》の態度をあいまいにした。そういうはめになってもいいとも思った。いまだになっていないのは、加納とのあいだに機会がなかっただけのことである。

「なあ、お裏どの」

と伴三郎は、いったことがある。

「亭主どのに用もないのに、こうしばしば来るとは、わしもつらいことでのう。つい三度に一度は、無い用事もむりに作らねばならぬようになる」

その用というのは、はじめは罪のないものであったのが、しだいに諜報のことになって行ったのである。加納は、そのつど役所から金をもってきた。この所司代与力は、冷

泉家にとって、福の神のようなものだった。冷泉為恭も、

（これしきの話が、それほど所司代によろこばれるのか）

と思い、しかもそれが金になることがおもしろくて、むしろかれのほうから積極的に権門をまわっては聞きこんできたことを加納に話すようになった。

新選組の探索方米田鎌次郎とつながりができたのも、おなじような理由であった。米田と加納は、職掌がら昵懇《じっこん》で、最初、加納がこの新選組隊士をつれてきたとき、

「これは、こわいお人じゃ」

そういうおどけた口ぶりでひきあわせた。

「壬生《みぶ》では、人斬り鎌次郎といわれているほどのこわい仁《じん》じゃ。もう一人、壬生で人斬りといわれている浪士がござってな、これは鍬次郎と申される。大石鍬次郎どのじゃ。鎌も鍬も、よねをつくるのに大事な道具じゃが、人の名につけば、まるで草でも刈るようにサクサクと浪士狩りをなさる」

鎌次郎は、にがっぽく笑うだけで言葉少なに酒をのんでいたが、この男も内心綾子のつややかさにおどろいたらしく、眼を綾子にすえたままになった。

その日から鎌次郎は隊務の余暇をみてはやってくるようになった。むろん、綾子だけがめあてだが、為恭への口実として、

「堂上方、門跡、社家の連枝、縁戚関係を教えていただきたい」

とたのんだ。

為恭は饒舌《じょうぜつ》な男だから、はなしは朝廷の縁戚系譜をおしえるだけではすまず、かれらの性格や政治的な動き、諸藩との結びつき、出入りの浪士の名までしゃべってしまう。

たとえば、吉野で死んだ天誅組の吉村寅太郎がまだ京にいたころ、盛んに三条家に出入りしていることを鎌次郎に教えたのも冷泉為恭であった。そのため吉村は新選組につけねらわれて数度危難にさらされたことがある。

綾子は米田鎌次郎の黄色くにごった肌が吐き気がするほどいやだったが、この男がおそろしくて応接するときはつとめて微笑をたやさなかった。

ところがそれを錯覚したのか、去年の秋ごろから、為恭の留守をねらっては訪ねてくるようになった。

「ただいま、あるじは他行《たぎょう》しております」

できるだけ強いことばで断わるのだがこの男には効き目はなく「左様か」とうなずくだけであった。そのままあがりこんで、為恭の帰りを待つのである。

ところが為恭が知恩院の客殿の襖絵をかくために数日とまりこんでいたとき、夜陰、隣家の多美麿がかよってきて、ひそやかな共臥しの夜を送ったことがある。

そのとき、不意に鎌次郎が訪ねてきた。探索方には、新選組の内規として門限がないためこの男は、夜も自分の時間がある。あわてて美麿をにがしてから綾子は玄関へ出、

「夜中、なんの御用でござりましょう」

「酒を所望したい」

「あるじが不調法でござりますゆえ、お酒は支度しておりませぬ」

「妙なにおいがする」

この男は、とっくに綾子と甥の美麿ができていることをかんづいていたのだ。今夜は不意を襲って証拠をにぎろうとしたにすぎない。

「お裏どの、そなたの肩に男の髪がついている」

「えっ」

綾子は、蒼ざめた。鎌次郎はその手をつかみやにわに引きよせてから、

「それ、ここに」

と肩に触れた。むろん、うそである。しかし綾子のおどろきを見てしまった以上、仕事が早かった。耳もとに唇をつけ、

「そなた。隣家の楽人の子とみそかごとをしていやるな」

「ち、ちがいまする」

「余人の眼はたぶらかせても、この鎌次郎の眼はごまかせぬ。しかし、他言はせぬ。そのかわり、わかるか、わしがなにをいおうとしているかを。いや返事をせずともよい。臥床にあない、、、していただこう」

綾子は、ふるえながら鎌次郎の意にしたがった。

その後、鎌次郎は、以前よりもしげしげと来るようになった。為恭が中座したりするとにわかに膝をにじらせて、綾子の手をにぎったり、帯のしたに触れたりした。綾子はいつも青ざめながらそれに堪えた。

（いっそ、この男が攘夷浪士に殺されてくれれば）

何度それをおもったか知れなかった。

間崎馬之助が忍び入ったあくる日、ふと、

（あの男に頼んで斬らせようか）

と思ったが、すぐそれが妄想にすぎないことに気づいた。間崎馬之助にも美麿とのみそかごとを知られているのである。

綾子は、夫の為恭とは別に気ぶせりな思案ごとが多く、じつをいえば、夫の身にせまっている危難などは、考えるゆとりもないほどだった。

為恭は、恐怖がつのってくると情欲が異常に昂《たかぶ》るものらしく、真昼でも、

「裏、来や」

と甲高く声をかけた。そういうことに夢中になっているときだけが、刺客からの恐怖がまぎれるようであった。

ところが、二月に入って御所の築地の下馬札に、何者とも知れぬ者が以下のような貼

り紙をしたことから、事態は急変した。

此者安政戊午《つちのえうま》以来、長野主膳、島田左近等に組し、種々大奸謀を工《たく》み、酒井若狭守に媚《こ》び、不正の公卿と通謀し悪虐数ふべからず。不日《ひならず》我等天に代り、誅罰《ちゅうばつ》を加ふるべき者也。

絵師　冷泉為恭

（原文のまま）

いわば、天誅予告の公開状である。為恭が、かつて長野、島田と結んで悪虐をきわめたというのはすこし酷だが、いずれにしても書き手は為恭をねらう洛中の尊攘浪士であることはまちがいない。

新選組からは米田鎌次郎がきて筆蹟をしらべたり、所司代からは与力加納伴三郎が配下の同心数人をつれてきて貼り紙を撤去し、冷泉屋敷を警護したが、その程度の護衛ではもはや為恭の恐怖は癒《い》えなかった。

「わたしは、殺される」

終日口走り、夜に入ると眼がすわったまま動かなくなり、綾子がなんとなぐさめても耳を藉《か》そうとしなくなった。

「米田様や加納様が、お屋敷を警護してくださるではありませぬか」

為恭は、首をはげしくふった。かれらとて公務がある。ほとぼりがさめれば引きはらってしまうにちがいないのだ。

五

その日、太兵衛の店でこの貼り紙のうわさをきいた間崎馬之助は、為恭とは別の意味で狼狽した。

（無用のことをする。土州者のしわざだな）

と、吉村善次郎の顔をおもいうかべた。おどしにはなっても、せっかくの魚をにがすようなものではないか。

しかし、貼り紙の効用もあった。これによって市中の町民がにわかに冷泉為恭の身辺に注目しはじめたからである。

――お気の毒に。

と一応は同情してみるが、この古い都市の町民にとっては、他人の不幸ばなしほど楽しい話題はなかった。かれらは、毎日、その話題をあたらしくするために冷泉屋敷のささいな変化を見落すまいと注意した。為恭は何百という意地のわるい監視者にとりまかれ、すこしでもかわったことがあると、おどろくほどの早さでうわさはひろめられた。

太兵衛は馬之助のためにそういううわさは丹念に聴きこんでくれたが、十日ばかりたったある日、ついに重大な変化がおこった。

為恭が、遁走《とんそう》したというのである。

「うわさ」は、為恭の駈けこんだ先まで知っていた。西加茂の神光院であった。神光院の住職月心律師の好意でかくまわれ、頭をまるめて、心蓮と名乗った。沙弥《しゃみ》になってしまったのである。

「内儀は」

「ご執心ですな」

太兵衛はわらって、

「まだお屋敷においでどす。出家遁走するのに、女房でもありますまい」

「それもそうだ」

馬之助は侍姿にもどり、その日の暮れから西加茂へ出かけてみた。

境内は、深い森になっている。ここは加茂明神の鎮座するところだが、本地垂迹《ほんじすいじやく》の思想によって神官のほかに幾人かの仏僧がおり、それぞれ塔頭《たっちゅう》をかまえて、仏法による護持を行なっている。

いくつかの摂社《せっしゃ》の横を通るうち、神光院の長い築地《ついじ》塀《べい》が森の闇のなかにほの白く沈んでいるのがみえた。

（これは、とても歩けぬ）

杉木立が深まったため、足をふみおろす場所もわからぬほどに暗くなった。そのとき不意に、やわらかいものに蹴つまずいた。

血のにおいがした。

死体である。

馬之助は、思いきって用意の馬乗り提灯に灯を入れて、死体を照らしてみた。名は知らないが見覚えのある男だった。

（十津川郷士だな）

唇からあごにかけて一太刀入れられており咽喉《のど》にも傷があった。馬之助は、米田鎌次郎が突きの名手であることを思いだした。

そのとき、木立のむこうの神光院のあたりの闇に、急に提灯の灯が五つ浮かんだ。

――見つかったか。

あわてて灯を消した。

提灯の灯はおそらく新選組の人数であろうと思われた。かれらにすれば冷泉為恭を護衛するよりも、冷泉をオトリにして浪士を誘《おび》きよせるのが目的なのだろう。

――あの絵師は、いずれにころんでもたすからぬ男だ。

いまごろはどういう顔つきで寝ているのだろうと思うと、あわれになってきた。

その後、二十日ばかりして冷泉為恭の運命はさらに変転した。

明神の社家のほうから、神光院に対して故障が出たのである。——絵師が神光院に入って以来、神域に不浄の幕吏が出没することが多いのははなはだ迷惑である、というのであった。おそらく社家のなかに尊攘主義の禰宜《ねぎ》でもいて、それが追いだしにかかったのだろう。

神光院の月心律師もこれにはさからうことができず、為恭に因果をふくめ紀州那賀《なが》郡粉河《こかわ》の山中にある粉河寺あての書状をもたせて暮夜ひそかに寺を出立させた。

このとき、為恭は、寺で用意してもらった廻国巡礼の姿をしていた。出家と同時に、すでに朝廷から官位も削られてしまっているから、為恭の境涯は、その身なりどおりに行方さだめぬ廻国の旅人のあわれさであった。

しかし為恭がそのまま京街道をくだって紀州へ行けば、あるいは行方をくらますことができたかもしれなかったが、この男の不幸は、洛陽随一の容色というその妻への未練にひかれたことであった。かれは途中、すでに捨てたはずの自分の屋敷に入り、綾子と別れを惜しんだのである。

町内の者がそれを見のがすはずがなく、しかもはなしが、廻国巡礼、妻への別れ、といったふうに芝居ずきな京者の好みにあいすぎるほどあっていたから、このうわさは異常な勢いでひろまり、どの町内でも、熱っぽくこの物語が語られた。

ところが数日たつと、早くも行先が紀州粉河寺であることが、補色されてひろまったのである。

「それがまことなら」

と間崎馬之助は、太兵衛にいった。

「行先を神光院月心が洩らすはずはなし、当の為恭がふれて歩くわけでもなし、結局は綾子がたれかに洩らしたことになる。おそらく楽人の多美麿に寝物語にもらしたことが、美麿の口から多家に洩れ、多家から町内の者に洩れたのだろう。それしかない」

とすれば、すぐれた容色の妻をもった為恭の不幸はかれの影のようにどこまでもつきまとうことになるようであった。

「可哀そうに」

と太兵衛は、いった。

「京では行先をたれ知らぬ者がないというのに、冷泉様おひとりは、いまごろ粉河寺で、うまうまと世から隠れおおせたとひと息ついておられるのでござりまするな」

「おっつけ、京から刺客がくだるでしょう」

「間崎様は、なぜ参られませぬ」

「遠すぎる」

といったのはていのいい口実で、間崎馬之助は、このころには、あのあわれな絵師を討つ意気ごみが失《う》せはじめていた。

その後土州屋敷できいたところでは、紀州粉河寺まで、十津川郷士の神藤吉右衛門、大倉大八、平野藤次郎の三人が、なおもあきらめずにあとを追ったという。

「ところが、間一髪のところで逃げられたらしい」

と、土州の者がいい、ふと思いだしたように馬之助の顔をみて、

「あなたは、なぜ追われぬ」

「私には存念がある」

「どういう――」

「絵師は、私でなくても、たれかが討つ。私は、あの正月十五日の雪の日に百万遍の挙に加わらなかったというので卑怯よばわりをされた。あのとき不幸にも川手源内が斬られたが、かれを斬った男は申すまでもなく絵師ではない。新選組の米田鎌次郎という男です。私がこの男を討てば、川手の恨みもはれ、同時に私の恥辱も消えることになる」

元治元年三月に入ると、絵師冷泉為恭のうわさは京の市中から消えてしまった。このころになれば、京の情勢は、一絵師の失踪にいつまでもかかずらわっているほど悠長でなくなった。一つには、粉河寺を逃げだしたあとの為恭の消息が杳《よう》として知れなくなったせいもあり、馬之助の仲間たちも、冷泉為恭の名を口にする者がいなくなった。

そのうちかすかな風聞がつたわってきた。

死んだという。為恭の遠縁で、泉州堺の物産問屋大和屋徳次という者があり、粉河寺

以後の為恭は、一時、堺に入ってこの徳次方に身をよせていたが、痢病《りびょう》を病んで死んだというのである。堺に商用に行った京の物産問屋の手代がききこんできたうわさで、出所が明らかなだけにまるきりのうそとも思われなかった。

そのころ間崎馬之助は、長州にもどらねばならぬ所用ができ、そのことで在京の同志と数度会合をかさねたことがある。最後の会合は、六角二条の旅館丹波屋嘉兵衛方でひらかれたが、その帰路、長州屋敷に立ちよるため河原町通まで出たとき、不意に巡邏中の新選組隊士五人に出会った。

すでに薄暮になっている。

（逃げるか）

とっさに思ったが、かえってあやしまれると思ったので、そのまま足どりを変えずに歩いた。間崎馬之助のこの日の服装は、浪士風ではなく黒羽二重の紋服に仙台平の袴をはき、蠟鞘の大小を帯びて一見大藩の家士のようであった。

すれちがって事もなかったため、馬之助はおもわず急ぎ足になった。

そのとき、あとで考えれば天佑といっていいことだが、右の雪駄《せった》の鼻緒がきれた。馬之助は右ひざを立てて、かがみこんだ。通りかかった町家の隠居風の老婆が、

「どうおしやした」

と親切にも寄ってきて、ふところから手拭を出して引き裂き、

「据えて進ぜましょう」

と、馬之助の前にかがんでくれた。馬之助は顔をあげて礼をいった。その顔をあげた拍子に、むこうから米田鎌次郎が近づいてくるのを見たのである。

鎌次郎は、気づいていない。

馬之助はすばやく周囲を見た。すでに戸をおろしている店もあり、人通りもすくなかった。

鎌次郎は、さきの五人に追いつこうとしているのか、この男にしてはひどく気ぜわしそうに歩いてきた。

「おばあさん」

と、馬之助は小声でいった。話しかけながら、そっと構えをなおした。

「しばらく動かないでください」

「どうしてどす?」

老婆は、おだやかに微笑している。

「むこうからいやな男がきている」

「お顔を見られとうおへんのどすな」

「左様」

鎌次郎が、老婆のうしろ三歩まできたとき馬之助はいきなり、

「米田――」

と低い声でよんだ。人斬り鎌次郎は、はっと刀のツカに手をかけた。その刀が半ば鞘からすべるのと、馬之助の体が老婆の背を跳びこえるのと同時だった。米田鎌次郎の刀が鞘から地上にすべり落ち、額が、鼻さきまで真二つに割れた。

間崎馬之助が長州での所用をはたし、ふたたび京の鞍馬口餅屋太兵衛のもとにもどったのは、五月のはじめであった。

太兵衛に留守中の京の様子をきくと、冷泉為恭の所在がわかったという。

「あの男、まだ生きていたのか」

正直なところ、厄介な男だとおもった。数カ月前に病死したといううわさをきいたときは、荷がおりたような思いがした。しかし生きているとなれば、たれかがこの男を殺さねばならないだろう。

太兵衛のはなしでは、為恭は堺から、大和に移り、内山《うちやま》の永久寺という寺にかくまわれているという。かれの所在が京にきこえたのは、為恭が綾子をよびよせる手紙を送ったことから知れたというのである。

「それで、女は行きましたか」

「へい、それが」

行ったのだという。太兵衛の口ぶりがいくぶん不満そうだったのは、この無縁の男にさえ、綾子に対する岡焼きの気持があったのだろう。

「意外に貞女だったのだな」

「いや、左様《さい》やおへん。甥の多美麿との不義が、すでに町内のうわさになっておりましたゆえ、いたたまれずに大和へくだったというのがどうやら本音《ほんね》らしゅうございます」

「綾子は、いつ発ちましたか」

「もうひと月も前やと申します。――なんや、間崎さん、どこへお行きなはる」

馬之助はすでに刀をとって立ちあがっていた。

「大和へ行く」

長州からの旅装のままとびだし、途中、長州屋敷のそばまできて、知りあいの藩士をよびだし、心当りの者十人ばかりの在否をきいた。いずれも脱藩者ばかりで、平素藩邸の長屋でごろごろしている連中である。

そのうち、七、八人の者は在洛していることはわかったが、大楽《だいらく》源太郎、神山進一郎、天岡《あまおか》忠蔵の三人だけは欠けていた。

「どこへ行ったのだろう」

「よくは知らぬが、土州の者と大和へ遊説にゆくと申していたようだ」

「いつ」

「もう半月も前になる」

（手おくれかも知れぬ）

馬之助は、奈良街道をくだった。途中道をいそぎながら、何度も、

（妙だな）

と首をかしげた。なんのために大和内山の為恭を訪ねてゆくのか、われながらよくわからなかった。馬之助には為恭を殺す気持はとっくになくなっている。かといって、仲間の手からかれを救いだすつもりも毛頭なかった。とすれば、――

（おれは、綾子に懸想《けそう》しているのではないか）

馬之助は、愕然とした。こんどの大和くだりの目的も、手きびしく自分に問いつめれば、綾子をもうひと目でも見たいという欲望につながっていそうな思いがする。

大和内山についたとき、田に出ている百姓のひとりをつかまえて、為恭の安否をたずねた。しかし為恭の名をきくと、百姓は顔色をかえ、そのことなら村役人か住持に訊け、と追うように手をふった。住持は亮珍という老僧で、馬之助がさしだした「近藤家家来平野真蔵」という名札を手もなく信用し、

「身寄りのお方でござるか」

とたずね、馬之助がそうだと答えると、

「むざんなことであった」

となみだをこぼした。

住持のはなしによると、尊攘党の浪士たちは、じつに奸譎《かんけつ》な手をもちいた。かれらは直接内山へは来ず、まず堺へまわって大和屋徳次をおどし、駕籠と手代ひとりを出させ、大和屋の使いであるとして為恭をおびき出そうとした。

この詐謀は図にあたった。為恭はうたがわずに、差しむけの駕籠に乗り、村をはずれたころには日ざしのこころよさに居眠りをはじめたという。大和内山から堺まではざっと八里ある。為恭にすれば、雲雀《ひばり》の声をききつつうとうとするうちに堺へつけるとおもったのだろう。

永久寺からわずか十丁ばかり行ったところに、鍵屋《かぎや》ノ辻《つじ》というのがある。隣国の伊賀にも同名の辻があって渡辺数馬、荒木又右衛門らの仇討で有名だが、大和の鍵屋ノ辻も血なまぐさい事件をおこした。ときに、元治元年五月五日である。

為恭は駕籠のなかで眠り入ったばかりであった。

長州浪士大楽源太郎、神山進一郎、天岡忠蔵の三人は、辻の東がわにある小さな石地蔵の祠《ほこら》のかげで待ち伏せていた。前夜から腹痛をおこした神山が痛みにたえかねてしゃがんだとき、街道のむこうから駕籠のくるのがみえた。

「きた」

二人が駈け出し、神山がすこし遅れた。駕籠舁《か》きが仰天して駕籠をなげだしたとき、にわかに眼のさめた為恭が、

「ほい、堺か」

首をつき出したとたん、大楽のふりおろした一刀でコロリと路上に落ちた。

為恭の首は、どういう理由からか、翌六日大坂御堂前《みどうまえ》の石燈籠の火袋のなかに押しこまれ、その下に長文の天誅状がはり出されてあった。

しかし首よりも胴のほうがもっとみじめだった。為恭遭難の鍵屋ノ辻は、植村藩領の永原村と伊勢藤堂藩の大和における飛地である三昧田村との境界地だったため、両村の村役人はたがいに責任を避けてひきとらず、三日も野ざらしのままだったという。

綾子は、その後尼になったともいい、大和屋徳次の手代の妻になったともいわれる。

祇園囃子

一

大和十津川の郷士で、浦啓輔《うらけいすけ》。

——といえば、元治元年から慶応年間にかけて京の志士のあいだで高名な若者である。

「浦の剣、粗剛なれども気品あり」

といわれた剣客である。

剣は、義経流《よしつねりゅう》といい、今日でも古流の武芸家でこれを伝えている人があるが、十津川郷につたわった古拙《こせつ》な太刀わざである。それに独自の居合術を工夫し、

「浦の籠手《こて》斬り」

といえば、新選組でさえおそれた。

元治元年の禁門ノ変ののちは、洛中、新選組の暴威がすさまじく、過激浪士のなかでもほとんどこれに正気で立ちむこう者もいなくなったが、浦はしきりと挑戦し、数度路上で争闘し、三人までは斬った。——人斬り、と異名《いみょう》された、土佐の岡田以蔵、薩摩の田中新兵衛、肥後の河上彦斎《げんさい》でさえ、新選組に対しては一度も太刀をあわせなかったこ

とからみても、浦啓輔の一種の人気がわかる。

それが、去年の暮、しくじった。

十二月二十七日、薄暮のことである。同志数人と木屋町で飲み、高瀬川のほとりを四条にくだろうとしたとき、

「おお、十津川の浦君ではないか」

呼ばれて、まわりをみた。陽が落ちてしまっている。やや鳥目の啓輔は、この時刻がもっともにがてであった。相手は路地の物蔭からよんだらしい。

はっとしたときは、すでに右肩をやられ、左の高ももを斬られた。相手は、六人ばかりの新選組隊士である。

（いかん）

ころげながら逃げた。着衣の下に犬の毛皮の胴着を着こんでいたから肩の傷はさほどでもなかった。やっと河原町の土佐藩邸まで逃げのび、事情を話してかくまってもらったが、このとき土佐藩の山本旗郎という顔見知りの藩士に世話になった。山本は、ちょっと軽薄な感じだが、親切な男であった。

——新選組は、よほど君に執着している。しばらく京から離れたほうがよかろう。

といってくれ、数日後、伏見からくだる薩摩藩の藩船に保護してもらって京を去った。

その後数カ月、故郷の十津川郷の山の湯で傷養生をした。

浦の屋敷は、甲羅《こうら》（河童《かっぱ》）堂《どう》とよばれている修験者《しゅげんじゃ》の宿場で、そこの次男である。屋敷の真下に不動谷という深い谷があり、隣家までゆくにはそれを越えて半日はかかる。十津川は、十里、重畳《ちょうじょう》とした山地である。もどってみれば、京での活躍が、遠い夢のようにおもわれる。

五月、この奥地の山々が湧きあがるような新緑でおおわれはじめたある日、この甲羅堂に、京都の聖護院の山伏がとまった。桃のような顔色の男である。熊野へ抜ける途中であるという。

「京からことづかった」

と、山伏は、浦啓輔に油紙包みの一通の書状を渡した。山伏はたんに飛脚の役目にすぎないらしく、それ以上の口上はなかった。書状をひらいてみると、例の山本旗郎という土州藩士の筆跡である。

——その後傷養生はどうか、と問い、もし治っておれば早々に上洛されたい、おぬしでなければできぬ用がある、旗。とある。

（吉報だな）

おどりあがるような気持になった。京の薩長土の同志は、この十津川郷士をわすれていなかった。傷はなおった、とみていい。なおらずとも征《い》くべきであろう。この浦啓輔のからだが、なにに入用なのか。

すぐ旅装を整えて、出立した。

途中、大坂天満の三十石船どまりで新選組が出張し、京に入る浪人を取りしまっていたため、陸路、淀堤《よどづつみ》を北上した。

河原町の土州藩邸に入ると、たずねる山本旗郎が、大坂へ公用で出むいた、という。

「十日もすれば帰洛する」

というので、おなじ河原町通にある十津川屋敷にわらじをぬいだ。

十津川屋敷、といっても、二階建ての粗末な借家である。十津川は、藩ではない。天領で、郷士群の土着地である。藩でもない十津川郷士群が京都屋敷をもっているのは妙だが、これも当節らしい奇現象のひとつだろう。

浦啓輔は、毎日のように近所の土佐藩邸をたずねるが、いつの返事も、

「まだ」

という。

「お気の毒じゃが、山本旗郎の大坂での公用はながびくようです」

と藩邸の者がいってくれたのは、京に入って十五日目であった。

(まあいい。いましばし、待とう)

そのうち、国もとから飛脚がきて、浦啓輔を驚駭《きようがい》させた。書状は、お加代からである。

妊《みごも》った、という。

（みごもったか）

啓輔は、蒼くなった。書状では、お加代という、縁ある女はこういっている。「すぐ戻ってくれるか、それとも、私が家を脱け出て京のそなたのもとに身を寄せるか、いずれかを早くきめたい。いまのままでは、父母にみつかりはせぬかと案じ、毎日が地獄である。折りかえしこの飛脚に返事をもたせてほしい」そういう意味の言葉が、綿々とつづられているのである。

（こまる）

啓輔は、お加代の父親である同族の郷士の千葉赤龍庵《せきりゅうあん》の顔をおもいうかべて、身のうちが慄《ふる》えた。赤龍庵は啓輔の学問の師匠である。だけではない。浦家の宗家で、いわば郷党の君主のようなものであった。その娘と私通したことが露《あら》われれば、もはや十津川郷にもどれる身ではない。

（お加代め）

とのろわしく思ったが、しかし啓輔も不覚であった。

あの日は二月にしてはめずらしく温かい日和がつづいた。啓輔は傷の縫い目がようやく癒着《ゆちやく》したのを幸い、谷むこうの千葉屋敷へあいさつに出むいた。千葉屋敷へは、峰が三つ、谷が四つ、川を四つ徒渉して、まる一日はかかる。

「甲羅堂の啓輔でございます」

というと、仏間でちかごろは臥《ね》たっきりの赤龍庵は、ひどくよろこんでくれた。傷はどうか、京師《けいし》の情勢はどうか、と咳とともにしきりときいた。いちいち答えると、

「ああ、華やかなものであるな」

赤龍庵は、いった。この老人は啓輔の若さとその活躍がうらやましくてならないらしい。

千葉赤龍庵は、この大和十津川郷における幕末の勤王唱始者《しょうししゃ》のひとりで、壮者のころ、水戸藩の藤田東湖《とうこ》をたずねたことが、なによりもの自慢であった。

当時、水戸藩といえば、水戸光圀《みつくに》以来、勤王思想の本山である。安政の大獄で捕縛された政客、論客のほとんどは水戸学派の影響をうけ、その洗礼を受けにゆくことを「水戸詣《もうで》」といい、たいていは、一度は水戸の地を踏んでいる。

そこを赤龍庵も踏んだ。これが、老人の生涯の自慢になった。

「当節。——」と、この老人は口ぐせのようにいう。

「亡《な》き東湖大先生に拝顔した者でその志を生かしているものは、薩州の西郷吉之助とわしぐらいのものであろう。先年の大獄で死んだ長州の吉田寅次郎（松陰）も水戸の地を踏んだのは二十二歳のときで、東湖大先生は御不在、やっと会沢正志斎、豊田天功などに会えただけである」

当時、藤田東湖は、儒者とはいえ藩主斉昭の側用人で藩政の機密に参与《さんよ》するほどの政

治家になっていたから、大和郷士の千葉赤龍庵ごときが会えるはずがなかった。ところが、赤龍庵の名刺に、

——大和十津川郷士。

とあるのをみて、にわかに興をおこし、書屋《しょおく》に通させたという。

「十津川の人とは、おめずらしい」

東湖は珍獣でもみるように、何度もいったというのである。大和十津川といえば秘境といっていい山地だが、「古事記」「日本書紀」によれば、神代《かみよ》、国樔人《くずびと》という人種が住み、神武天皇が熊野に上陸して大和盆地に攻め入るとき、この天孫族の道案内をつとめた土着人がかれらの祖先である。以来、朝廷が、大和、奈良、京都とうつってもこの山岳人はさまざまの形で奉仕し、京に政変があると敏感に動いて、禁廷のために武器をとって起《た》った。古くは保元《ほうげん》平治ノ乱、南北朝ノ乱などに登場し、南北朝時代には最後まで流亡の南朝のために、足利幕府に抗した。水戸学は、北朝を否定し南朝を正統とした史観を確立した学派である。東湖が、勤王史の生きた化石ともいうべき十津川の赤龍庵の出現をよろこんだのはむりもなかった。

「千葉どの、御郷里の人たちにお伝えください。いまに神州に未曾有《みぞう》の大難が来る。そのときは、かつてのように、十津川郷の諸傑は立たねばならぬ」

赤龍庵はこの言葉を大和の山国にもちかえって、山仕事をするかたわら、家塾をひら

いた。遠縁にあたる甲羅堂の浦啓輔などは、その門弟のひとりである。

「啓輔」

赤龍庵はいった。すでに谷々に夕もやが群れはじめている。

「泊まってゆくがいい」

「お言葉に甘えます」

と、啓輔は納屋《なや》を借りた。十津川の納屋というのは、山越えの旅人や修験者を泊めることが多い。そのため、どの屋敷でも、造作の行きとどいた建物になっている。

赤龍庵の末娘お加代が、啓輔のためにこまごまと世話をやいてくれた。寝わらをととのえ、一穂《いっすい》の燈火を入れてくれた。啓輔はさほどとも思わぬが、お加代はこの山郷でもきっての醜女《しこめ》といわれる。土地でいう怒り腰で、肩はさし肩、手足がふといが、それでも娘らしく山道縞《やまみちじま》の木綿の着物に赤い襟をのぞかせていた。その赤襟がよごれているのが、変にみだらがましく啓輔にはみえた。

「啓輔さん」

と、お加代は、灯のかげで笑った。いつのまにか、掌に古い紙片をのせている。

「これ、覚えていらっしゃる」

「なんです、それは」

「詩」

「……？」

ひろげてみると、なるほど、二、三年前、啓輔がこの塾にいたころ、平仄《ひょうそく》の稽古のつもりで戯れに作ってそのあたりに散らかしておいた漢詩である。すっかり忘れてしまっていたが、たしか、美女をたたえたものであった。

霧鬢雲髪画裏看　籬前空満菊花団
反魂香滅思粛然　独抱明月臥欄干

（まずい詩だ）

平仄だけがあっている。詩の意は、男がさる美女を想い、しかも想いがとげられず、「ひとり明月を抱いて、欄干に臥し」ている、といったものだ。――そこまで訓《よ》みくだしてから、啓輔ははっとした。お加代が、この詩を何かとくべつな意味にとりちがえているのではないか。

（まさか）

と眼をあげると、そこに、赧《あか》らんだお加代の顔が意外なほどの近さにあった。狼狽して、

「古い習作ですよ。赤龍庵先生にも見てもらったものです」

指でつまみ、裂《さ》こうとした。

「啓輔さん、厭です」

「なにが」

「破っては」

と、思わぬ甘い声をあげて、お加代の重いからだがのしかかってきた。放胆なおなごだ。驚いて身をそらすと、お加代は、啓輔のこぶしの中から紙片をとりあげようとして、不必要なほど、体をおしつけてきた。啓輔は、倒された。お加代のすそが、啓輔の膝頭を吞んで、割れた。へんに、なま温かった。

お加代はなにか、囁《ささや》いた。なにを囁いたか。とにかく啓輔は、お加代の腰を、しぼるほどの力で抱いてしまった。あとは、おぼえていない。

が、しばらくたって寝わらの上に起きあがったときは、啓輔には当惑だけが、ある。

(人外《にんがい》なことをした)

私通である。その上、いまわらの上で倒れているお加代の体は、不日《ひならず》、他人のものになるはずであった。風早《かぜはや》の郷士で右京という者の後妻で嫁《ゆ》くという縁談《はなし》を啓輔は赤龍庵からきいている。

雨もりが、する。

十津川屋敷の天井から、一しずく煤《すす》よごれした雨がもって、お加代の手紙をぬらした。

わるいことはできぬものだ。

――たった一度のことで、子が宿《やど》るとは。

が、捨てておくわけにはいかない。この上は、ひそかに連れ出して京で世帯《しょたい》をもとうと決心した。

「かならず迎えにゆく」

と書いた。

しかし「たったいま、京でのっぴきならぬ禁裡様《きんりさま》の御用がある。それを相果たしたうえは、野山を飛んででも迎えに参ずる。それまではゆめゆめ早まることはなくお待ち下さるまいか」

最後に、

――夫《つま》より。

と書きそえた。そのほうがよろこぶであろうと思った。

二

かんじんの土州藩士山本旗郎が帰洛したのは、六月に入ってからである。

単身、十津川屋敷にたずねてきてくれた。

山本は月代《さかやき》をはやりの尊攘風に狭く剃り、まげは結わずに元結から長く垂らしている。

布羽織《ぬのばおり》に白小倉のはかまをはき、紅殻塗《べんがら》った朱鞘の大小、これも当世風にほおばの下駄をはいていた。

「この異鳥《いちょう》は」

と、当時、町方の者が戯作本《げさくぼん》で、志士風俗のことを、鳥づくしでからかっている。

「この異鳥（志士風俗）は、近来、天機（朝廷）の人気盛んによって生ず。クチバシ、鷹のごとし。刀のごとき尻尾あり。足は下駄をはき、頭の前せまし。ただしこの鳥、腹を断ちわってみれば、胆、いたって小さし。鳴き声はしきりと詩を吟じ、声音《こわね》のみを聞けば、なかなか猛勇のごとくなれども、逃ぐること早し」

山本旗郎は、そういう流行のなかから抜けでてきたような男で、

「まず、酒」

と、持参の徳利を、間においた。杯をかさねるうちに、酒を数度買い足し、ついに山本旗郎は半ば正気を失うほどに大酔し、藤田東湖の作詩数篇をつぎつぎと吟《ぎん》じはじめた。いっこうに本題に入らぬために、浦啓輔は、気が気ではない。ついに、山本の膝をつつき、

「山本氏。修験飛脚《しゅげんびきゃく》に託された手紙の一件、どうなります」

「ふむ。……」

山本は、朗吟中の腰を折られて、不快な顔をした。

「まだあわてずともよろしいのです。それよりも前にさる御仁に貴殿をひきあわさねばならぬ」

「いったい、その御用とは」

「斬る」

山本旗郎は、手で真似をした。

「新選組を」

「いや、もっと大物です。斬り損ずればゆゆしき大事になります。さらに、薩長土いずれの藩士が斬ったとわかってもこれは大事になる。されば、藩などには属さぬ貴殿に頼み入る次第です。この点、わかってもらえますか」

「もちろんです」

と、啓輔はいった。

「われわれ十津川郷士は、そういう場合のお役に立つよう、京都に駐軍しているのですから」

「いや、結構々々」

山本は、ひきつづき、一詩を吟じた。啓輔もつりこまれて、故郷にちなむ吉野朝勤王の悲詩を吟じながら、かつての勤王悲史の舞台になった故郷の山河を思いうかべているうちに、不意にお加代の一件を思いだした。にがい顔になって、朗吟をやめた。

山本は帰って行った。

数日後の夕刻にやってきて、「すぐ御同道ねがいます」と、支度もそこそこに屋敷から連れだした。

「どこへ行きます」

「だまって、ついてきてもらいます」

錦小路をまっすぐに西へとった。室町、衣棚《ころものたな》、新町とすぎ、釜座《かまんざ》のあたりで、暮れなずんでいた陽はすっかり落ちてしまった。着いたのは錦小路醒ケ井で、北三軒目に、
御菓子司《つかさ》松屋陸奥《むつ》
とのれんの出た家がある。竹の羽目を打った表に、れんじ窓がある。そこからちらりと人の目がのぞいたのを、啓輔はみた。暗い土間を通りぬけると、長い通り庭があり、そのつきあたりは土蔵になっていた。

「ここです」

山本は、土蔵を開けた。

おどろいたことに、なかに五、六基の燭台がかがやき、七、八人の武士が、酒をのんでいる。啓輔は、そっと身を入れて、入り口にすわった。

「例の人物です」

と、山本は、末座《まつざ》の男に低声でいった。例の人物、といわれた言葉が、啓輔のかんに

さわった。

「十津川郷士、浦啓輔です」

みないんぎんに頭をさげてくれたが、たれも自分を名乗らなかった。

上座、とおぼしい席に、三人いる。いずれも立派な行装《ぎょうそう》の人物である。そのうち、眼のするどい、きびきびした口調の男が、

「浦君。こんどは御苦労をかけます」

と、大きな手をさしのばして、杯をくれた。啓輔は受けた。

「お傷のぐあいは」

「はい。すっかり」

「それは」

重畳でした、と男は、微笑してくれた。言葉は、あきらかな長州なまりである。この席に長州人がいるということ自体が、啓輔のおどろきであった。長州藩は幕府の征討をうけ、ようやく休戦にはなったが、新選組、見廻組が長州人とみれば目の敵《かたき》にし、藩士がのこのこ京へ出てこられる事態ではない。おそらく、この人物は、よほどの密謀があって隠密裡《おんみつり》に出てきているのだろう。挙措《きょそ》動作《どうさ》、どうみても、要人である。明治後、啓輔は、あれが木戸《きど》準一郎《じゅんいちろう》（木戸孝允）ではなかったか、とよくいった。

薩摩人も、それ以上の大物の様子であった。この男はだまったきりで、右ひざを立て、

長いすねを掻いこむようにしてすわって、ついに一言もしゃべらなかった。

土州藩士も、なまりでわかる。山本旗郎のほかにどうやら一人はいたが、これは山本と同様、大物ではなさそうであった。事情は、啓輔にもわかっている。土州藩は藩公以下幹部が依然として親幕傾向で、勤王倒幕に動いているのは、下士か、脱藩藩士が多く、それに多くは文久元治の風雲の中で命を失い、いまは人物もすくない。自然、生き残った連中は薩長要人の下働きのようなかっこうにある。

「委細《いさい》は」

と、木戸らしい長州人がいった。

「山本君からきいてくれましたな」

「いえ、まだ」

「結構です。すべては、貴下と山本君にまかせていますから」

「浦君、おひとつ」

と、別の薩摩人が杯を出した。

「頂戴します」

「御武運を祈っとります」

「ありがとうございます」

啓輔は、干した。何度もかさねるうちに意識がもうろうとなってきて、あとは、記憶がさだかでない。奇妙なことに、かれらは互いに歓をつくしながら、互いの姓をよばず、ついに、何藩の何者であったか、わからずじまいであった。

三

その後、数日、啓輔は十津川屋敷に待機して山本からの連絡を待ったが、いっこうに音沙汰《おとさた》がなかった。

(いったいたれを斬るのだ)

啓輔はいらいらした。この禁廷御用をすませて十津川へ戻りたかった。お加代が、待っている。数えれば、もう腹もめだちはじめている。いくら気のつよい女といっても、針のむしろにすわっている気持だろう。

数日後、やっと山本がきた。その色の黒い小さな顔を啓輔の部屋にみせて、

「いや、すまなかった」

と汗をぬぐった。

「あれから、毎日その人物のあとを付け、様子をしらべていたのだが、やっと足どりの癖がわかってきた。なにしろ大物だから、いつも外出には、従者か、私淑者、門人、下僚という類《たぐ》いの者が、数人前後をとりまいている。この人物が一人きりになるのはいつか、ということを、調べていた。つまり、情婦《おんな》の所へ通うときさ。このときだけは、た

れでも一人だ。大物をやるときは、まず女がいるかどうかを調べる。つぎにそれを囲っているかどうか。さらにその場所、これを調べた」

「わかりましたか」

「わかった。宮川町の北、通称団栗辻《どんぐりつじ》というあたりの借家に、女を住まわせている。謹厳で通った人物だが、この道だけはわからぬものだな」

山本は笑った。啓輔はお加代の一件を思い出して、ひとり赤くなった。師匠の赤龍庵も、露顕すればおなじようなことをいうだろう。

(なるほど、この道は、男の陥穽《かんせい》だな)

「それで」

啓輔はきいた。

「何者を斬るのです」

「ああ、まだおぬしには云わざったか。その仁は、年配は五十歳ほど。名は、水戸藩京都警衛指揮役住谷《すみや》寅之介《とらのすけ》だ」

「えっ」

啓輔は、だまった。その名は聞いている。耳にたこができるほど、赤龍庵からきかされてきた名ではないか。

「水戸藩は」

と赤龍庵はいつもいった。

「安政の大獄で弾圧されて以来、東湖大先生のころとくらべると、人物落莫《らくばく》としている。藩内で党派が乱立し、たがいに抗争、殺戮しあって、ついに人物が尽き、勤王の本山として天下の志士に君臨してきた威容をうしなった。とはいえ、藤田東湖、会沢正志斎、戸田忠大夫、金子孫二郎、武田耕雲斎、藤田小四郎なきあと、たった一人の人物は生き残っている。住谷寅之介先生がそれだ。この人からみれば、薩長土の志士など、まるで孫弟子のようなものさ。公卿、諸侯のなかでも、この人を師と仰いでいる人が多い」

土佐の老侯山内容堂などは、とくにそうだと、啓輔はきいている。

容堂侯は、藤田東湖の生前、他藩の家臣ながら、師弟の礼をとってその時局に対する卓論をきいた。東湖なきあと、ある日、第二の東湖といわれる住谷寅之介を、江戸鍛冶橋の上屋敷に招じた。

東湖のときと同様、師弟の礼をもって、辞をひくくして時務のことをきいた。

ところが、陪席の家老である。土佐の門閥家老といえば無能で諸藩の評判の連中だが、かれらにすれば、住谷とはいえたかが馬廻役二百石の出ではないか、という頭があり、住谷の高説をふんぞり返って聴いていた。

容堂、じろりとみて、

「天下の高士、住谷先生を前において、その態度は如何《どう》あろう」

といった。しかも容堂は接見の翌日、すぐ住谷に自筆の手紙をしたため、

「先夜は意外の事、愉快不可言《いうべからず》。再び東湖先生に逢ひ候心地《ここち》に候ひき」

と、少年のような感激で書き、「なにとぞ公武合体のこと、奉冀候《こいねがいたてまつりそうろう》」とかいている。容堂は、諸侯きっての勤王家だが、同時に徳川家への忠誠心がはげしすぎるほど強かった。つまり進歩的な佐幕主義というべき公武合体論者であった。この点、同藩の下級藩士とはまったく思想を異にした、ということは、前述のとおりである。この点、容堂が師弟の礼をもってその高説をきいた住谷寅之介も、思想的には強烈な勤王思想家でありながら、政論としては公武合体論をとっている。容堂とうまがあったのであろう。

「山本どの。そ、その住谷先生を」

啓輔はいった。

「斬るとは。貴殿、気でも狂われたか」

「斬るのさ」

「しかし、山本どの。貴殿らが御主人容堂さまが、第二の東湖先生として師弟の礼をとっておられると申しますぞ」

「主人は主人、われらはわれら。住谷はむしろ逆賊じゃと思っている」

「ぎゃ、ぎゃくぞく」

啓輔は、真赤になった。

「なにを申される。山本どのとも覚えませぬ。住谷先生と申せば、水戸勤王党の領袖《りようしゆう》にて、しかも水戸と申せば勤王鼓吹《こすい》の大淵叢《だいえんそう》ではござらぬか。山本どの、失礼ながら御乱心か」

「乱心など、しておらぬ」

山本は、落ちついている。考えてみれば、山本はまだ二十一、二の若さである。一時代前の勤王運動家にとっては「水戸」という語感は山のごとく重く、たしかにその思想の師匠だったかもしれないが、山本旗郎ほどの弱年者にとっては、水戸といわれてもぴんと来なかった。

山本たちの世代は、植物の種子でいえば水戸から出て空中に飛散し、遠く西国の諸雄藩に根をおろした群落の、さらにその種子によって育ったというべき年代である。

啓輔も、なるほど若い。若いが、その師匠は、自称直系と称する水戸学者であった。水戸学のありがたさは知っている。

「山本どの」

啓輔は、刀をひきつけた。

「申しておくが、われら十津川郷士は数千年の勤王郷士です。この京都御危難のときにさいし、禁門守護のつもりで上洛している。不埒《ふらち》な企《くわだ》てには、加担できませぬ」

「では、頼まぬ」

山本は、立ちあがりかけた。

「待ちなさい、山本どの。あなたこそまさか逆徒ではありますまいな」

「なぜだ」

「高士住谷寅之介先生を斬ろうとしている。これは、われら勤王奔走の徒の自らの父祖を斬るようなものだ。返答はどうある。その次第では、生きてこの場から去らせませんぞ」

「激するな」

山本も、中腰で、刀をひきつけた。が、腕は、この単純な十津川郷士のほうがはるかに優《まさ》っていることを、山本は知っている。

「すこし、話そう」

ぐゎらり、と鞘ぐるみ自分の佩刀をむこうへ押しやり、

「君は、遅れている」といった。「十津川の連中はみなそうだが、君までそうだと思わなかった」

「………」

「時代は、急湍《きゅうたん》のように動いている。いつまでも、水戸ではない。それどころか、水戸はいまや逆徒といっていい」

水戸は、死んだ藤田東湖もそうだったが、最後まで倒幕は云わなかった。所詮は御三

家の一つである。幕府体制を改革する、とまではいう。それが水戸的政論の限界であり、もはや今日の情勢になってみれば、そういう俗論は時代の進行に大害がある、と山本はいう。こういう俗論がいま横行しているために、京都の公卿でさえ、倒幕の決断のついた者が、二、三しかない。

「諸侯しかり」

土佐の山内容堂がその好例である。これだけの大藩が倒幕に動けば事が一挙に成るというのに、容堂はなお公武合体の白昼夢をいだき、倒幕論者の武市半平太以下を処刑してしまっている。

「その公武合体論の公卿、諸侯の教授役が、水戸藩京都警衛指揮役の住谷寅之介である。これを斃《たお》さねば、天下は動かぬ」

「何者が、幕府を倒す」

「よく訊いた。浦君、それは水戸藩ではないことは君でもわかっているだろう。むろん、薩長だ。もはや、水戸学などという紙の上の論議よりも、外国製の鉄砲、大砲、軍艦をもっている藩のみが倒せる。——浦君」

「なんです」

「君にだけいってやる。薩長は、倒幕の秘密盟約を結んだぞ」

「えっ」

この両藩が、禁門ノ変以来犬猿の仲になっていることは啓輔もきいている。それが、いつのまに同盟したのか。

「とにかく、倒幕によってはじめて、天皇御親政の世が来る。君たち十津川郷士のそれが先祖代々の宿志であろう。それには、住谷を斬ることだ。住谷が生きて公卿を説きまわっているかぎり、かんじんの五摂家《ごせっけ》、清華家《せいがけ》以下の公卿が薩長による倒幕に踏みきらぬ。踏みきらねば薩長による倒幕軍に、錦旗《きんき》がおりぬ」

（なるほど、それをはばんでいるものが、勤王論の権威水戸学派であるのか）

啓輔にはよくわからなかったが、山本のいうことは、いちいち、新しい時代を示唆《しさ》するような新鮮な響きがあった。

「やります」

「よかったな」

山本は、ちょっと皮肉な顔でいった。

「君がもし拒むならば、この秘密を知った者として、命をうしなうところだった」

これが、慶応三年六月十四日の夜である。ふたりは、その夜から共に行動しはじめた。

四

二人は、宮川町に入った。町並は鴨《かも》の東岸、四条と五条の間にわたる南北の町で、かつては私娼窟《ししょうくつ》であったが、嘉永四年以来、公許の遊廓になっている。

北へ突きぬけたところが、団栗辻である。やや建仁寺《けんにんじ》寄りの路地奥に、山本が、住谷寅之介の妾宅だ、という借家がある。溝のそばに、住谷の情婦《おんな》が植えたのか、朝顔がからんでいる。

「わかったな」

「ふむ」

通りすぎ、十軒ばかり奥へ行ったが、そこは袋で突きあたりになっていた。

「だから、都合がいい」

不意に、がらっと格子戸があいた。二人とも、軒端《のきば》の闇に身を寄せた。出てきたのは、女であった。ちらっと啓輔の方をみた様子だったが、気がつかぬようであった。住谷の妾だろう。二人とも、胸に妙なものが溜まった。暗殺は、その家の女をみればしくじるという。刺客に、憐《あわれ》みがかかるせいかもしれない。

「いやな卦《け》だ」

と、宮川町に出てから、山本旗郎はうそ寒そうな声を出した。啓輔はだまって歩いた。歩きながら、十津川の山河を想いだした。そこに、自分の血をわけた胎児《たいじ》が息づいていることを、この瞬間ほどまざまざと想ったことはない。

（人を殺すのは、いやだな）

やはり、女を見たせいだろう。啓輔もそのことはきいている。人斬り新兵衛といわれた薩摩藩士田中新兵衛も、島田左近を木屋町二条下ルの妾宅で斬ったとき、君香という妾の狂乱ぶりを見、あとあとまで、気にしていた。その後、次第に活気をうしない、ついには自滅的な最期をとげた。

その翌日、午後になって出かけようとして階下へおりると、土間に旅装の女が立っていた。お加代である。

「ど、どうしたのです」

「来た」

骨張った顔をあげ、笑いもせずに、いった。不快になるほどの無愛想さであった。啓輔はぞっとした。この女を自分が正気で抱いたのか。

「私は二階にいます。あがってください」

女は当然だという顔で階段をあがった。やがて、けば立った畳の上に腰を据えた。性根《しょうね》を据えた、という感じであった。啓輔は、圧《お》された。

「お返事は、出したはずですが」

「見た」

顔を動かし、あちこちを、無表情に見まわしている。啓輔はしだいに疑問に思えてきた。あのときの子とすれば、五カ月になる。うち見たところ、腹部にどういう変化もなさそうであった。

「それならば、私がお迎えに参るまで待っていて下されば よかったのですが」

「厭だ」

天井から、遠い棚に眼を移し、やがてゆっくりと啓輔の顔に視線をあて、

「あんたの嫁になる」といった。「妊《はら》み子《ご》も大きくなりはじめているのに、いつまでも実家《さと》におれるものではない」

「しかし、当屋敷は諸藩でいえば藩邸と同然です。婦人は、はばかられます」

「金は、用意している」

借家を借りようというのだろう。啓輔はふと、団栗辻の路地奥を思いうかべた。が、この女と、そのあたりに世帯をもっている自分を想像すると、ぞっとした。やはり、あいうなまめいたたたずまいの路地には、それにふさわしい女が必要であった。そう思うと、水戸藩京都警衛指揮役住谷寅之介の妾は、顔こそみえなかったが、利休《りきゅう》下駄のすがすがしい音から想像して、心映《こころば》えのさわやかな女だろう。

「おなかのややは」

「いる」

お加代は、無愛想に答えた。まさか、と念を押すほどの勇気は啓輔にはなかったが、居るとは思えなかった。

啓輔は、大事な約束がある、といって土間へ駈けおりた。屋敷の小者には、「国許の本家の嬢《いと》が、祇園会《ぎおんえ》の見物にきている。よいように世話をたのむ」といっておいた。外へ出た。

鉾《ほこ》、山車《やま》が各町内で組みたてられ、あちこちの辻から、祇園囃子《ばやし》がきこえていた。行きかう人の顔が、夕焼けをあびてほのあかい。河原町の土州藩邸に山本を訪ね、手短かに事情を話して、今夜は藩邸で泊めてくれ、と頼むと、気の毒だが泊められない、と断わられた。

「いや、あんただけではない、わしも今夜の夜船で大坂藩邸へ出張、ということになって、当分京を留守にする」

「え？」

「むろん、表むきだ。例の一件、土佐者の仕業だとみられてはまずい。金はある」

と、山本はどこから出た金か、三十両の包みを啓輔のふところにねじこみ、これで宮川町にでもとまろう、といった。

「それが、待ち伏せのために必要でもある」

その夜は、宮川町の妓楼にとまった。その翌日も、流連《いっつ》けた。一体、このときどういう顔の妓《おんな》と寝たか、啓輔はあとになっても、記憶がさだかでない。殺すべき相手を待ち、さらに屋敷ではお加代に待たれている身では、妓と睦言《むつごと》をかわしているゆとりなどはなかったのであろう。

二日目の夕、山本が部屋に入ってきて、

「来ている」

と、低声でいった。夕刻、住谷が団栗辻の路地に入ったのを確かめた、というのである。

「住谷は泊りはせぬ。もう一刻もすれば出るだろう」

勘定をすませ、外へ出た。やがて日が暮れたが、路上が気味わるいほど明るかった。頭上に、皎々《こうこう》たる十六夜《いざよい》の月がある。

「住谷先生は、どのくらい出来ます」

「神道無念流の皆伝《かいでん》をもっているそうだ。なに、君の敵ではあるまい」

二人は、軒蔭で、月を避けている。山本は腹が減ったのか、しゃがみこんで、にちゃにちゃと餅を食いはじめた。啓輔に、食え、ともいわなかった。

が、勧められても啓輔には食う元気がなかった。さきほどから、しきりと歯が慄えた。嚙みしめれば、始末にわるいことに尿意を催《もよお》し、それもいざたくしあげてみると、数滴しか出なかった。不覚だが臆《おく》している。

「おい。みろ」

と、山本が、肘で注意した。なるほど暗い路地の口から、住谷寅之介らしい長身の武士が出てきた。

それが、眼の前にきた。諸大夫まげをつややかに結《ゆ》いあげ、絽《ろ》の羽織、白襟をわずかにのぞかせ、つか長の大小に仙台平のはかま、眼鼻だちの彫《ほ》りがふかく、あごがややながい。

(これが、水戸の論客の総帥か)

あれほど、赤龍庵が憧憬《しょうけい》していた「水戸学」がいま、人の象《かたち》をとって歩きすぎてゆく。

(出ろ)

と、山本がわきをこづいたが、啓輔は足がすくんで飛びだせなかった。

「宮川町へ折れた」

山本は、先に立ってあとをつけた。啓輔も従った。長身の住谷寅之介は、嫖客《ひょうかく》の群れを縫いながら悠々と南へくだってゆく。

「あのぶんなら、河原板橋で折れて鴨川を渡るだろう。先まわりすることだ」

山本は、住谷を追い越した。啓輔は、路地へ抜け、板橋に先まわりした。やがて、山本がやってきた。二人は、橋のたもとの地蔵尊の小さな祠《ほこら》の蔭にかくれた。

「いま、来る。ぬかるまいな」

と、山本がいった。啓輔の慄えは、とまった。ただ一言、きいた。

「山本どの。まちがいはないな。たしかに国のためか」

薩長のためだ、とは山本はいわない。山本も、天下のためだ、と信じている。

「そうだ」

「されば、やる」

啓輔は、祠から出た。山本も出た。その山本の影をみて、住谷は、ぎょっと立ちどまった。

「何者か」

山本は、呼吸を踏みはずした。吊られて自分から飛びだした。

「奸賊」

ふりおろした刀が、たちまち住谷にはねあげられ、火を発して天に躍った。それをみて啓輔は、いつもの粗剛放胆な争闘場裡のこの男にもどった。たたっと踏みこむなり、

「奸賊」

おうむがえしに叫んだときには、住谷は右首の根から左胸にかけて斬りこまれ、声もたてずに倒れた。

すかさず山本がとびこんで、とどめを刺し、しゃがみこんで住谷の懐ろをさぐった。月は、隠れている。住谷の懐中物を取りだし、自分の懐ろに入れ、さらに大小まで抜きとった。月がふたたびあらわれたときは、山本は板橋の上を走っていた。

前を、啓輔が走っている。幸い、人通りがなかった。七条まで駈けとおすと、南は伏

見までたんぼ道になる。山本は、七条の瀬に、住谷の大小、懐中物をほうりこんだ。

「こうすれば、物盗りの仕業とみるだろう」

「周到ですな」

皮肉ではなく、素直に感心した。道はどんどん伏見に近づいてくる。山本は、いつまでもついてくる啓輔に気づき、

「浦君、私は伏見から船で大坂へくだってしばらく住吉の藩邸で鳴りをひそめている。しかし君と二人で大坂くだりはまずい。——ここで」

「別れるのですか」

啓輔は、悲痛な声をだした。いまさら京に帰れば、お加代がいる。啓輔はこのまま京から消えたかった。

山本は足早に、駈け去って、闇に消えた。

啓輔の消息も、その夜を境に、京の同志の仲間から消えている。

この年十二月に王政復古。

翌明治元年十月、東京遷都《せんと》。

明治三年二月二十四日朝、東京神田筋違《すじちがい》見付の祭りで、町人風の若者、武士風の男ふたりが一人の壮漢を追いつめ、町人がまず捨て身で壮漢に抱きついて匕首《あいくち》で腹をえぐり、武士風の男がすかさず首を落したという事件がおこった。ちょうど通りかかったの

は、刑部省《ぎょうぶしょう》官員で柳川出身の某である。

「何奴だ。ひかえろ」

というと、武士風の男が落ちついていった。

「父住谷寅之介の仇討でござる。われらは嫡子七之允《しちのすけ》、これなるは次男忠次郎でございます。存分にお見届けを」

仔細をきくと、慶応三年六月、祇園会の夜に父寅之介が京都の河原板橋で何者とも知れぬ者の手にかかり、大小、懐中物を剝がれ、死体はその直後、松本権十郎と名乗る武士（ついに何者かは不明）が始末をし、町方と相談して本圀寺《ほんこくじ》（水戸藩本陣）のそばまで運んであった。

長男七之允がさっそく兇変の現場へかけつけていろいろ手がかりをさがしてみると、幸い、当夜この兇行を一瞥《いちべつ》した者がある。付近の河原の小屋にすむ乞食の「傘屋」という者で、

――私がみたとき、下手人は死骸のそばにしゃがんでおりましたが、やがて板橋を西へ駈けだし、あとは存じませぬ。人相風体はおぼえております。

以来四年、兄弟は、その人物を探《たず》ねたずねて、ようやくきょうに至った、という。

「左様か。念のためにもう一度伺うが、仇の名前は？」

「土佐藩山本旗郎」

その首のない死骸は、いま眼の前に横たわっている。

住谷兄弟は即日弾正台から、水戸藩に引きわたされ、山本の遺骸は土佐藩に送られ、即日仮埋葬された。同藩出身の維新政府の参議佐佐木高行、刑部大輔《ぎようぶだゆう》斎藤利行など土佐藩の高官が鍛冶橋藩邸にあつまり、合議の結果、仇討に相違なし、ということで、右の旨、諒解書《りようかいしよ》を水戸藩に送った。

同日の佐佐木参議の日記に、

「わが藩士山本旗郎、仇討に逢ひ候儀、はなはだ不面目。しかしながら天道の許さざるところ、致しかた無之《これなく》候也」

とある。

山本旗郎は、不意を襲われて死んだ。やむをえぬとしても、あの慶応三年六月のはじめ、京都錦小路醒ケ井の菓子屋の土蔵にあつまっていた「薩長の要人」というのは、この山本の横死について、維新後、どう思っていたのであろう。これも、謎である。

浦啓輔は、その後転々として、維新後は横浜の貿易商の手代になり、大正の初年まで長寿を保った。維新前のことはほとんど語らなかったが、晩年、やや、洩らしている。

「わしはとにかく、女のいる京から逃げたかった。住谷を斬って、いちはやく板橋を東に走った。山本は、なお現場にいたから、人目についたのだろう」

とすればお加代は命の恩人になるわけだが、その後の消息はわからない。

土佐の夜雨

一

この年、花の季節というのに、土佐高知城下で粉雪がふった。こういう異変でもこの国の男どもは南国のせいか、この城下の男どもは陽気にできている。こういう異変でもこの国の男どもには結構酒の肴《さかな》になるらしく、

「酒《さき》ァ、雪で飲む、花で飲む、天は無駄なことはしちょらんど。飲めや」

と、この日、城下のどの町でも昼から酒をのんでいる。

――が、この巨大漢だけは別である。

働いている。

腰に鉄づくりの大脇差をぶちこみ、小脇に薬箱をかかえ、頭を坊主にまるめ、しかも真赤な女襦袢《おんなじゆばん》を着、思いきって尻をからげ、町並をへいげいするように歩いてゆく。

粉雪が漢《おとこ》の濃い眉にふりかかっては、溶けた。

顔が、玉のように赤い。おそらく常人よりも血がありあまりすぎているのだろう。

「病人はおらんかァ、病人。薬ァ、一包み銀一分」

酔狂《すいきょう》ではない証拠に、眉の下の眼がらんらんとして光り、噛みつきそうなほどに生真面目な顔であった。たとえ一人半人でも病人がつかまらなければ、今日の日が食えない。

大坊主は、播磨屋橋《はりまやばし》を西へ渡った。

さらにのし歩いて紺屋町筋を北上し、追手筋へ折れたときは、雪がどっとふぶいた。むこうに城がみえる。二十四万石山内家の真白い天守閣が、このあわれな乞食医者を威圧している。

そのときであった、仕置家老《しおきがろう》（参政）吉田東洋が下城してきたのは。

総身螺鈿《そうみらでん》の槍を立て、若党に三引両《みつびきりょう》の定紋入りの挟箱《はさみばこ》をかつがせ、草履とりが一人、ほかに帯刀の家来を一人つれていた。

「何者か、あれは」

相手の異装におどろいたが、わざわざ雪のなかで足をとめたのは、大坊主の眼のくばり、足腰の動きをみて、ただ者でないとみたのである。

（出来るな）

そう思った。

もともと東洋もただの仕置家老ではなかった。いわば完全才能の持主で、学問は藩の儒者が束になってもかなわず、剣は最初一刀流をまなび、ついで真影流《しんかげりゅう》の免許皆伝を得、さらに独自の境地をひらいているほどの男である。

「はて、きいて参りましょう」

家来が雪の中を走り、笠をあげると、

「ひかえろ」

と、まず一喝し、

「御家老のお声がかりである。名はなんと申すか」

「……」

坊主は無視した。大きな顔を逸《そ》らすなり、帯屋町のほうへ折れてしまった。

「きょうは妙な男をみたな」

と、東洋は帰邸して、妻の琴子にいった。

「どのような？」

と琴子は訊きかえしたが、東洋は茶碗をかかえてじっと考えこんでいる。

（気になる顔だ）

異相である。血が、真白な皮膚の毛穴にふつふつと噴きだしているような顔つきで、この世に持ちこんできた巨大な頬骨《ほおぼね》をおさえかねているような面《つら》がまえだった。世の中が悪くなっている。ああいう面妖《みょう》な男が城下に出没するのは、時節柄、仕置家老として気になることだ。

（まあいい）

忘れた。

が、縁はそれだけではなかった。

その翌日、城下の南郊の真如寺《しんにょじ》山《やま》で、ちょっとした事件があったよし、寺社奉行から報告をうけた。

やはりあの長襦袢坊主が山へのぼってきたらしい。僧が制止するのもかまわず境内を通りぬけ、裏山へ出ると、いきなり谷むこうへむけ、どかどかと鉄砲を撃ち放ったというのである。

「寺で、禁制の鳥獣を害したとでもいうのか」

ときくとそうではない。「僧どものおどろいたのはその鉄砲でござりまする」と寺社奉行は答えた。

大坊主は、ふつう台座をつけて発射する三十匁《もんめ》の火縄銃に強薬《つよぐすり》をこめ、なんと立射《たちうち》で轟発し、姿勢もくずさなかった。ただ、発射するたびに、反動で、ずしっ、ずしっ、と右カカトが土にめりこんだ。僧どもはその怪力におどろき、

――後日、もしや城下で騒動をおこさぬともかぎりませぬゆえ、為念《ねんのため》。

として訴えでたというのである。

「名はなんという」

と、東洋はふたたび訊いた。

が、憎どもが男の怪力をおそれ、名を訊きかねたというのである。

むろん東洋が探索しようとおもえば町奉行に命じて町さがしをすれば事がすむのだが、べつに罪人でもないのに、仕置家老として荒だてるわけにはいかない。

東洋はその日、屋敷にもどってから、日ごろ可愛がっている「下横目《したよこめ》」をこっそりよんだ。

下横目とは、徒士《かち》、郷士の非違を探索する卑役で、東洋はかねてこの役に井口《いのくち》村の地《じ》下《げ》浪人の子弥太郎という若者を抜擢《ばってき》してつけておいた。よく働く。

姓は岩崎である。

のちにこの男は三菱会社をおこす運命になる。

弥太郎は学才はあるが目つきがするどく、「風丰《ふうぼう》、盗跖《とうせき》に似る」といわれた。盗跖とは、古代シナの伝説的な大盗の名だ。「商人の紋章は盗賊の紋章とおなじだ」という言葉が西諺《せいげん》にあるほどだから、岩崎弥太郎はそのどっちにころんでもやりこなす男だったろう。

「よいか。内密に」

「承知つかまつりました」

弥太郎は、その夜は家に帰らず、城下の町名主を一人ずつたずねまわってうわさをきき、ついにつきとめた。

唐人町《とうじんまち》の裏長屋にすむにわか医者で十日ばかり前、高知城下から八里ばかり西の佐川郷（家老深尾鼎《かなえ》領地）から出てきた男だという。

大家には信甫《しんぽ》などという医者らしい名前を届けでているが、じつは武士である。

「武士？」

「左様でございます」

「郷士か」

と、弥太郎は名主にいった。

郷士とは、土佐の制度では最下級の武士で、上士からは人間あつかいにされない。たとえば上士ならその家族でも日傘をさせるが郷士はそれを許されないといったきびしい差別がある。土佐におけるこの差別問題が、ついに維新史を動かすにいたったことは後述する。

「いや、その郷士でもございませぬ」

「されば、地下であるか」

「左様で」

となれば弥太郎とおなじ出身階級である。

地下浪人というのは、江戸などでうろうろしているいわゆる浪人者でなく、貧窮して郷士の株を売った者、およびその子孫を指し、いわば村浪人という土佐独特の階級で、さむらいの風体はしているが、身分は百姓とかわらない。村の逸民《いつみん》である。

「その者を屋敷によべ」

と、東洋は弥太郎に命じた。呼びよせてとくと人体《にんてい》を見さだめたうえ、藩政に異論をもっているなら説破してやろうと思ったのである。これが東洋のくせである。水戸の大儒藤田東湖はめったに人をほめぬ男だが、「東洋、すこし才あり」とほめた。「ただし驕《きょう》激《げき》なり」

ところが、数日たって、弥太郎につれられてやってきた坊主頭の医者は、なるほどあの長襦袢こそ着ていたが、まるでちがう男だった。背もひくく、顔も、土佐にありふれたたびんずる顔で、人物もはるかに小さい。

（あいつめ）

東洋は、内心激怒した。弥太郎が顔を知らないために、あの大坊主にたばかられて替玉をつかまされたのだろう。しかしなぜ、替玉をつかってまで、一国の参政をからかうのか。

「弥太郎」

「なんでございましょう」

「そ、そいつ」

東洋の体がふるえてきた。

土佐では不世出の宰相といわれた吉田東洋は、ただ一つ性格に異常があった。短気である。

十八歳のとき、中間《ちゅうげん》が東洋の命じたことをしなかったというのでカッとなり、刀をぬいた。気がついたときには、中間の首が、その不服面《ふふくづら》のまま地上に落ちていた。東洋はこれを悔いて数年、門を閉じて身を慎んだが、生来の性格というのはなおらない。

まだある。

東洋三十九歳のときだ。江戸鍛冶橋の土佐藩邸で藩主みずからが親戚すじの旗本をまねく酒宴があった。東洋は当然接待役として出た。

主賓は、旗本寄合席《よりあいせき》三千石の松下嘉兵衛である（この同姓同名の人物は「太閤記」にも登場する。秀吉が少年のころ仕えた今川家の家来で、秀吉は出世後、その子孫を大名にとりたて、家系は徳川初期まで残った。のち領地を没収されて旗本として残され、嘉兵衛はその子孫である）。

この嘉兵衛というのは素面《しらふ》では愚にもつかぬ小心者だが、酔うと気が大きくなり、にわかに立ちあがった。居ならぶ土佐藩の重臣の頭をなでてまわり、

——一望すれば実《み》のない西瓜畑。たたけば、無能々々と音がする。

唄をうたいながら吉田東洋の前まできた。東洋の頭は、鉢がひろくて叩きいい。酔漢

はポン、とたたいた。が、東洋はすでに眼が吊りあがっていた。いきなり嘉兵衛のきき腕をつかむなり、

「武士の首に手を触れることが、どれほどのことか、お手前は存じおるか」

と、足をすくって投げとばし、あおむけざまになった嘉兵衛の上に馬乗りになって、頭を、ぐゎんぐゎんと地鳴りするほどに殴った。

嘉兵衛が、ひいひいとなきだしても東洋はなお手をゆるめない。おどろいたのは、藩主豊信《とよしげ》（容堂）で、せっかく招《よ》んだ自分の親戚を家来がころがして殴るような話は、きいたこともない。

――モ、モトキチ（元吉・東洋の通称）、ひかえろ。

――上《かみ》、なりませぬぞ。元吉は熟慮のあげく、かようの次第でござる。

なおも打つ。嘉兵衛は泣いている。――ついに、

――やめろ。

と藩主みずから座から駈けおりて引きはなす、とめるという騒ぎだった。

東洋はこれで流罪となり、高知城外の長浜村に数年蟄居《ちっきょ》させられた。

いま、四十七歳。

ますます癇癖《かんぺき》がはげしくなっている。下の間からそっと仰いでいた弥太郎はあわてていき、いまで這い寄り、

「ご、ご辛抱でござる。ご辛抱を。御成敗《ごせいばい》なさるなら、お手をお汚しなさるまでもありませぬ。弥太郎めが斬って捨てまする」

「やあ、弥太郎、存じおるや」

と、東洋は大声を発した。

「この者、偽者であるぞ」

「なにを申される」

と膝をすすめ、畳をたたいて怒りだしたのは、偽の長襦袢坊主のほうであった。この男が怒るのも当然だろう。

「人をよんでおいて、いきなり、偽者じゃの、成敗じゃの、とは解《げ》しかねる、わしは唐人町に住む町医で大石宗善《そうぜん》というものでござるぞ。宗善に二人はない。それが偽者とはどういうわけでござる」

「…………」

これには東洋も当惑した。窮したあまり、こそこそと座を立とうとしたが、宗善もくどかった。東洋の袴をとらえ、

「なんとか、ご返事を承ろう」

「はあっ」

と東洋は火のような息をはいた。辛抱の限度がきた。

「無礼者」

というなり宗善を蹴倒し、倒れるところをさらに蹴り、逃げまわる宗善をはねとばし、ついに縁側から蹴落してしまった。

「な、なにをなさるのじゃ」

「出て行けっ」

これは東洋のほうが、無法である。が罪にはならない。土佐の武家作法として、郷士が上士に無礼をはたらいたばあい、上士は斬りすててもかまわない、ということになっている。まして東洋は二十四万石の仕置家老である。

とはいえ、要するに、もともとは岩崎弥太郎の調査不十分からきた事件で、弥太郎はこのために責任を感じ、その日から必死に探索をはじめた。

すぐ、手違いの原因はわかった。

唐人町の例の長屋には、一ツ家に長襦袢坊主がふたり住んでいるのである。これを混同した。

が、手遅れだった。わかったころには、すでに大坊主も小坊主も城下を引きはらって、在所に帰ってしまっていた。弥太郎にとっては狐につままれたようなはなしであった。

小坊主は大石団蔵という郷士で、大坊主の弟分のような男だという。

弥太郎は、さらに調べた。

それによると、大坊主は、佐川郷の領主深尾家（土佐藩の譜代家老）の御勝手役で浜田宅左衛門の三男某であることがわかった。浜田家は、郷士の出である。

家老の知行所の御勝手役といえば聞えがいいが、二人半扶持《ぶち》（一日一升二合五勺）の給与で数人の家族が食っている極貧最下等の武士である。

某はその三男だから医者になったわけだが、医術もろくに学んでいない。だから、城下へ出て、医療の行商という奇矯のまねを思いついたのであろう。

「しかしなぜその者は在所へ帰ったのか」

「よくは存じませぬが、なんでも、在所でおめでたい話があったそうで」

と、某に家を貸していた家主はいった。

岩崎弥太郎は、薬の行商に化けて、佐川郷へ出かけてみた。

わざわざ変装したのは、他国にはない土佐独特の事情によるものだ。一体に在郷の郷士どもは、上士にひどい反感をもっている。城下から下横目が入りこんだ、と知れば、人知れず山野で密殺されるおそれがあり、現にそういう事故が何度かあった。弥太郎にとっては、命がけの潜行である。

某の生家、浜田家のまわりもうろついてみた。

ひどい屋敷で、塀も柴垣もない。宅地は三百坪ほどあるが、屋敷は馬小屋ほどのあばらやである。

三度目にその屋敷付近へ行ったとき、屋敷から、十八、九の気の荒そうな若者がとびだして、弥太郎の前にふさがった。風体は乞食同然のぼろ姿である。

「おんしは、何じゃい」

腰に脇差を帯びている。郷士の子は、眼でわかる。上士の子弟は学問の負担が重すぎて気が萎《な》えているが、郷士の子は家計に余裕がないために、猪や兎を追って殺生を事としている。眼に油断がない。

「へい、薬屋でございます」

岩崎弥太郎は、腰を低くした。

「本当か」

若者は、気味のわるい微笑をうかべた。弥太郎はあとで知ったのだが、若者の名は「顕助」という。この若者がのちに維新の元勲の一人となった伯爵田中光顕である。当時二十歳であった。弥太郎がさがしている某の甥にあたる。

「あなた様がこのお屋敷の坊さまで」

「阿諛《じょうず》を云うちょる。おんしが、ここ数日わが家を窺《うかご》うていたことは知っちょるぞ。薬屋ではあるまい。下横目じゃの」

「め、めっそうもございませぬ。たしかに、二度は参りましたが、わけあってのことでござります」

「どういうわけじゃ」

「某様に用がございます。じつは、某様が高知城下で歩き医者をなされておりましたとき、少々薬をお売りいたしました。そのお代を頂いておりませぬ」

「本当か」

うたがわしそうに見つめていたが、やがて狡猾《こうかつ》そうな表情で、

「残念じゃった。某はおらぬ。縁あって檮原《ゆすはら》の郷士那須《なす》家に養子に行った」

これは本当である。

「行け」

弥太郎を追っぱらったあと、若者はすぐ旅装をととのえ、佐川郷から二日行程の山中である檮原村に急行した。叔父某はその村の郷士那須家の養子になっている。名を改めて那須信吾（明治後、贈従四位）。

養父家は二百年つづいた貧乏郷士で、養父俊平は近郷の郷士の子弟に槍術を教えて食っていた。新妻は為代といった。人がよくて丈夫なのが取り柄の女である。すでに孕《はら》んでいた。

「叔父はいますか」

と、新造《しんぞ》の為代にきくと、「あの音がきこえませぬか」と、為代は笑った。なるほど、裏で物音がする。

裏へまわると、叔父の那須信吾は、四尺のびわの木刀をふるって素振《すぶ》りの稽古をしていた。腰を沈める。と同時に撃つ。はねあげてさらにうつ。空をうつのだが、撃つごとに渾身の力が地へ吸いこまれて、地ひびきがするようであった。みごとな芸である。幼少のころから剣を好んだが、近ごろ高知城下新町の田淵町に鏡心明智流の道場をひらいている武市半平太の手直しを受けて一段と上達した。すでに武市道場では信吾におよぶ者がない。

「叔父上」

と田中顕助は声をかけた。

信吾は、ふりむいた。

「だいぶ、お髪《ぐし》がのびられましたな」

「ああ」

信吾は、木刀をすてていが栗頭をなでた。武士にもどったのがうれしいらしい。田中顕助は、この戦国武者の再来のような叔父が大好きであった。

「秋にはまげが結えるじゃろ。たっぷり髪を貯えて、いま江戸ではやっちょるちゅ、講武所風の大たぶさに結いあげてみたい」

「ところで」

と、顕助は、薬屋の一件を話し、ついでに下横目ではないか、という自分の観測も伝えると、信吾はべつに驚きもせず、「大方、そうじゃろ」とあとはなにもいわなかった。顕助を帰してから、信吾は日暮れになって無紋の提灯をつけ、村の往来へ出た。もし郷内に下横目が入りこんでいるとすれば、ひっとらえて斬るか、なぶりものにしてやるつもりであった。

が、それにしてもなぜ下横目に探索されねばならぬのか。まさか、東洋の一風変わった人間好みからとは信吾は気づかない。

（どうせ、城下で奇矯のまねをしたからじゃろ）

それにしても、東洋は酷である。参政に就任して以来、この男は譜代家老たちを押しのけたり罪におとしたりしてたちまち藩の独裁権をにぎり、人材登用と称して、自分の門下生のみを抜擢し、藩政を壟断《ろうだん》している。自分の気に入らぬ人間には隠密をもってその身辺をさぐり、ついには蟄居《ちっきょ》、切腹というところまで追いつめる。田中顕助などの主人で譜代の家老である深尾鼎《かなえ》もそうであった。江戸詰めのころ遊びすぎたというだけの理由で一万石を九千石に削られ、長者村という在所に蟄居させられている。他の家老、つまり福岡宮内、深尾弘人、相馬《そうま》将監、五藤主計《かずえ》という連中も、同様、いま罪に服している。

（ついに、わしのような乞食郷士にまで目をつけはじめたか）

那須信吾は、地ひびきをたてて村中をさがしまわったが、とうとう下横目らしい人物を見つけることができなかった。

数日して下横目岩崎弥太郎は城下にもどった。

信吾は弥太郎を逸したが、弥太郎は存分に檮原村を探訪したばかりか、村の往来を歩きまわっている信吾の姿をひそかに観察した。弥太郎にすれば、信吾など単に田舎の力自慢程度としかみえなかった。しかし、東洋に報告すると、ひどく興味をもった。

「一度、会ってみたい」

東洋は他人に関心のつよい男だ。とくに土佐人らしい活気のある男がすきなのである。岩崎弥太郎を抜擢したり、甥の後藤象二郎（後の伯爵）や乾《いぬい》退助（のちの板垣退助）を愛したりしたのはそのあらわれである。

「学問はどうだ」

「ございませぬ」

「無学か」

急に興味の冷えた顔をした。学問があれば自分に近づけ、登用もしてやろうと思ったことはたしかである。

話はそれっきりになった。が、十日ほどして、那須信吾のほうから堂々と門をたたいて訪ねてきたのである。

三

東洋は、二十四万石の参政として、家中でならぶ者のない権勢家である。普通なら一介の田舎郷士の会えるような身分ではない。

当然、用人が那須信吾を拒む一方、念のため東洋にもうかがいをたてた。が、意外にも、

「その者、会ってやろう。庭へまわしておけ」

そう命じてから一刻《にじかん》ほど書見した。これも東洋らしい。すぐに出るのは、自分の格を軽んずるものと東洋は信じている。

やがて東洋は縁側まで出た。郷士那須信吾は、白洲にムシロをしいてすわらされている。まるで罪人のような扱いだが、これが土佐の法である。しかし那須信吾は心中勃然《ぼっぜん》たる怒りがあった。

「そちが那須信吾か」

といってから、最初見たときに気づかなかったことだが、信吾の骨相が、ひどく自分に似ていることに気づいた。

眉が濃くはねあがり、ひたいが不恰好に前へ張り出し、あごが土佐犬のそれのように頑丈で、唇があつい。似ている。東洋は不快になった。これは信吾にとって不幸なこと

であった。

那須信吾も顔をあげてから、

（似ちょる）

とおどろいた。しかし信吾は逆に不快とはおもわなかった。むしろいままで嫌悪していたこの土佐の独裁者に対し、思わぬ親しみがわいてきて、自分でもその新しい感情の始末にこまってしまった。

「ひとことお伺《うかが》いいたしとうございまする」

と、信吾は、意外なほどのいんぎんさでいった。

訪意は要するに詰問にきたのだ。切腹を覚悟で面罵《めんば》してやろうと思って来た。

ところが信吾は、下横目の一件を、微笑さえまじえて説明した。

その微笑が東洋を誤解させた。

（こいつ、意外にくだらぬ。猟官《りょうかん》運動にでもきおったのか）

「知らぬ」

東洋は、つい憎々しげにいった。

「いやしくも、わしは土佐一国の仕置をする身である。そちがごとき軽格卑賤の士の行儀までいちいち探索すると思うか」

東洋は立ちあがっている。

信吾は、庭に残された。

このとき、東洋が放屁をした、というはなしがある。家老とはいえあまりの非礼に信吾がとがめると、縁の上の東洋は信吾に一瞥《いちべつ》もくれず、

「屁ではない。糞《くそ》が咆《ほ》えたのじゃ」

といった。

(なるほど、吉田様の糞が叫《おら》びなさったか)

と、後日、このはなしをきいて下横目岩崎弥太郎は、さすがは東洋らしいと思った。ちかごろ郷士どもが増長しすぎる。あれらは、糞のようなものだ。東洋は、連中に口で一喝するよりも、胎中の糞をして一喝せしめたのだろう。

ところがその後ほどなく、

——東洋を斬る、という密謀がある。

といううわさが、家中で流れた。出所がどこで、何者が斬るのか、ともわからなかったが、弥太郎はひそかに、那須信吾ではないか、と直覚した。信吾は、東洋の糞咆えにひどく憤慨していたという。

当然、このうわさを嗅《か》いで、多勢の下横目が動きだした。弥太郎も役目がら、動いた。が、目算ははずれた。

密謀のぬしは、檮原村の一郷士どころか、さらに巨大な存在であることがわかった。

集団である。五人や六人ではない。おそらく二百人はいるだろう。二百人中、数人をのぞいては、すべて、郷士、庄屋、地下浪人などの軽格である。その密謀の中心は、城下田淵の武市塾であった。首領は、武市半平太である。

（田淵町か）

そこには、軽格が群れている。首領の武市半平太は、長州藩の過激志士とたえず連絡をとっている倒幕運動家であった。

武市は、江戸にいるころ鏡心明智流の桃井春蔵道場の塾頭をつとめたほどの剣客で、帰国してから、藩の軽格に学問、武芸をおしえている。それが非常な人気で、土佐七郡のすみずみから門人があつまっており、那須信吾もその一人である。

朱鞘
直刀
ながかたな
というのが、この武市門下つまり「土佐勤王党」の風体で、藩では手を焼いている。

弥太郎は、おなじ軽格出身ながらもこの連中を好まなかった。粗豪で無学で、武市にならって熱狂的な、

「天皇好き」

であった。

そのくせ武市は別として、彼等がはたして真実の天皇好きかどうかについては、弥太郎には疑問がある。

かれら土佐郷士には奇怪な感情がある。藩主山内家への憎悪である。この憎悪は、どの土佐郷士の家系にも代々伝えられ、二百余年十数代つづいてきた。

もはや種族的な憎しみになっているもので、かれらのたれもが、自分たちを山内家の家来だとはおもっておらず、長曾我部侍《ちょうそかべざむらい》である、と思っていた。こういう藩はほかにない。

もともと山内家というのは、他国者である。藩祖山内一豊《かずとよ》が関ケ原の功名で遠州掛川六万石の小身から一挙に土佐一国を与えられたもので、藩祖一豊が本土からつれてきた連中の子孫が、すべて藩の顕職につく。

長曾我部家の遺臣群は帰農させられて、「郷士」の格をあたえられたが、おなじ藩士でも、上士から「外様《とざま》」として蔑視されている。

藩祖入国のころは、かれらはしばしば叛乱をおこし、討伐されたが、最後には、浦戸湾の浜でわなを設けて大虐殺されたという史実がある。山内家から、国中の郷士（当時、一領具足《いちりようぐそく》とよばれた）に布令《ふれ》がまわり、相撲の大試合をするというのであった。力自慢の連中が、二日、三日の行程をかけて浦戸の浜にあつまってきたが、山内家ではその周囲に鉄砲隊を伏せ、一斉に射撃した。水中に逃げる者は、舟の上から槍で突き殺した。このとき殺された者は千人を越えた。

その後、郷士どもは怖れておとなしくなったが、憎悪だけが残った。いま、幕権がゆらぎはじめるとともに、その家系の連中が、

「われらは山内家の家来ではない。天皇の家来である」

とさわぎはじめるのは当然であった。

（それだけのことだ）

弥太郎は、冷たい眼でかれらをみている。

むりはなかった。岩崎家は、おなじ在郷の出ながら、先祖がめずらしく長曾我部家の遺臣ではなく、家紋は「三蓋菱《さんがいびし》」で、戦国のころ、長曾我部家にほろぼされた安芸《あき》氏の遺臣の家で、家伝に怨恨《えんこん》の伝説がなかった。

それからほどなく、下横目岩崎弥太郎は、吉田東洋によびだされた。

東洋の屋敷は帯屋町一丁目にある。代々の家老職ではないから、敷地はさほど広くはないが、参政になって以来、改築をかさねて贅美《ぜいび》なものになっている。

諸事、豪奢《ごうしゃ》を好む男であった。平素懐ろに高価な麝香《じゃこう》を入れ、衣服も上質の絹服をもちい、大小の拵《こしら》えなども、小諸侯のようであった。そのころ城下で唱《うた》われたヨサコイ節に、

吉田元吉頭もこくが
透矢《すきや》越後で伊達もこく

というのがあった。他人の頭を殴るが大そうな伊達者でもある、という意味である。

「弥太郎、田淵町の馬鹿どもがわしを殺そうとしているというが、事実か」

「事実です」

とは、まだいえない。田淵町は秘密主義が徹底しているから、さぐりようがないのである。うかつに近づけば、弥太郎自身が斬られるだろう。

「たいしたことはできまい。一国の参政を斬るほどの肝っ玉が、あの連中にあるか」

「しかし」

幕閣の大老でさえ、先年、桜田門外で斬られている時勢である。が、東洋の剛愎《ごうふく》な面構えをみると、そういう弱音は口に出しかねた。

はなしは、それだけであったが、辞するときに東洋は多額な金子をくれた。弥太郎はその金の意味がわからなかった。

(この人は、どうもわからぬ)

弥太郎は、ちかごろお喜勢《きせ》という妻を迎え、城下の組屋敷で新世帯をもったが、在所の老母にも仕送りせねばならぬため暮らしは苦しい。東洋はそれを察してくれたのであ

ろうと思い、その金はぜんぶ在所の井口村に送った。ところが、東洋は十日ほどして弥太郎を再び自邸によび、

「どうだ、なにかおもしろい話はないか」

ときいた。

弥太郎は、はっとした。金は、田淵町を探れ、ということだと気づいた。暗に下っ引の一人も傭え、ということだったのだろう。

「べつにござりませぬ」

「そうか」

その日も、「探れ」とは東洋はいわなかった。しかし、気にしている証拠に、「近ごろ、もとめた」といって、左行秀《さのゆきひで》の一刀をみせた。反り浅く、身幅ひろく、豪壮な姿をしている。刀身は、東洋の身長にくらべて長く、二尺五寸はあろう。

「どうだ。馬鹿者の五人や十人、これで斬り伏せてやる」

「しかし、こういう時勢でございますから、手のきく者を一人、お召抱えになればいかがでございましょう」

「それほど、わしが臆病にみえるか」

東洋はそうみえるのがいやなのである。登城下城は、依然として草履取り、若党をつれるだけの手薄な供廻りだった。これも東洋の伊達のひとつなのであろう。

四

田淵町の武市塾の近所に、弥太郎の妻お喜勢の薄い親戚で、伊予屋五兵衛という筆墨《ひっぼく》を商う家があった。弥太郎は、あるじの五兵衛に会い、

「事情がある。しばらく二階の物置を使わせてくれぬか」

と強引にたのんで、一ト月ばかり泊まりこんだ。この二階から、武市塾の人の出入りがよくみえるのである。

のぞいていると、動静がよくわかった。人の出入りが、一日二、三十人はある。例の佐川郷で会った田中顕助という若者がすでに城下に出てきているらしく、木綿の紋服、小倉の袴をつけて、大声で議論しながら、往来を歩いていた。

那須信吾も、二日か三日に一度はきた。いつも旅装で、肩に槍と面籠手をひっかつぎ、馬のような早さでやってきては、帰る。この男は、檮原から二日がかりの道を一日で来るといううわさであった。

一ト月ほどたって、主人の五兵衛が、弥太郎がなにをしているかわかったのだろう。

「出ていってくれ」

といった。商売に障《さわ》ることだ。伊予屋にとって、武市塾はいい得意なのである。

弥太郎は、伊予屋にいくばくかの金をおけばよかったのだろうが、その金がなかった。

ただ頼み入るしか仕方がなかった。このため五兵衛が密告した、という形跡がある。

弥太郎が翌夜、所用で組屋敷にもどるために伊予屋を出、本町筋を南におれて称名寺の角まできたとき、

「おい」

と、背後で声がかかった。弥太郎は気のつよい男だが、腕はたたない。駈けた。が、眼の前にも、男が立ちふさがった。黒い布で、顔を覆っている。

「火事だ。――」

と弥太郎は叫んだ。黒い影は散るように消えた。が、もはやその翌日から、伊予屋に行くことができない。

(探索は、おれにはむりだ)

弥太郎は、ばかばかしくなった。命を落してはなにもならない。弥太郎は、東洋にひきたててもらって、一介の地下浪人から郷士の格を得、さらに下横目についたが、もともと扶持米取りが好きではなく、別に大望があった。士籍を脱して、商人になることである。

「お喜勢、井口村へ帰ろうか」

と、その夜、真顔でいった。資金さえあれば、この土佐で儲かる商法がある。材木である。土佐では材木は藩の専売品になっているが、それを山中で密伐《と》し、筏《いかだ》に組んで土

佐洋《さなだ》に出、大坂で密売すればたちどころに巨利を得る。むろん、命がけの仕事だが、おなじ命を張るなら、そういうことのほうが、弥太郎には魅力があった。

（資金は、郷士の株を売って作ればいい）

そこまで考えて、その夜は寝た。ところが翌夕、東洋の屋敷からよびだしがあった。行ってみると、東洋はまだ下城していない。

夜ふけになって、用人が、「おかぁえり。――」とよばわり、いつものように門、玄関の障子をあけはなった。これも恒例で、家中の者が玄関へ迎えに出る。

弥太郎は玄関わきの湿った土の上に膝をつき顔をあげて待っていると、門から提灯に先導されて入ってきた東洋が、弥太郎の前まできて、はっと飛びのいた。刀をぬいている。

「あ、弥太郎めにござりまする」

「わかっている」

東洋は自分の臆病を恥じたのか、気むずかしい顔で刀を収め、奥へ入った。

その夜、東洋の口から、藩庁でおこった事件をきいた。武市半平太が、「腹を切る覚悟できた」と、東洋に面会をもとめてきた、というのである。

このころ、武市はすでに、土佐藩における蔭の政党首領といってよかった。背後には血判加盟している二百名近い同盟の士がいる。しかも、さきに江戸で、長州の久坂《くさか》義助、薩州の樺山資之《かばやますけゆき》らと麻布長州屋敷に密会し、「各自藩に帰って藩主を説き、藩論をまとめ、明年、時を期して京都に入り、一せいに勤王倒幕の義軍をおこすべし」という、いわゆる三藩密約をとげていた（もっともこの密約は、三藩とも藩内事情が保守的でうまくゆかなかったが）。

武市は帰国後、東洋をはじめ、譜代家老や大目付などを説きまわり、挙藩勤王をおこすよう必死の工作をした。

が、東洋をはじめ藩の上層部は「武市の天皇狂いめ」とわらってたれも耳をかたむけない。武市はついに、死を覚悟して最後の説得をするため東洋に会った。

「これは瑞山《ずいざん》先生」

と、東洋は、うれしそうにいった。剣も議論も、この仕置家老の大好物であった。勝てるからである。とくに議論にかけては、幼少のころからたれにも負けたことがなかった。議論に勝つのは、男子の最大の快事であると思ってきた。

武市は、弁じたてた。もはや日本にとって徳川家は無用であるという。

「あんたは詩人だ」

と東洋は上機嫌で笑った。「歴史を詩で読んではいかぬ」と東洋は得意とする日本史をタテにとって説き、「上古は知らず、文治はじまって以来、日本では天皇自身が治世をしたことがない」といい、その間、武市のもっとも嫌いな人物をほめることで、相手を刺戟した。

「あんたはいやがるかも知れないがね、足利尊氏などは大した人物さ」

果然、武市はわなにかかって激怒した。怒らせてから東洋はさらに話題を一変し、

「京都の公卿の現実をご存じか。天下でもっとも腐敗しきった連中だ。政権をあの連中に渡すなどと、瑞山先生は正気で考えておられるのか。まさかと思うが」

さらに話題を転じ、

「武士には恩義というものがある。わが山内家は、関ケ原の功によって遠州掛川の小大名から土佐一国を徳川家から拝領した。この事情は、関ケ原で負けて減封された長州藩や、減封されぬまでも敗北の屈辱を負った薩摩藩とは、同日には論じられぬ。あの二藩はもともと徳川家へ怨《うら》みを抱いて二百数十年をすごしてきたのだ。たまたま、こういう時勢になったから、にわかに尊王倒幕などと申して報復しようとしている。わしは参政として、そういう連中には加担できぬ」

議論は数時間つづき、武市はついに座を蹴って立ちあがった。

東洋は勝った、と思った。が、議論に勝つことは同時に相手の名誉を奪うことだということを東洋は知らない。

「そういう次第だ」

と、東洋は、弥太郎にいった。

弥太郎は、この男は殺される、とおもった。東洋の面上には、すでに死相がある。おそらく東洋自身も気づかないそういうものが、玄関の物蔭にいた弥太郎の影におびえさせたのだろう。

五

武市が真蒼な顔で田淵町にもどったときは、門下の二、三十人が詰めていた。

「いかがでした」

と、那須信吾がきいた。武市は、東洋の議論を逐一話し、最後に関ヶ原の報復うんぬんにまできたとき、

「それは、われわれへの挑戦ではないか」

と、一同がさわいだ。関ヶ原で敗れて、二百数十年粟飯《あわめし》を食わされてきたのは、長州、薩摩よりも長曾我部家の残党である土佐郷士こそそうではないか。そういう素姓を東洋が公然と侮辱したとすれば、

(藩こそ、先祖代々の敵である)

と、かれらは思わざるをえない。

武市も、他の譜代家老とはちがい、吉田東洋だけは、最後に腹を打ちあければわかると思った。というのは、東洋はめったにいわないが、その家系が長曾我部の老臣吉田大

備後から出ているということを武市たちは知っている。山内家入国後、長曾我部の遺臣から上士にとりたてられた数少ない家系のひとつで、いわば武市らと同種族なのである。

（見誤った。……）

東洋は、同種族だからこそ、自分の出身種族の叛意に複雑な腹立ちを覚えるのだろう。

（あの男の家系が一介の郷士なら、薩長の人材よりもさらにすぐれた志士になっていたろう。吉田家は二百年、暖衣を着すぎた）

しかもいまは栄達の極にある。藩主も隠居の容堂も、東洋を家臣とはみず、師弟の礼をとり、

「東洋先生」

とよんでいる。藩からこれほどまでの優遇をうけている東洋が、郷士どもにかつがれるはずがない。

（斬るか）

と、武市が決意したのは、この夜である。

武市は、田淵町の徒党から刺客八人をえらび、これを三組に分けた。

第一組は、鏡心明智流の目録岡本猪之助を首班とする二人。第二組は、同流の免許皆伝島村衛吉（のち土佐勤王獄で切腹）を首班とする三人。第三組は那須信吾である。武市

は那須の組に、安岡嘉助、大石団蔵を加えた。

刺客団は、各組とも根気よく東洋の動静をうかがったが、東洋にも油断がない。

文久二年四月八日、この日は朝から曇っていたが、夕刻になって雨がふった。

「おい」

と、城下築屋敷にある家老深尾家の下屋敷の長屋をたたいた男がある。長屋には、例の若者が寄留していた。田中顕助である。

戸をあけると、頭からミノをかぶった男が入ってきて、雨滴をふるいおとした。叔父の那須信吾である。立派に髪がのび、好みの大たぶさを結い、月代を、「土佐勤王風」といわれる狭剃《せまぞ》りにしている。

「なにか、急用ですか」

「今夜、人を斬る」

信吾は、笑った。この笑顔が、顕助にとって叔父の最後の印象となった。

「斬れば直ちに伊予へ越えて脱藩し、京都で義軍をあげるつもりじゃ。ついてはそちに頼みがある」

明払暁《ふつぎょう》に現場に行き、成功とわかれば長者村の配所にいるわが家代々の主人、家老深尾鼎《かなえ》様にお報らせせよ、東洋にしりぞけられたお人ゆえ、さぞ、およろこびあるであろう、といった。顕助はうなずき、しかしながら叔父の養家那須家の養父俊平や女房の為代は今夜のことや脱藩のことは知っているのか、と問うた。

「いうちょらん」

信吾は、平然としている。すでに為代とのあいだに子もできているのだ。

「妻子をお捨てなさるおつもりですか」

「丈夫の道だ」

(養父の俊平はあとで事件をきいて驚き、はじめは信吾を恨んだが、のち自分も娘や孫をすてて脱藩し、京都の長州屋敷にひそんで老齢ながら倒幕運動に参加し、蛤御門ノ変で戦死している)。

「東洋お待ちぶせの場所は？」

「帯屋町」

ただし、と那須信吾はいった。

「例の下横目の岩崎弥太郎が、このへんをうろうろしちょる。気づかれるな」

そう云い残して、雨の戸外《おもて》へ出て行った。

この日、岩崎弥太郎は非番で、終日組屋敷にいたが、妙な予感がする。

今日、恒例により、御殿で東洋の「日本外史」の御進講があるということを、弥太郎は知っている。その講義が、信長記の項であり、しかも本能寺兇変であるということも、弥太郎は東洋からきいて知っていた。

それだけではない。

弥太郎が記憶しているところでは信長が、光秀に殺された齢は四十七であった。東洋も、ことし四十七歳になる。

（偶然の暗合じゃ）

と思ってみたが、気持が落ちつかない。

「お喜勢、出かける」

「まあ、この雨に？　それにきょうは非番でございますのに」

「御用を思いだした」

足を袴に穿《うが》った。お喜勢はそれを手伝いながら、

「井口村に帰る、とお話しなされておりましたこと、どうなされました」

「ふむ。――」

弥太郎は沈鬱な表情で、お喜勢の手から脇差をとった。あの件、東洋に相談しようと思いつつ、云いそびれている。

「あの、かようなことを申しあげるのは差し出口かもしれませぬが、旦那さまは、下横目のようなお仕事にむきませぬな」

お喜勢は弥太郎の不器用に気づいている。弥太郎もことし二十九歳になる。いつまでも下横目をつとめていたところで、郷士の出身では先に栄達の見込みがあるわけでもない。

（小役人は、いやだ）

かといって、武市党に与《くみ》して血気の運動をする気にもなれないし、かれらも、いったん東洋の息のかかってしまった自分を、仲間には容れないだろう。

「士籍をすてるか」

弥太郎は急に不逞な顔つきになり、いったん腰にさした大小をぐゎらりと投げだし、袴のひもを解いた。

一刻ほど、すぎた。

外の雨は、ますますひどくなっている。この夜、日没から城の本丸の森で、杜鵑《ほととぎす》がしきりと鳴きわたったという。

御殿で御進講がおわったあと、御酒下《ごしゅくだ》されがあり、東洋が退出したのは、亥ノ刻さがりである。

御門を一緒に出たのは、福岡藤次（上士だがのち藩内にあって勤王党を応援し、明治後孝弟《たかちか》と改名、子爵）、後藤象二郎（のち参政となる。明治後、伯爵）、由比猪内《いない》、市原八郎左衛門、大崎巻蔵の五人で、いずれも学問は東洋門下であり、東洋のひきたてによって顕職についている若い上士たちである。東洋にならって、どの男も、みごとな衣服を用いていた。

「先生、きょうの御前講は、まことに結構に存じました」

と、福岡藤次がいった。一同、声をそろえて、同感の意を表した。たしかに信長の最期を語るくだりなどは、凄惨な情景が目に見えるように活写されていた。

雨は降りつづけている。

追手門から濠端《ほりばた》にそって南にくだると、まず後藤象二郎の屋敷があり、由比、市原とつづいている。後藤は不安そうな表情でふと足をとめた。

「伯父上」

後藤は東洋とは親戚になる。

「いかがでしょう。みなでお屋敷の御門までお送りいたしましょうか」

「よいわ」

ひどくあかるい声でいった。

「まさか城下には明智光秀はいまい」

帯屋町に入る角で、最後の道連れ二人と別れた。あとは、若党が一人。

それに、草履取りが提灯をさしのべて歩き、傘は東洋自身がさしている。道がぬかるんで、ともすれば下駄がとられそうになった。

帯屋町一丁目の四ツ辻に、前野久米之助という上士の屋敷がある。

その門わきに身をひそめているのは、大石団蔵である。塀に身をよせているのは那須信吾、これは上半身裸体。むかい屋敷の門わきには安岡嘉助が身をふせ、いずれもぼろのような綿服に素足といったいでたちで、戦国のころ、「一領具足」といわれたかれらの先祖をおもわせるようなすさまじさであった。

（来た）

安岡が鯉口をくつろげ、つかをにぎり、一呼息、二呼息、と自分の気息をはかりつつ最後に大きく息をのむと、ぱっと走り出た。

提灯を切り落した。

安岡が、刀をひく。かれの役は、それでしまいである。かわって那須信吾が上段のままでおどり出、

「元吉殿、国のために参る」

と叫びながら、二尺七寸、備前無銘の直刀をふりおろした。

東洋は、ひらいたままの傘で受け、弾《はじ》き捨てると同時に抜刀した。

暗い。

すでに右肩に傷を受けている。

那須はさらに畳みこみ、踏みこんで、二太刀斬りつけた。那須は夜目がきく。田舎郷士の余得である。城下育ちの東洋には、闇はただ漠々とした闇でしかない。刃が、どこから来るのか。

東洋は、その不自由さに煮えかえるほど腹が立ってきた。夜闇のばあい、声をたてる

のは禁物とわかっていながら、ついに四十七年、この瞬間が最後の怒気を吐いた。

「狼藉者《ろうぜきもの》、いずれにある。――」

声が湧きあがると同時に、ツッと那須が進んで、声を真向から斬った。

横倒しに倒れようとするところを、大石団蔵が、斬りつけ、倒れ伏したところを、安岡がとどめを刺した。

那須が首を打った。

大石団蔵が、自分の古褌《ふんどし》でその首をつつんだ。真新しい晒《さらし》を、と思ったが、たがいにそれを購《もと》める金がなかった。

すぐ支度所である町はずれ長縄手の観音堂に引きとろうとしたが、犬が首に食いつこうとして離れず「大いに迷惑つかまつり候へども、いかさま無難に観音堂へ持ちつけ」（那須信吾書簡）、それを観音堂で待機していた同志の河野万寿弥《こうのますや》（のちの敏鎌《とがま》。明治中期の農商務大臣）に渡し、ただちに旅装をととのえて、領外へ出た。

岩崎弥太郎は、同僚の井上佐一郎とともにその下手人探索を命ぜられ、かれらが大坂の長州藩邸に潜伏しているところまでつきとめたが、弥太郎は井上に説き、

「京坂はすでに尊攘派の巣で、京都所司代、大坂城代の力さえおよびがたい。再起を期し、いったんは国もとに帰ろう」

といったが井上はきかず、このため岩崎は単身帰国し、すぐ士籍を脱している。

残留した井上佐一郎は単身探索していたが、この年八月二十二日夕、武市党の岡田以蔵らの巧みな誘いに乗り、心斎橋筋「大市」でかれらと飲み、帰路、九郎右衛門町の河岸まできたとき、岡田が背後からとびかかって扼殺《やくさつ》、死体は道頓堀川《どうとんぼりがわ》に投げこまれた。

逃げの小五郎

一

（昌念寺に、妙な居候《いそうろう》がいる）

と妻からきいたのは、きのうである。そのとき堀田半左衛門は、

「寺だ、いるだろう」

ぐらい答えて、気にもとめなかった。堀田半左衛門は但馬《たじま》出石《いずし》藩《はん》の槍術師範役で、五十石。家中では人柄で通っている。但馬出石というのは仙石家《せんごくけ》三万二千石の城下で戸数はざっと千戸。

市中に出石川が流れ、川の両側に町家、農家が入りまじりながらちまちまとかたまり、あとは城と、但馬ぶりの無愛想な山々があるだけの町である。昌念寺は街の東北にある。

その後、数日して堀田半左衛門は昌念寺に出かけた。住持が、碁がたきだからである。方丈に通されると、いままで住持とひそひそ声で話していた町人体《ちょうにんてい》につくった男が立ちあがり、やがて会釈もせずに退室してしまった。

「ご住職。あの仁《じん》は」

と堀田は石を一つ置いた。

「あれか」

住持はめいわくそうにいった。

「さる檀家《だんか》からのあずかりもので、お役人に洩れては、まずい人物らしい。だから、戸《にん》籍《べつ》のことはきかずにいる。名も知らぬ」

眼つきからして武士だと堀田はみた。中背で肉の締まった体をしており、みるからに機敏そうな男だった。

(武芸者だな)

それも凡手でない。

そのことに興味をもった。さもなければ堀田は人を詮索《せんさく》するような男ではない。

その昌念寺の客が、こんどは意外にも城下の広江屋《ひろえや》という商家で立ち働いているのをみた。

(ほう)

堀田半左衛門は立ちどまった。

亭主は甚助という気のいい男で、堀田半左衛門はよく知っている。ときどき京に出かけては呉服を背負って帰り、城下の武家屋敷などに出入りして暮らしをたてている男である。

「甚助、だいぶ涼しくなったな」

まったくこの元治元年の夏は異常なほど暑かった。

「へっ」

甚助は往来へとびだしてきて、ぺこぺこ頭をさげた。まだ二十代のくせに、二重《ふたえ》に盛りあがった頭が禿げかけている。気の毒になるほど、滑稽な面相である。

「甚助、人を傭《い》れたのか」

「いえ。あれは通りがかりの者でございます。百姓だそうでございますよ」

「百姓にしては面擦れができている」

「め、めっそうもない」

どうやら甚助の様子では、あの男を懐ろに入れて、母猫が仔《こ》をあちこちにかくすように、匿《かく》しまわっているらしい。思いあわせると、甚助は昌念寺の檀家ではないか。

それっきり、男は城下から居なくなった。

しかし縁がある、というのは時に始末のわるいもので、出石藩槍術師範役堀田半左衛門は、それから二十日ほどたってこの男と、三度目に出遭っている。

場所は、この出石から豊岡を経て北へざっと五里あまりの但馬城崎郡《きのさきのこおり》湯島村という在所である（現今《いま》は城崎温泉で知られる。当時も大いに栄えた町で、豊岡川河口の荒磯に面し、旅館六十戸ばかりの湯治場だった）。

宿の名は、松本屋（現今《いま》はつたや）。

間口二間の半農半旅宿の家で、あるじはまつという老女であった。

堀田は、この宿と懇意で、ここ数年、持病の疝気《せんき》をなおすために月のうち五日は、藩庁のゆるしを得てここへ来ている。

「私だ。――」

と、暗い土間に立った。宿の娘でタキというのが、かまちに膝をつき、

「あ、堀田さま」

むざんなほどうろたえた。

「堀田だよ。離れは、明《あ》いていような」

「いえ、それが」

「だめか」

「あいにく遠国《おんごく》の方が逗留《とうりゆう》なさっております」

必死の顔である。

（この娘、女になったな）

ふと、そんな気がした。様子では、娘にとっても大事な客であるらしい。

堀田は、母屋《おもや》の一間をあてがわれた。明け放《はな》てば、中壺《なかつぼ》を通して離れの障子がみえた。

その障子が、堀田がまる二日逗留していても、一度もひらかれたことがない。

(風通しのわるいことだ)

湯は外湯《そとゆ》である。いちいち町中へ出るのだが、そこでも離れの客とは出会わない。

四日目に、はじめて障子がひらいた。自然、堀田と視線が合った。

「あ、あなたでしたか。よほど御縁があるものとみえますな」

と堀田は愛想よく笑いかけた。

男は用心ぶかい眼でじっと見つめていたが、やがて堀田の好人物そうな笑顔に、多少警戒を解いたのか、片頰でちょっと笑った。それが、男惚れしそうなほどあざやかな表情だった。

「碁でも打ちませんか」

「ええ」

男は、障子を閉めた。

夕食後、堀田は男と碁盤をかこんだ。さっきの笑顔とはおよそ遠い、不愛想な顔で男は碁を打った。男の碁は理詰めで、慎重すぎた。これほどくそ面白くない碁打ちは、堀田にとってはじめてであった。

ときどき、宿の娘のタキが入ってきて、茶をいれたり菓子を運んだりして堀田の世話を焼いてくれたが、ときどき男へ走らせる視線が、ただな気色《けしき》ではない。

(この男女、出来ている)

碁は二局やって二局とも、堀田は斬り捨てられるような素っ気なさで負けた。強い。が、その間、男は無駄口はひとこともきかず、名も名乗らなかった。

(妙なやつだ)

翌日、タキに、

「どういう御仁《ごじん》だ」

ときいたが、タキはだまっていた。ただ、

「堀田様」

と思いつめたようにいった。

「堀田様のお人柄を信じてお願い申しますけれど、この松本屋にあの方が泊まっておいでなされたということは、どこにもお洩らしくださいますな」

そうきいただけで、堀田がいままで薄々感じていた想像が、たしかなものとなった。

(長州者だな)

なぜなら、この山峡《やまかい》の出石にも、京都守護職から通達がまわってきている。それも一ト月前のことだ。長州兵約千人が、朝廷に強訴《ごうそ》する、ということで家老福原越後、国司《くにし》信濃《しなの》、益田越中らに率いられて武装入京し、京を警護する諸藩の兵と、伏見、御所内外、その他市中数カ所で激突した。結局敗走したが、このため京の町は八百十一町にわたって全焼し、民家だけで二万七千五百余軒が焼けた。

この大変事のあと、幕府の残党狩りがきびしく、会津藩、桑名藩、それに新選組、京都見廻組などは、長州人を見つけ次第に捕殺した。なにしろ、京の北野天満宮の廟前《びょうぜん》にあった一対の石獅子が、長州侯の寄進だというだけで、会津藩士が打ちこわそうとしたほどの昨今である。長州人すなわち賊徒、という時勢になっていた。

捜索《そうさく》の網は、京都だけではなかった。

大坂、堺、それに京の北部の丹波、但馬方面までひろがっており、この出石、豊岡、城崎方面なども、宿場々々の人改めがきびしい。

（長州人なら、力になってやろう）

と堀田は思った。

落人《おちうど》への単純な同情である。武士ならそうあるべきだと、この槍術師範役は疑いもなく思っている。

その後、数日、男を相手に碁ばかり打った。観察するに、いよいよ長州人である。容貌がいわゆる長州顔で秀麗であった。碁は、激しいわりに抜け目がすこしもない。世上、「長人の怜悧《れいり》」といわれた、その気質まるだしである（水戸の志士大橋訥庵《とつあん》などは、家中の過激派が長州人と提携しようとするのをおしとどめ「長州怜悧にして油断ならず。いずれは当方が煮え湯をのまされることになろう」といったというわさは、世上、相当にひろまっている）。

そのくせ、長州人は頑固で妥協を知らない厄介な気質をもっているのだが、この男もそうだった。ある日、堀田半左衛門は、男の部屋で碁を打っているとき、どうしても待ってほしい石が出来た。

「これは、ひとつ御容赦ねがいたい」

といったが、男は、だまって、固い表情を左右に振った。堀田は思わず、

「やはりお手前、長人だな」

といった。云ってからはっとしたが、男はとっさに盤面に顔を伏せて、堀田の眼から表情を隠した。おそらく真蒼になっていたろう。

「失礼した」と堀田はいった。

「ただこれだけは申しあげておきたい。堀田半左衛門は、槍と口の堅さだけは自慢の男です。それに、貴殿に好意をもっている。密告《さ》しは致さぬ」

「いや」

男は、石を一つ置き、

「私は長州人ではございませぬ」

堀田の好意が宙に迷った。侮辱を感じた。

(可愛げのない男だ)

あとの碁が気まずくなった。

翌日、堀田は出石にもどった。ほどなく隣家のあるじで、京都藩邸に詰めていた橋爪

善兵衛という者が帰国してきて、あいさつに来てくれた。

橋爪は、せんだっての蛤御門ノ変で他の出石藩士とともに下加茂付近を警備し、凄惨な市街戦を目のあたりにみてきた男である。

「いやもう、長州軍の勢いというものは物凄いものだった。面《おもて》もふらず御所の三つの門から乱入し、一時は幕府もしまいかと思った」

「ところで」

堀田には訊きたいことがある。

「長州の将領たちはどうなった」

「三家老は国もとへ敗走した。驍名《ぎょうめい》をうたわれた来島《きじま》又兵衛は蛤御門へまっしぐらに突っこんできて会津勢を総崩れにさせたが、なにしろ幕軍は多勢だ。ほどなく会津の応援にかけつけた薩摩兵の弾丸を胸に受けて討死してしまった。軍監久坂玄瑞、入江九一《くいち》、寺島忠三郎の三人の切腹死体が、乱後、鷹司《たかつかさ》邸から見つかった。浪人大将の真木和泉守《まきいずみのかみ》も天王山で自殺している」

「――ほかに？」

堀田は、例の男を頭にうかべた。気品、態度からみて、端武者《はむしゃ》ではなかろう。

「聞かぬか」

「そうだな。長州の京における大立者で藩邸の公用方をつとめていた男が、あの変後、居なくなっている。会津、桑名の連中は躍起になってさがしているらしい」

「名は?」

「桂小五郎」

「ほう」

知らない。

「市中に人相書もまわっていた。年のころ三十すぎで中背、鼻筋通り、眼もと涼しい、という。私も一度会合で会って知っているが、きりっとしたいい男だ」

(あっ、そいつは、城崎にいる)

あやうく口に出しかけたが、黙った。

二

橋爪善兵衛は、京都藩邸の公用方を一年つとめただけに、他藩ながら同役の桂小五郎についてくわしく知っていた。

「桂は剣でめしの食える男だよ」

といった。

江戸の三大道場の一つである斎藤弥九郎の練兵館《れんぺいかん》で塾頭までやったという。練兵館塾頭というと大したもので、桂が江戸を去ってからの塾頭だった渡辺昇(肥前大村藩士、のち子爵）などは、竹胴を松の幹に着け、これを竹刀でたたき割った。ちょっと信じられないほどの、そういう達者が、代々塾頭になっている。

「桂はじつにすばしこいやつで、江戸のころ、土佐の老公が桂の試合をみて、あいつ蝗《いなご》の生まれかわりか、とあきれたという評判がある。だから当時、江戸の剣術仲間では、桂のことを、いなご、いなご、と蔭ではよんでいた」

その桂が、京から消えた。

その間の消息は、むろん、橋爪善兵衛も知るよしがない。

筆者が代わらねばなるまい。

――桂は事変の当日、戦闘がはじまるまで、河原町の長州藩邸にたしかに居た。

蛤御門ノ変は、文久三年のいわゆる「禁門ノ変」以来、長州藩がにわかに京都における勢力をうしなったことに対する反動で、三家老が兵を率いて実力をもって朝廷に強訴し、出来れば政敵の会津藩主松平容保、薩摩の島津久光を討とうとしたことからおこった事件である。しかし、藩の京都代表である桂小五郎は、この男の慎重な性格からして、あくまでも武装入洛には反対し、長州勢が京を三方から包囲したときも、藩邸を出ず、長州の遠征部隊の陣にも走らなかった。

嵯峨《さが》天龍寺に陣どっていた来島又兵衛などは、使者を何度も桂のもとへ走らせて、

――桂、長州武士の風上にもおけぬ臆病者。

と面罵せしめた。

長州兵はついに京都で暴発した。この防戦に、幕府側三十藩が動いた。河原町の長州屋敷（いまの京都ホテルの場所）に対しては、加賀藩が包囲した。

——このなかに桂がいるはずだ。

と、加賀兵が踏みこんだときには、桂はすでにいない。ねずみのような素早さでつい目と鼻のさきの対馬藩《つしまはん》の藩邸（河原町三条、いまの天主教会）に移っていた。当時、

——桂は変化《へんげ》か。

といわれたほどのこの男の遁走はこのときからはじまる。

ところが、桂の逃げこんだ対馬藩も長州の同情藩と断定され、幕軍が藩邸を取りまきはじめたため、桂は夜陰、路上に走り出た。

——あっ、人か。

と警戒兵が疑ったほどのすばやさだった。

桂はそのまま親友の多い鳥取藩の藩邸（中立売通堀川）の方角へ走った。そのとき、伏見方面にあたって砲声がとどろいた。幕府、長州の激闘がはじまったのである。

桂は、鳥取藩邸に逃げこもうとしたところ、あいにく同藩は幕府から出兵を命ぜられ、上加茂方面の警備を命ぜられていたので、藩兵多数が出動しようとしていた矢先であった。

「桂君ではないか」

甲冑《かっちゅう》に身をかためた鳥取藩士田島某（あるいは河田佐久馬か）が、けげんな顔でいった。

「桂です。話がある」

某がやむなく一室に招じ入れると、桂は、「この際、貴藩はぜひ長州と共に兵をあげてくれ」と頼んだ。

むろん、鳥取側は笑って取りあげもしなかった。ばかげている。幕府側の兵力は三十藩、乱入軍はわずか千人である。子供でも勝負の結果を云いあてる。

「桂君、折角だが、われわれ藩邸の者は大半上加茂へ出陣してしまったあとだ。私もいそいで出ねばならぬ。左様な審議をしているゆとりがない。第一、話が唐突すぎるではないか」

「わかっている」

無理は百も承知だ。が、桂の真の目的はそこにはない。

「桂君、われわれはいそぐのだが」

「そうか、貴藩の部署は上加茂か。されば、御陣に到着後でよろしいから、右の件、御一同で相談していただけまいか」

「陣中で相談？」

「そうだ。私は、しばし貴藩邸を借りうけて、その吉左右《きっそう》を待っている」

「ここで待つ？」

「ふむ。待たせていただく」

やがて、鳥取藩邸は、小人数の留守をのぞくほか、空同然《からどうぜん》になった。

桂の思う壺だった。同盟などはどうでもよい。幕軍側の藩邸に潜伏しているぶんには敵味方の探索の目はとどくまい。

が、夜明け前になって、中立売御門を襲う長州軍三百が、藩邸の前を武者押しの声をあげながら通った。

それでも、桂は出ない。自軍に参加すれば戦死は必至だということを、怜悧なこの男は知りぬいている。

さすがに留守の鳥取藩士が見かねた。

——桂さん。

といった。

——いま、藩邸の前をあなたの友人、同志、下僚が通っている。あなたはなぜ加わらない。臆されたか。

と、吐きすてるようにいった。

桂はさすがに居づらくなった。むろん、上加茂の鳥取藩の陣から例の返事など来るはずがなかった。

——すなわち、公（桂）、突出《とっしゅつ》す。

叩きだされるようにして鳥取藩邸を出たらしい。

「松菊《しょうぎく》木戸公伝」（木戸公伝記編纂所）という伝記に、

——公、遂に蹶然《けつぜん》去りて死所を求めんとし、残衆と共に堺町（御門）に向ひて走る。

おりから、

——戦酣《たけなわ》にして砲声天地に轟く。公、造次《しばらく》も躊躇すること能《あた》はず、単身馳《は》せてまた堺町に趨《ゆ》く。たまたま長藩兵士敗走して火焔鷹司邸に起る。

長州軍は、粉砕された。幕軍は、掃蕩戦《そうとうせん》に移っている。

どうもこの間、桂は戦場を右往左往していたらしい。木戸孝允（桂小五郎）の自叙伝には、

——ゆゑに再び朔平《さくへい》門のあたりに帰り（中略）闕下《けっか》の形情を見察し、乗夜《よにじょうじ》、天王山（長州軍の陣地）に至らんとし伏見に至り、天王山の兵散するを聞く。茫然《ぼうぜん》漸久《ようやくひさし》。

（やむをえぬ）

そこで再び幕軍の充満する京にひきかえした。

これが桂の放胆なところだが、逃げ上手なところでもあった。伏見から大坂にかけては幕軍が水も洩らさずに落武者捕縛の網をはっている。それよりも市中八百町が燃えさかっている京都に入るほうが、ひとの眼をごまかしやすい。

このころには、桂は両刀、衣類をすてて褌一つの素裸になっていた。元結をゆるめ、総髪の武家まげの月代のあたりの髪を脇差でばさばさに剪《つ》み、顔に鍋墨をぬり、体に馬糞をこすりつけて街道のにおいをつけた。どうみても、竹田街道あたりにごろごろしている雲助であった。

この間の挿話に、桂が墨染《すみぞめ》あたりまできたとき、路傍にすわっている雲助が見たような男なので、

——おや。

と目を見はると、むこうも、ニヤリと笑った。

よく見ると、同藩の広沢兵助（のちの真臣《さねおみ》・維新後参議となり、明治四年刺客のため横死・功によりその遺児金次郎に伯爵授与）であった。もっともこの話の真偽はわからない。

さて。——

京の清水《きよみず》新道に、

牢ノ谷

という場所がある。

源平のむかし悪七兵衛景清が土牢に入れられたという伝説の土地で、その後数百年、乞食の巣窟になっている。

桂は牢ノ谷を住いとし、三条橋下を持ち場にして、毎日市中に出かけた。

市中は数万の罹災人《りさいにん》でごったがえしていた。

この数日間の桂小五郎の身辺にさまざまな虚譚奇話《きよたんきわ》が残されているが、「幕末防長勤王史談刊行会」が刊行した得富《とくとみ》太郎氏の「史談」に、「これだけは事実に近い」というはなしが摘出されている。

ここに千鳥《ちどり》という女が登場する。

かつて桂が塾頭をしていた江戸の斎藤弥九郎道場（練兵館）の隣りに高津盛之進という直参が住んでいたが、千鳥はその盛之進の娘であったという。女ながらも隣りの練兵館に通い、剣の指導を桂に受けるうちに、情を通じた。桂が京にのぼったあとで、懐妊していることがわかり、大さわぎになった。が、ひそかに乳母の里で男児を分娩《ぶんべん》し、小弥太と名づけた。千鳥はこの小弥太を父にあわせるために京にのぼったときが、ちょうどこの蛤御門の乱の日だったという。千鳥は銃弾や猛火を避けて右往左往するうち、乞食同然の姿になり、三条小橋付近で、罹災人の群れにまじって起居していた。

桂もその付近にいた。

が、たがいに気づかなかった。

千鳥は橋上で臥《ね》ていた。そこへ長州人捜索のために会津の市中巡察隊が、罹災人を押しのけながら通りかかった。伍長に小野田勇という者がいた。その者が、千鳥を斬殺したという。事情は、橋上に臥ていた千鳥を小野田が足蹴にしたため、千鳥がつかみかかり、足をすくったため、小野田がかっとなって手をかけた。戦闘の翌日で、会津兵は昂奮している。こういう事件は各所にあった。

——拙者がすぐ制止したのでござるが、及びませなんだ。

と、現場に居合わせた巡察隊長の秋月悌二郎が維新後、箱根塔ノ沢に避寒中の木戸孝允をたずね、そう語っている。千鳥は秋月に、身分と事情を話して現場で絶命した（残った小弥太は秋月が自分の子として育てたという）。

この一件を秋月が塔ノ沢で木戸に話したのは明治七年である。側近が伝えきいた秘話として残っているだけで、木戸は一切これについて語っていない。

その桂を、これとは別に、戦火のなかを必死に探している者がいた。女である。

三本木に居をかまえる芸妓で、幾松《いくまつ》といい、京では知られた名妓であった。のちの木戸侯爵夫人松子である。

三

幾松は、若狭小浜《おばま》の藩士木咲某の長女で、本名は松。早く父を失った。母は御幸町松原下ルの提灯屋の後添いになったが、これは本篇に関係はない。松は九つで三本木の芸妓かの《ヽ》の妹分になっている。舞妓のころすでに才色の名が高かったというから、よほどの婦人だったのだろう。十四歳で姉の芸名を継ぎ二代目幾松となった。桂との馴れそめは文久元年七月ごろというから、四年ごしになる。情愛はもはや夫婦とかわらない。

家は、三本木にある。

ここは長州藩邸に近い。

元治元年七月十九日の未明、藩邸の屋根が轟然と音をたてて焼けおちるのを幾松は眉の焦げそうになるような近さでみた。

すぐ対馬藩の藩邸に走った。桂の縁戚にあたる公用方の大島友之助に桂の消息を訊いたが、様子がわからない。

「あの仁のことだ。まさかと思うが」

ところが、乱後、二日ほどして、幕軍の戦勝品のなかから、「桂小五郎」と墨で鉢に記名した兜《かぶと》が出てきたといううわさを、対馬藩士がききこんできた。落ちていたのは朔平門付近で、桑名藩兵がみつけた。

「死んだのかもしれぬ」

と大島友之助がいった。

「たしかに、兜どすな」

幾松は、考えた。じつをいうと桂の具足は大坂藩邸においてあり、京都では持っていなかったことを幾松は知っている。桂はおそらく死亡説を流布《るふ》させるために、名を書きこんで道へわざと捨てころがしたのであろう。あの男の智恵なら、やりかねない。

(生きている)

桂とはそういう男だ、「わしの剣は、士大夫の剣だ」と、かつてこの男は幾松にめずらしく自慢したことがある。

「士大夫の剣とはどういうことどす?」

「逃げることさ」

桂が塾頭をつとめた斎藤弥九郎の道場には六カ条から成る有名な壁書があった。そのなかで、「兵(武器)は兇器なれば」という項がある。

——一生用ふることなきは大幸といふべし。

出来れば逃げよ、というのが、殺人否定に徹底した斎藤弥九郎の教えであった。自然、斎藤の愛弟子だった桂は、剣で習得したすべてを逃げることに集中した。これまでも、幕吏の白刃の林を曲芸師のようにすりぬけてきた。池田屋ノ変のときも、この男は特有の直感で、寸前に難を避けた。あの日、集まることになっていた同志のなかでの、唯一の生き残りである。

「わしは無芸な男だがね。これだけが芸さ」

芸とすれば、日本一の芸達者だろう。どういう天才的な刺客も、桂の芸にはかなわない。

「桂はんは、きっと生きてお居やす」

と、幾松は、対馬藩の大島友之助に断言した。

「わかるかね」

「そんなこと。わからしまへんどしたら、幾松は桂のおなごやおまへんえ」

幾松は、なん日も京の焼跡をさまよっては桂をさがした。失望しなかった。ある日、京の難民が多数大津にあつまっているといううわさをきき、

（あるいは）

と、出かけてみた。

桂はいなかった。落胆して、京へもどる駕籠をさがすために町外れまできたとき、松並木の根方根方に乞食小屋がずらりとならんでいる。その小屋の一つをふとのぞくと、妙に褌のあたらしい乞食が、菰《こも》の上に大あぐらをかいてこちらを見ている。しきりと莨《たばこ》をくゆらせていた。幾松は息がとまった。桂である。

とっさに、言葉が出なかった。幾松は、われながら妙なことをいった。

「あの、もし、京まで駕籠はおへんか」

よく考えてみると、乞食小屋に駕籠の注文をするばかはない。

桂は、泰然としていった。

「ここは駕籠やごんせん」

「……」

幾松は駈けよろうとしたが、桂は、その幾松の呼吸をきせるでおさえた。トンと地面を打つと、幾松の足はすくんだ。剣の妙機といっていい。情のこわい男だ。

桂はそのあと、ながながと欠伸《あくび》を一つして、プイと横をむいた。

（寄るな）

ということらしい。

「孝允伝」にはこのくだりを簡単に片づけている。

——幾松は漸《ようや》く大津にて孝允に見当りたれども、乞食多くして語ること能はず。

（寄りまへん）

幾松は、その切れながの目で、京の方角を見、すぐ乞食の前にその視線をおとした。後刻京から迎えにくる、という意味を、舞のしぐさでしめした。が、桂は、横をむいたきりである。後年、幾松は、

（このときほどうれしかったことはありませんが、このときほど桂が小憎《こにく》たらしゅうみえたこともありません）

といっている。

幾松はすぐ駕籠をひろって京へ急がせ、粟田口《あわたぐち》三条あたりで大津へもどるという老婆

をつかまえた。駄賃四百文をにぎらせ、一通の手紙をことづけた。

――今夜、大神宮の岸にてお待ち申しあげ候。後事のこと、くさぐさ。

その夜、約束の場所に桂はきた。相変らず、ぶすっとした表情である。なつかしい、ともいわない。

「早う、これをお着やす」

幾松は、用意の古着をきせた。よれよれの縞木綿の着物にすりきれた小倉帯を巻かせ、

「さあ、お頭《つむ》にこれを」

と、あんま頭巾をかぶせると、たちまち目あき按摩《あんま》になった。

「按摩かね」

怪態《けったい》な男である。腰つき、歩き方まで、按摩になりきってしまっている。そのくせ、ニコリともしない。

「このご風体でなければ、市中は歩けまへん。按摩さんなら、芸妓の家に入っても、人目はそばだちまへんどすやろ」

その夜、幾松の家で泊まり、翌日、ともども夜陰にまぎれて京を発ち、大坂へくだって、長州への便船に乗る相談をした。

が、幕吏はそうはあまくない。幾松の家のまわりには、ここ数日密偵の床屋が、油断なく人の出入りを見張っている。

——なに、按摩が。

と、所司代屋敷の詰め所で眼をひからせたのは京都見廻組組頭の佐々木唯三郎である。

佐々木はこのところ、長州人狩りで、何人ひとを斬ったかわからない。

「へい、戌《いぬ》ノ下刻《げこく》（夜九時）に呼びこまれて入ったきり、出た様子はねえんで」

——見なれた按摩か。

「いえ、まったくの新顔で」

——まあ、見張ってろ。

が、翌日午後になって、向いの床屋が、例の按摩が幾松の家からのこのこ出てくるのを見た。旅装をしている。密偵がすぐあとをつけた。いかにも軽捷な男で、路地から路地を通りぬけるうち、いつのまにか姿を見失ってしまった。

てっきり伏見から大坂へくだり長州へ逃げるてはずとみて、佐々木は、伏見の番所に、人相、風体を急報した。

「ところが」

その夕、密偵から意外な報告を佐々木は受けた。按摩は旅に出ていないという。

——まだ京にいるのか。

「いるどころか、ついさっき、三本木の吉田屋（料亭）によばれて入ったのを、たしかに見ましたんで」

按摩だけではない。按摩が入ってからほどなく、桂の友人の対馬藩京都留守居役の大島友之助も吉田屋へ入ったという。

「いよいよ、本物だ」

時を移さず、佐々木唯三郎以下、見廻組隊士数人が出動した。

逃げの桂の一生の失態だったといえそうであった。

桂は、大島など対馬藩士数人と、吉田屋の奥座敷で別離の小宴を張ったのである。

「このさき、天下はどうなるのだ」

と、大島はきいた。桂は落ちついて答えた。

「いずれ幕府は朝廷にすがって長州征伐の勅命を乞うことになろう。われわれ長州人は朝敵になる」

「朝敵に。――」

「が、一時のことだ。長州に同情している公卿、諸侯も多い。工作もする。それまでのあいだ、京都の情勢を対馬藩においてよく探索しておいてもらいたい」

「あんたは、どうするのだ」

「いずれ、京にもどってくるさ。そのときは、天下は長州のものになっているだろう」

やがて、幾松、それに芸妓数人が座敷に入ってきて、にぎやかな酒宴となった。

桂は、どちらかというと、遊び下手であった。酒量は、おなじ松下村塾出身の高杉晋作の半分もなく、晋作のように唄もうたえず三味も弾けず、久坂玄瑞のように、朗々誦《しょう》すべき詩もつくれず、品川弥二郎のように軽妙な座持ちもできない。

黙々と酒をのんでいる。どちらかというと暗い、深沈《しんちん》とした表情で飲む。男としては異常に長いまつ毛が、ときに動くのが、桂の唯一の表情だった。馴れそめのころ、幾松が桂に惚れたのは、そういうところだったのであろう。

「おお、千鳥が」

と、大島友之助が、鴨川に面した手すりに出た。古来、加茂河原の三本木の地は、千鳥を聴く名所とされている。

「桂君、啼いている」

「ああ」

桂は、興無げにうなずいた。すでに亡い、高橋盛之進の娘千鳥の名を、このとき桂は思いだしたかどうか。

そのときである。

京都見廻組組頭佐々木唯三郎が、この吉田屋の格子をがらりとひらいたのは。いきなり土間にはねあがるなり二尺四寸、無銘の備前ものを抜き、

「御用改めであるぞ」

襖にむかって突進し、足でひらいた。組下の者が先をあらそい、つぎの間の襖を蹴倒

した。つぎつぎと襖をひらきながら進んだ。最後の襖をひらいた。

（あっ）

と声をのんだ。

幾松が立っている。

銀扇が、きらきらと動いた。京舞を舞っている。

舞扇
　かざして春の
　　愁《うれ》ひかな

即興の句らしいものを地方《じかた》がたくみに糸に乗せ、つれて幾松は舞い、やがて「京の四季」に移ってゆくあたりで、幾松はちらりと佐々木唯三郎を流し眼で見た。

「――幾松ではないか」

やっと、佐々木は咽喉から声を押し出すようにしていった。幾松は舞いながら、ちょっとうなずいた。

「か、桂は、どこへ行った」

「存じませぬ」

とはいわず、小首を小さく横にふって、いやいやというしぐさをしてみせた。それが、みごとに舞に溶けている。

「知らぬと申すのか」

ウン、というふうにあごをひいた。

「やめろ」

とどなったが、幾松は舞いつづける。

幾松の背後に客がいる。佐々木は一人二人の顔の覚えから、対州《たいしゅう》藩士らしいと見、それ以上の追及をはばかった。

そのころ、桂小五郎は、一丈の高さの石垣をとんで、河原にとびおりている。

そのまま、桂は、京にも、幾松のもとにももどって来なかった。

いったん、大坂へ落ちた。途中、旅芸人姿に身をやつし、阿呆陀羅経《あほだらきょう》を唱えながら落ちていったというが、どこでどう装束をととのえたのであろう。その翌日、幾松も三本木の家をたたみ、伏見の寺田屋の浜まで大島友之助の妻に見送られて、桂の捜索に出かけた。

が、大坂では桂を見かけなかった。実のところ桂は当時まだ大坂に潜伏しており、今橋付近で旅姿の幾松を目撃したといわれているが、声をかけなかった。幾松自身気づいていないが、彼女の背に密偵の眼がある。

それに当時、新選組の主力が大坂に出張していて、長州屋敷を襲って女子供まで捕縛し、市中の探索も厳重をきわめた。とうてい、ながく潜伏していられる町ではない。

桂は、但馬の出石に走った。

幾松はそれに気づかず、桂が国許に帰ったものとみて、大坂から長州へ旅立った。

四

但馬出石城下の広江屋甚助のもとに身を寄せてからの桂については、藩の槍術師範役堀田半左衛門が、よく知っている。

（甚助はたしか、京にのぼったときは、対州藩邸によく出入りしたときいたが、桂が甚助を頼ったのも、その縁かも知れない）

と思った。

観測は遠くはない。甚助は年来大島友之助の妻に可愛がられており、大島が桂に、

「万一のときは、甚助が頼りになる。あれは小博奕《こばくち》などを打って稼業不熱心の者だが、並はずれて俠気がある」

といったことがある。桂はそれを思いだしたのである。

甚助には直蔵、という弟がある。これも義俠の者で、兄弟そろって、まるで譜代重恩の家来も及ばぬほどに桂のためにつくしてくれた（維新後、木戸はしばしばこの兄弟を東京

にまねいて当時の恩を謝した。兄弟は明治二年大坂へ出て商売を営んでいたが、木戸は他の権門富家の宿をことわって、この広江屋に泊まっている）。

堀田半左衛門は、ほどなく城崎湯島村の松本屋の娘タキが、身籠ったことをきいた。そのころは、桂はすでに城崎にいない。

タキはほどなく流産した。

（桂も、やる）

ところが堀田半左衛門をおどろかせたことは、桂はいつのまにか出石にもどっていて、城下の宵田町というところに小さな荒物屋の店をもったことであった。孝助《こうすけ》、と名乗っていた。城下では、甚助・直蔵がひろってきた京都の難民、ということになっている。たれも疑わなかった。

滑稽なことに、城下のたれよりもこれを信じきっていたのは、甚助・直蔵の老父喜七である。この老人は、桂をひどく気に入り、

——わしには知ってのとおり甚助・直蔵などという二人の息子があるが、そろいもそろって博奕好きで怠者《のら》ときている。老後、あのような者にかかれるかどうか、おぼつかぬことじゃ。お前、わしが末娘のスミ（後、八重とあらたむ）と連れ添うてくださらんか。店も持たせるゆえ、老後はお前ら夫婦にかかりたい。

といった。

桂は、甚助・直蔵に相談すると、どちらも大よろこびだった。

甚助などは、

「おスミのやつ、まだ十三でごんすが、早熟で、もう娘になっております」

と、念を加えた。

桂は、仮祝言《かりしゅうげん》だけで、おスミを嫁にした。しかし広江屋の娘をもらったおかげで、荒物屋の開店も、藩庁の許可がすぐおりている。

おスミは、桂によくつかえた。どうやら二人の兄からほのめかされて、自分の亭主は容易ならぬ身分の者であること、時が来れば別の世界に去ってゆく者であることなどは知っていたようであった。

慶応元年になった。

桂はなお、出石にいた。

この間《かん》、長州をめぐる情勢は、いよいよ悪化している。

攘夷主義の長州藩は、下関海峡で、英米仏蘭の四カ国艦隊と交戦し、領内の女子、庶民まで動員して戦ったが、下関砲台群を破壊され、一方的な敗北におわった。

悲劇はそれだけではない。蛤御門ノ変の罪によって藩主毛利敬親《たかちか》（慶親《よしちか》）は官位を剝がれ、幕府は大小二十一藩に長州征伐の軍令を発し、これを怖れた長州藩では、三家老の首を切って謝罪した。

その間、桂は出石にいた。

かつては長州藩きっての切れ者として諸藩に知られた桂が、女房をもらって但馬出石で荒物屋になっているとは、天下のたれも知らない。

(あの男、どうしたのだ)

堀田半左衛門までが、ひそかに桂の心事を察しかねた。臆病者と思った。藩の上下が諸外国と戦い、幕軍と戦い、亡国寸前にあるとき、血の通った男なら命を賭《と》してでも、国へ帰るだろう。道中の危険など、かえりみる余裕がないはずだ。

(あれでも武士か)

と思った、身の用心も、度を越している。

——逃げすぎた。

と、正直、桂も思ったにちがいない。逃げて逃げて逃げまくっているうちに、それそのものが目的のようになってしまい、ついに本然《ほんねん》の客気や志を喪《うしな》うもののようであった。

この当時、桂は、そういう自分の心の状態をよほどやるせないものに思っていたらしく、暮夜《ぼや》、甚助・直蔵兄弟に手紙ばかりを書いている。兄弟の家は近所にある。手紙を出す必要などさらさらないのだが、桂のこのときの心境では、手紙の受取人などたれでもよかった。とにかく自分の心境を書きつづりたかった。それだけでいい。文章は、これが一年前の英雄児かと疑われるほどに繊々弱々《せんせんじやくじやく》としたもので、深夜、ねむれぬままに寝床のなかでつづったもののように思われる。

昨日は御妨げ申し候。とかく憂世《うきよ》の味きなきことを思ひやり、うたた寝の夢も結ぼられかね、夜な夜な明かしかね、ひたすら行末越《ゆくすえこ》しかたのことのみ思ひおこされ、寒夜の袖をしぼり申し候。さりながらいまさらくどう申し上げ候ことも無之《これなく》、何とぞ、昨日甚助さんへの手紙は、かならずかならず御返し被下候而《くだされそうらいて》、御破り下され候、ひとへに頼み申し上げ候（昨日、甚助あてにも愚痴めいた作文を送ったのであろう）。

あの手紙は、一昨日の晩、畳屋にて御別れ申し候て帰り、眠られ申さず故にしたため申し候得共《そうらえども》、今さら別に申すことなく、野に倒れ、山に倒れてもさらさら残念はこれなく、ただただ、雪の消ゆるをみてもうらやましく、共に消えたき心地《ここち》致し申し候。

（後略）

慶応元年正月のなかば、桂が出石にいるという風聞が、京に伝わった。

京都守護職では、出石藩の京都藩邸に対し国許での探索を命ずる一方、京都見廻組からは三人の剣客が簡抜《かんばつ》され、出石へ発った。

出石仙石家三万二千石は小藩だが、幕府にとって外様である。長州藩の相つぐ悲運に同情し、この探索には、あまり熱意を示さなかった。堀田半左衛門が、藩の仕置家老森本儀兵衛から呼びだされたのは、それからほどもないころである。

儀兵衛は、城下における桂小五郎捜索のことをこまごまと述べ、

「ただ、広江屋の婿で孝助と名乗る他国者だけは、前歴、人相、どうもいぶかしい。おぬし、碁などを打って心安くつきあっているときいている。いかがであろう、それとなく見さだめてもらえまいか」

——ただ。

と、儀兵衛は言葉を継いだ。

「京から見廻組の連中が入るという。できれば、かれらが来着するまでに、片をつけてもらえばよいが」

桂なら遁《のが》してやれという謎か、それとも、半左衛門の手で片づけてしまえ、ということなのか。

堀田半左衛門は、昌念寺に行き、住持に、広江屋の娘婿をよびだして貰えまいか、とたのみ、

「これよ」

と、碁を打つ手つきをした。住持は気軽にひきうけて、小僧を使いにやってくれた。

桂が、きた。

どちらも素人《しろうと》くさい早碁で、またたくまに三局打った。夜になった。

帰りは昌念寺で提灯一張《ひとはり》を借り、城下まで夜道を歩いた。桂は、堀田の左側から提灯をさしのべて堀田の足もとを照らしながら歩いた。

「桂さん」

堀田は、不意にいった。

そのとき桂はもう、提灯を地上にたたきつけて踏み消してしまっている。堀田が本名を知っていようとは、つゆも思わなかった。

「いや、当方に害意はない」

と、堀田はいった。

「話がござる。もそっと肩をならべて聞いてもらえまいか。そこでは遠すぎる」

暗くてよくわからないが、桂は道わきのねぎ畑の中に素っとんでしまっているらしい。透かして、堀田は、苦笑した。

「なんなら、私の大小をそちらへ差しあげてもいいのです。話は、ねぎ畑では遠すぎる」

「………」

桂は、夜走獣のように疑いぶかい。さらに二、三歩にげかけたとき、さすがに温厚な堀田半左衛門も大喝した。

「武士の言葉を信じられぬのか。貴殿も、一時は京を動かしたほどの男子ではないか」

「……」

「早ければあすにも、幕吏が貴殿を探索するために出石へ入る。それを知らせようと思って、今夜の機会を作った。しかし左様なことよりも、貴藩のことだ。内外に敵を受けて存亡の岐路《きろ》にあるというのに、なぜかような山里で安閑と日を消しておられる」

「帰る」

裂くような声で、桂はいった。どこへ、とまではいわず、身を躍らせ、闇にまぎれて姿を消してしまった。あくまでも、用心ぶかい。が、このときの堀田半左衛門の一喝が、桂の惰気《だき》を一時にはらった。瞬間、桂は以前のこの男に目覚めたといっていい。

広江屋に立ち戻ったとき、甚助がおもわず怖れたほどの表情をしていた。

「甚助さん。生涯の頼みだ。いまから長州へ行って、国の事情、往還の幕府の警戒ぶりなどをさぐってきて貰えまいか」

さすが、桂である。ここまで昂奮していても、なおすぐには腰をあげなかった。帰国するための沿道の事情を十分調査したうえでのことであった。

「ようがす」

甚助は、軽快である。その夜のうちに手形をもらい、早暁には出石を発った。

数日して、堀田半左衛門は、桂の荒物屋に立ち寄った。

「居るかね」

と、女房にいった。

桂は、すぐ出てきた。相変らず表情を消した、不愛想なつらつきである。

「私の藩ではね、京都留守居役は腰は弱いが国もとの仕置家老には骨がある。幕吏が城下に入るのを拒絶した。それだけを」

と耳うちして、さっさと帰った。

桂がいよいよ長州に帰るために、町人体の旅ごしらえをし、甚助・直蔵の兄弟に伴われて出石を発ったのは、慶応元年四月八日のことである。

一行のなかに、幾松がいた。彼女は、いったん長州に入り、萩城下で、伊藤俊輔（博文）、村田蔵六（大村益次郎）、野村靖之助ら桂の同志の手で保護されていたが、甚助が来るに及び、同行して出石に桂を迎えにゆくことにしたのである。萩出発のとき、

——おなごの身ゆえ、そこもとがわざわざ出石に迎えにゆかずとも長州におじゃれ。

と、野村靖之助などはしつこくとめたというが、幾松は笑ってきかず、

——甚助はんのお父様に、桂が世話になったお礼を申さねばなりませぬ。

「それに、妹御のおスミはんと云わはるお方にも」

といった。とこういえば、幾松は見えすいた賢婦めかしくきこえるが、この女はまったくそういう匂いをみせず、しんそこからおスミに感謝する風があったという。おスミが再婚したのちも、幾松からさまざまの形で、当時の恩に篤《あつ》く酬《むく》いている。城崎湯島村

の松本屋おタキに対しても同然だった（もっとも、桂の逃亡の隠れ蓑としてだけ使われたこの二人の婦人が、心中この事態をどう感じていたかは、想像する以外に法がない）。

五

維新は、この三年後に来る。その間も、おびただしい数の志士が、山野に命をすてた。が、桂は生き残った。新政府から、元勲とよばれる処遇をうけた。皮肉ではない。元勲とは、生きた、という意味なのであろう。維新後、政治家としての桂は、なにほどの能力も発揮しなかったが、そこまで生き得たというのは、桂の才能というべきであろう。維新後の桂（木戸）の毎日は、薩摩閥の首領大久保利通に対し、長州閥の勢力を防衛することに多くの精力をさかれた。――明治三年七月八日の日記に、

「八日晴。朝、大久保参議来談」

とある。が、桂は、それをただ一行で片づけているが、ひきつづき次のことに数行の文字を使っている。

「堀田反爾《はんじ》（半左衛門）来《きた》る。但州《たんしゅう》出石藩の人。余、七年前、京都戦争の後、暫《しば》し出石に潜伏す。此時、最善寺（昌念寺の誤り）に相会す」

おそらく大久保参議との会談よりも、桂にとって心にしみとおるような一刻だったに相違ない。また、桂が木戸孝允になってからのある日記に、

「大政の一新、実に天のなすところにして、多年、志士仁人、身を殺し、骨を暴《さら》し、王家に尽しやうやくここにいたる。友人中、天下の為に斃るる者もまた数十人。而してかへつて余輩こんにちに遭遇す。豈《あに》尽さざるべけんや」

木戸には、維新後、右のような感傷にふける夜が多かったようである。

が、この木戸も死んだ。

明治十年五月二十六日、年四十五である。これほど軽捷無類の男も、すでに出石時代からそのきざしのあった結核からはついに逃げきることがなかった。

遺骸は、その遺志により、多くの同志の枯骨が埋められている京都東山霊山《りょうぜん》の山腹に葬られた。九年ののち、夫人松子（幾松）も、その墓域に入った。年、四十四。

死んでも死なぬ

一

品川の妓楼土蔵相模《どぞうさがみ》は、裏庭の垣根を越えると、もう海である。

その夜、といえば文久二年十二月のみぞれでも降りそうな寒い夜だが、二十二歳の俊《しゅん》輔《すけ》は、はだしで裏の浜辺に出た。一昨夜から、なかまの聞多《もんた》と流連《いっつづ》けている。

(どうにも、われながらひどい荒淫《こういん》だ)

からだが、妓《おんな》の饐《す》えたにおいで、べとべとになったような気がする。夜風にでもあたって、すこしはしゃんとしてみたかった。

潮が、満ちていた。

さらさらと砂地を歩いてゆくと、波打ちぎわで、黒い人影がうずくまっている。見すかすと、奇妙な姿勢でかがんでいた。ざっ、と波がきた。波は、男の足もとを間断なく洗っているらしい。

「なんだ、聞多だったのか」

と、俊輔は声をかけた。察するところ、聞多のような精のたけだけしい男でも、あそびつかれて、夜風が恋しくなったのだろう。いやいや聞多めにそんな風流心があるはずがないと思いつつ近寄ると、変なにおいがした。

「何をしている」

と、俊輔はきいた。

「糞よ」

闇のなかで、聞多の例の下卑《げび》た声がもどってきた。なるほど、音をたててやっている。俊輔はちょっと不快な顔をしたが、同時に聞多の、大食で多淫で、内臓のなまぐさきがぷんぷんにおっているような男くさい健康さにも一種の畏敬をおぼえた。

「あんたは」

感動をこめて、いった。

「いつどこでも、そいつが出るのかね」

「ああ、場所はかまわんな」

（おれもこいつのようになりたい）

かねがね、そう思っていたが、糞一つにも感心した。俊輔などは馴《な》れた厠でしか、うまく行かない。表面懸命に豪傑ぶっているが、シンは小心なのだ。子供のころ、そいつを催《もよお》すと、どんな遠方からでも家へとんで帰った。あるとき血相を変えて走っていると、近所の百姓がわらった。俊輔はどなりかえした、「よその厠ではどうしてもおれの糞は承知せぬ」

（聞多はえらい）

その聞多は、波で尻を洗うと、ゆうゆうと立ちあがった。小男である。顔は、横浜で清国人《しんこくじん》が食っている黄色い高粱饅頭《こうりやんまんじゅう》を思わせるような、ぶよぶよした扁平《へんぺい》づらで、まるで品というものがない。

「高杉らは、来たかね」

といって、聞多は手を洗った。糞でもついているのだろう。

「いや、まだだ」

「焼打は明晩だな。あっははは、御殿山《ごてんやま》を焼けば、夷人《いじん》どもはおろか、日本中があっというだろう」

いいながら、急に、

「おまえの妓はどうだね」

と、声を落した。聞多も俊輔も、女にかけては眼がない。もっとも俊輔はまだまだ女の選り好みをするだけの、常人なみな神経はある。しかし聞多のいやらしさは、女ならどんな女でもかまわない。しかも、大ていの妓が逃げだすほどに、床数が多いのである。

（たいしたものだ）

と、それにも、俊輔は感服しきっている。もっとも、聞多の糞や色気に感心しているのではなく、そのなまなましい生命力を学びたい。とかげの生まれかわりのような、叩いても踏んでも死にそうにないいのちを、聞多はもっている。そのかわり、つらは下卑ている。

(生れも育ちも、いい男なんだがな)

氏素姓がよくてしかもとかげだからこそ、俊輔は感心するのである。

聞多。

姓は、養子に行って志道《しじ》。のち実家にもどって井上。維新後は、名を馨《かおる》と改めた。のちの大蔵大輔《おおくらだゆう》、外相、農商務相、内相、蔵相を歴任して侯爵、元老の座にのぼった男である。

実家の井上家も、長州藩では歴《れっき》とした上士だったが、養家の志道家も、世禄二百二十石の家で、しかも聞多自身、藩主敬親《たかちか》に可愛がられ、特別のお声がかりで小姓に召し出されていた。もんたという奇妙な名前も、敬親が可愛さのあまりつけてくれたものだ。

そこへゆくと、俊輔はみじめである。

うじも、素姓もない。維新後、総理大臣になり、公爵まで授《さず》けられたこの人物は、遠祖は鎌倉期の名族河野《こうの》・越智《おち》氏から出た、などと称したが、要するに長州藩領の百姓の子である。それも田地持ちの百姓ではなく、熊毛郡束荷《つかり》村から流れて萩《はぎ》で作男をしていた人物の子である。その点、戦国期の秀吉と出自《しゅつじ》が似ている。

いや、似ているどころか、萩の武家屋敷の小者として奉公していた少年時代、深夜、日課として習字をしたが、その習字がおわると、いつも、くるくると筆を走らせて奇妙な人形《ひとがた》を描き、

——これが太閤《たいこう》秀吉である。

と、つぶやいた。そのあと、床についた。それが習慣になっていた。草履取りから天下をとった太閤によほどあこがれていたのであろう。聞多も妙な男だが、俊輔（春輔・のちの博文）もかわっている。維新史は、志士たちの屍山血河《しざんけつが》といっていいが、豊太閤を心のどこかで抱いていた「志士」は、伊藤俊輔のほか、なかろう。

俊輔は、あくまでも太閤に似ている。運よく長州藩の名士来原《くりはら》良蔵の若党になった。来原の死後は、来原の親戚の桂小五郎の若党になった。主筋がいい。

その上、萩時代、隣家の吉田という藩士の子が、松下村塾《しょうかそんじゅく》に通っていた。吉田松陰がその門下中第一の人材として推していた吉田稔麿《としまろ》（のち、池田屋ノ変で新選組に斬らる）である。この吉田稔麿の手びきで、卑賤の身分ながらも松下村塾に入れてもらった。松下村塾系の青年が藩政を牛耳るようになったとき、俊輔もその学閥で、高杉晋作や久坂玄瑞のあとにくっついて走ることができた。

それに、幕末、長州藩は階級がみだれ、藩内は下剋上《げこくじょう》の気風がつよい。

「俊輔、若党ながらも志あり」

と認められたために、平時ならば口もきいてもらえぬ上士階級の高杉、久坂、井上聞多と、「同志」づきあいができるようになっていた。

もっとも、高杉、久坂などはそれなりの見識があって、「俊輔、俊輔」と若党よばわりしていたが、おかしなことに、二百石の家の子の井上聞多だけは、友達づきあいしてくれた。——若党の分際で、

「聞多よ」

といっても、聞多は怒らない。聞多はその点でも、妙な男なのである。高杉、久坂は精神の格調の高い男だが、聞多、俊輔のふたりは、学問もさしてないかわりに、どこか剽軽《ひょうきん》で小ずるくて小まわりが利き、右の両人のような理想や詩精神などかけらもなくてもひとに犬ころのように可愛がられる点、ふたりは御神酒徳利《おみきどくり》のように似ている。たがいの俗臭が気易くてごく安心してつきあえる仲間なのだ。そんな弱点でひきあっている。

が、——今夜は。

今夜は、ちょっとちがうのである。明晩、それこそ天下を驚倒させる大仕事をするために、土蔵相模で流連《いっつづ》けしているのだ。

当時、品川御殿山の景勝の地に、幕府は巨費をもって各国公使館を建築し、ほとんど竣工しようとしていた。

「あれを焼いてしまえ」

と仲間に提唱したのは、長州攘夷派の領袖高杉晋作である。目的は、水戸藩、薩摩藩の過激分子と攘夷競争をしていた長州藩高杉一派が、競争諸藩の鼻をあかすことと、幕府を狼狽させ、その威信を失墜させるためのものだ。むろん、こういう挑《は》ねっかえりの若者は、この当時、長州藩でもまだ高杉以下十七、八人という小人数しかいない。この連中が、維新までの六年間、正気とは思えぬほどの暴走につぐ暴走をやってのけ、途中、そのほとんどが死に、生き残った者が気づいたときは、維新回天の事業ができていた。

聞多と俊輔は、もうこういう時代から、この仲間に入っていた。

あくる日の夕方、高杉晋作、久坂玄瑞をはじめ、同志の連中十二、三人が、ぞくぞくと土蔵相模にあつまってきた。

「俊輔、先ィ来ちょったのか」

若党の分際で、といった眼で、高杉は、ぎょろりと俊輔をにらんだ。

「へい、志道様（聞多）のお供で」

俊輔は、卑屈に腰をかがめた。高杉に対してはあくまでも若党の卑屈さを忘れない。

「お前は、聞多の銀蠅《ぎんばえ》じゃのう」

からっ、と高杉は笑った。銀蠅とは、いつも聞多の金にたかっているという意味だ。聞多は聞多で、藩主の寵《ちょう》があるから、うまく藩邸の金をごまかしてきては遊興している。

（おらァ、銀蠅か）

俊輔は、終生、このことばをわすれなかった。

「さあみんな、早う妓を抱いておけ。子《ね》ノ下刻《げこく》（夜一時）この楼を出発だぞ」

と高杉はいい、あごで一同をしゃくって、お前とお前は斬り防ぎ組、お前とたれとは爆裂弾組《ばくれつだんぐみ》、とすばやく部署した。聞多も俊輔も爆裂弾のほうである。が、俊輔は斬り防ぎのほうが働きが目立つと思い、

「高杉様、おねがいです。私を斬り防ぎにまわしてください」

というと、高杉は、馬鹿野郎、とだけ云ってさっさと妓の部屋へ引きとってしまった。あたりまえのことで、百姓あがりの俊輔は両刀を帯《たい》しているとはいえ、剣術など習ったことはない。

聞多も、一時斎藤弥九郎道場に通ったことがあるが、これも手筋がわるくて、すぐ自分からやめてしまった。おたがい、火付けをするしか、能がないのを高杉は見ている。

そのうち、爆裂弾製造係の福原乙之進《おとのしん》が遅れてやってきた。遅参のわけをきくと、福原は町人の風体をしていた上、辻番所で立小便したため番所にしょっぴかれて尋問をうけた。もし身体をあらためられたら、両袂《りょうたもと》に爆裂弾を入れている。一件が露顕しては事だと思い、少しずつ千切っては口に入れ、口に入れして、みな食べてしまったという。

「食ったのか」

みな、落胆した。爆薬といっても紙煙硝《かみえんしょう》のようなもので、硝石《しょうせき》と硫黄《いおう》を薬研《やげん》ですりつ

ぶし、それに桐灰の粉をまぜ、紙で一かたまりずつ包んだだけのものだ。食おうと思えば食えるのである。

が、幸い仲間の山尾庸三《ようぞう》（庸造・明治後、子爵）が別に三つばかり持っていたので、それをつかうことにして、子ノ下刻、出かけた。

月が、品川沖に出ている。

が、路上を照らすには、雲が多すぎた。雲間から月が出るつど、一同はいそいで走り、あとは這うようにして御殿山の洋館群のなかにまぎれこんだ。掘ったばかりの空濠《からぼり》がある。

それを這い渡ると、柵があって中へ入りこめない。

「高杉様、私が」

と、すかさず俊輔は、鋸《のこぎり》をとりだした。聞多もおなじものを持っている。じつは昨夜、二人で相談して、品川の金物屋で二本一朱《しゅ》で買ったものだ。

「お前ら、小気《こき》がきくのう」

高杉は、クックッと笑った。俊輔は高杉にほめられたのがうれしくて、二、三本、汗を掻いて切った。一同、その穴から犬のようになって入りこんだ。あとで気づいたのだが、この構内はイギリス公使館で、建築は半ばできていた。

「それっ」

と、高杉は下知して火付役を走らせた。俊輔も聞多も、わらを背負って駈け、本館の床下に首をつっこみ、そいつを仕掛けた。わらの下に、例の火薬を伏せてある。火薬から、長い導火線《みちび》が出ている。

点火した。

そのとき、葵《あおい》の定紋《じょうもん》入りの提灯をかざした警固《けいご》役人が一人、見廻りにきた。高杉は気の早い男だから、

「こいつ。――」

と、抜き打ち、横ざまに斬っぱらった。が切先《きっさき》が及ばず、さらに踏みこむと、役人はよほど意気地のない男らしく、わっと逃げ出した（英国公使館の通訳官アーネスト・サトウの手記によると、「これらの警護兵は旗本の次男、三男からあつめた隊の者であった。みな両刀を帯び、兵は藤の蔓《つる》で編んだ円い平たい帽子、士官は饅頭型の漆《うるし》を塗った木の帽子をかぶり、ハオリという外套を着、ハカマというペティコートみたいなズボンをはいていた」）。

と同時に、長州方も逃げ出した。もはや放火は成功した、とみたのだ。伊藤俊輔も、百姓じみた短い脚をもつれさせながら、懸命に逃げた。にげるとなれば、俊輔が一番早かった。

が、扁平づらの聞多はずぶとい。大胆な男ではないが天性、恐怖心がにぶく出来ていた。聞多はふと気になって五、六歩で踏みとどまった。

もう一度、放火現場にひき返し、たんねんに調べてみた。案じたとおり、火が消えかけている。

（いかんな）

この男には、他の同志とちがい、思想というほどのものはないが、なによりも仕事というものが大好きだった。

のしっ、と本館の中に忍びこんだ。そこからハメ板の切れっぱしや鉋屑《かんなくず》をかかえてきてわらの上へのせた。その下に新しい火薬を一つ差し入れ、導火線なしで火をつけた。ぱっと、勢いよく燃えはじめた。

聞多は逃げた。ところが、暗いために方角を失い、柵の破れ穴が見つからず、やむなくやみくもに柵をよじのぼって、むこう側へ飛んだ。

が、なかなか地上に着かず、体を叩きつけられてから気づくと、深い空濠の底に落ちこんでいた。普通ならば墜落死するところだが、聞多は、体中をさすってみたが、小骨一つ折れていなかった。なにか、そういうぐあいに体が出来ている男らしい。

泥まみれのまま聞多は大いそぎで濠から掻きあがったが、なお逃げなかった。そこで濠ごしに火の燃えを注意ぶかく観察し、やがて火柱がどっと屋根をつきぬけるのをみて、しゃがんだ。

このあと聞多は、脱糞して、逃走している。

二

高杉は、企画家である。藩邸で数日、ぎょろぎょろと眼を光らせるばかりで、たれが来てもだまっているときが、この男のもっとも不気味なときだった。

たとえば、御殿山焼打よりちょっとあとのことだが、雨の夜、

「俊輔、葬式をする。支度せい」

と、命じた。俊輔は、へっとかしこまり、十人分の葬式衣裳と棺桶《かんおけ》、車、などを、藩邸のなかを駈けまわってすばやく整えた。

「整えましてございます」

「よし。あすは松陰先生の門人一同でお葬式をする。お前も出ろ」

と高杉はいった。この異常児は、だしぬけにいうから粗放なようにみえるが、じつはそうではない。ちゃんと藩の重役に、許可をえてある。しかもその許可折衝《せっしょう》は容易なものではなかった。安政六年、江戸伝馬町の獄で幕吏のために斬られた吉田松陰は、いわば幕府にとって乱臣賊子である。長州藩重役の一部では幕府に遠慮して、反対論があったが、高杉は、井上聞多をして巧妙に口説かせた。

——聞多は、口説き上手じゃ。

高杉は、そんな所を買っていた。かといって、聞多は松陰の門人ではなかった。この

さい、友人の物故《ぶっこ》師匠ということで、周旋をしてやったにすぎない。

俊輔は、卑賤のあがりながらも、門人のはしくれである。

翌日、みなで出かけた。

葬式、といっても、改葬である。松陰の死骸は、刑場の小塚原《こづかっぱら》の土中にある。刑死直後俊輔は、桂小五郎の従者として刑場にゆき、幕吏に懇願して樽詰《たるづ》めの死体をもらい、それを刑場付近に埋葬した。

その死体の惨状をおぼえている。首胴が切り離されているのは当然としても、からだは下帯一つない赤裸《あかはだか》であった。衣類は、幕吏が剝《は》ぎとってしまったものだろう。

俊輔は、師匠の首の髪をすいてまげを結《ゆ》ってやり、桂は、自分の襦袢をぬいで師匠の胴に着せ、さらに同行した松陰の友人で藩の典医だった飯田正伯は、自分の帯を解き、黒羽二重の着物をぬいで、松陰に着せた。

（おのれ幕府め）

と、かれらは、慄える思いで、暴虐《ぼうぎゃく》・酷烈《こくれつ》な政府を呪《のろ》った。桂小五郎にとって倒幕の情熱は、この安政六年十月二十八日の早暁の小塚原で、赤裸の刑死体をみたときからはじまったといっていい。さらにいえば、幕府の瓦解《がかい》はこの朝からはじまったといえるだろう。

俊輔も同然である。門人、といっても、当時俊輔は小者の身だから、松陰は、俊輔俊輔といってよく使い走りをさせたものであった。松陰は、俊輔を可愛がり、松陰が、俊輔を使いとして肥後の名士轟《とどろき》武兵衛のもとに手紙をやったとき、文中、俊輔を紹介している。

この生《せい》は、伊藤利助（幼名）と称す。軽卒（若党）ではあるが、わが輩に従って学んでいる。才劣り、学はまだ幼稚だが、僕、すこぶる愛している。

――その朝。

つまり改葬の日。高杉は白馬に乗って、松陰の門人一同をひきい、土中の松陰の骨を掘りおこしてあたらしい棺に収め、一同整然と白い裃をつけ、葬服にあらためた。

やがて、一同、棺の前後を守りながら、粛々《しゅくしゅく》とすすむ。改葬の場所は、荏原《えばら》郡若林である（いまの松陰神社の地。当時、長州藩別邸の火避地《ひよけち》として買ってあった山である。だから土地の者は、毛利大膳大夫《だいぜんだゆう》の所有林ということで、大夫山とか、長州山とかよんでいた）。

高杉晋作のみは白馬にまたがり、葬列の先駆をなした。

途中、上野山下の三枚橋《さんまいばし》の中橋を渡ろうとした。ここは、将軍家が、東叡山《とうえいざん》寛永寺の歴世霊所に参詣するときの御成道《おなりみち》にあたっており、葬列のような不潔なものは通さない規則になっている。

中橋のたもとの番小屋に詰めていた幕吏が叱咤《しった》しながら葬列をとめようとした。

高杉は、このころから、すでに眼中幕府の威光などは、虫ほどにも思っていなかった。

馬上、大剣をぬき、

「やあ、うぬらは邪魔をするか。われらは長州人である。日本不滅の勤王志士の遺骨を葬《ほうむ》ろうとする者だ。わからぬことをいうと斬り殺すぞ」

颯々《さつさつ》と通りぬけた。

馬側に従っている俊輔は、このときほど高杉をえらいやつだと思ったことはない。同時に、高杉の一喝で、風をくらって逃げてしまった幕吏をみて、

（幕府おそるるに足らず）

と、腹の底から思った。俊輔は、聞多と同然、他の志士のような理想も思想ももたぬ男だが、かれの侮幕、倒幕は、思想から来ず、松陰の裸死体と、中橋における高杉の一喝で逃げた幕吏の後ろ姿を見ることによって体で知った。それだけに、ただの観念論者よりも、つよい。

（あれが、旗本八万騎か）

長州藩の流れ百姓の子にうまれ、幼少のころ、毎夜習字草紙に豊太閤の像を描いていたこの若者が、にわかに天下の行く末をみたのは、このときだったろう。

さて、話は御殿山焼打直後にもどる。

あの焼打の直後、高杉はまた企画をたてたらしく、聞多、俊輔らを藩邸の自室によび、

「おい、宇野東桜を斬るから、藩邸へ連れて来い」

と命じた。命じた、というが、俊輔は若党の分際だからいいとしても、聞多の場合、高杉と同格の上士で、しかも年は高杉よりも四つも年上だから命じられるのはおかしいのだが、人間の位負けというのは仕様のないものらしい。

「ひきうけた」

と、聞多は勢いこみ、伊藤俊輔、それに白井小助という者とも相談して、どうだましすかしたのか、その宇野東桜という男を藩邸に連れてきた。

宇野東桜は、ここ一年ほど水戸藩邸や長州藩邸にしきりと出入りし国事を論じている浪人で、当時すでにこの男が幕府の隠密であることは藩邸ではたれも知って用心していた。高杉らと親しい宇都宮藩の儒者で大橋順蔵という人物も、この男の密告で捕縛されたことが明らかになっている。

藩邸には、有備館《ゆうびかん》という文武修業道場があり、長州藩の自慢の施設になっていた。桂小五郎が、その御用掛（塾長）を兼ねている。

高杉は、口やかましい小五郎には内緒で、その宇野東桜を、有備館の二階小部屋に連れこんだ。

「いやいや久しぶりで東桜先生の御高説を拝聴しようと思いましてな。伊藤俊輔、茶菓を差しあげろ」

「へっ」

俊輔は階下へおりた。

東桜は、父の代に肥後細川家を浪人して江戸に出たと称しているが、高杉の調べたところ肥後藩邸では左様な心当りがないといっている。なかなかの学者で、しかも剣は心形刀流の免許皆伝である。おそらく宇野東桜は、はじめは純粋な動機からの尊王攘夷主義者だったのであろう。

途中、なぜ幕府隠密になったのかわからない。

ただ考えられることは、宇野東桜が免許《ゆるし》まで得た心形刀流は、幕臣伊庭《いば》家に十数世伝えられている刀法で、当代の伊庭軍兵衛のもとに通う門人も、幕臣の子弟が多い。自然、そういう縁につながって、隠密を頼まれる機会があったか、それとも、単に幕臣に知人が多いというだけの理由で、水戸、長州などの過激分子から疑いをうけたのかもしれない。

(高杉さん、大丈夫かな?)

階下で茶菓の用意を、有備館の小者に命じながら思った。高杉は江戸に出たころ、すぐ斎藤弥九郎道場に入門したが、当時、斎藤道場の塾頭だった桂小五郎が手をとって教えても、剣に癖《へき》がつよすぎてあまり上達しなかった。

――なあに、おれは実戦になれば強い。

と、近頃はあまり熱心ではない。

(いったい、宇野ほどのやつを、高杉さんはどう斬《や》るつもりだろう)

高杉は、野放図《のほうず》というか、事前に、なかまと打ちあわせもしていないのである。

——よし。功名のたてどころだ。

と、俊輔は思い、大怪我は覚悟の上で、宇野に自分が斬りつけてみようと決心した。師の松陰を刑戮《けいりく》して赤裸にしたのは幕府ではないか。とりもなおさず宇野東桜がそれをした。そう思いこめば、腹立ちまぎれに、とほうもない力が出るかもしれない。

そっと、大小の目釘《めくぎ》を湿《しめ》した。刀は、安物のなまくらであり、そのうえ刀の構え方も知らない男だが、べつにこわいという気はおこらない。

そこへ二階から聞多がおりてきて、

「おい俊輔、高杉は奴と無駄話ばかりしている。おれがあいつを斬らずばなるまい。人を斬ったことはないが、まあいっぺん、試しにやってみるからな」

「試しに?」

ずぶとい男だ。

「聞多、あんたは剣術がにが手ではないか」

「あっははは。剣術なんざ、作法も術もあるものか。後ろから斬ればいい」

「ああなるほど」

俊輔は、いかに相手が心形刀流の達人でも後ろに眼があるまいとおもいつつ、茶菓をもって二階へあがって行った。

高杉は、自分の端唄《はうた》を披露したり、品川女郎の品さだめを論じたり、愚にもつかぬはなしばかりをしていたが、急に、

「そうそう」

と、思いだしたように蠟鞘の大刀をひきよせ、ゆるゆると鞘から離し、やがてぎらりと抜きはなった。

「宇野さん、ちかごろ刀《これ》を購《もと》めましてな、水心子《すいしんし》だというのだが、ひとつ鑑定《めきき》ねがえませんか」

「ああ、左様か。ちょっと拝見しよう」

尊大な男なのである。ひと目見るなり、

「馬鹿な。これは水心子の門人で、遠州鍛冶一帯子《いったいし》三秀《みつひで》です。この大乱《おおみだ》れをみればわかる」

と、興もなげに鞘におさめて、高杉に返した。高杉は、「なんだ、だまされたか」と苦笑しながら、そいつをがらっとむこうへ押しやった。その刀が、伊藤俊輔のひざもとへ来た。

「宇野さん」

高杉は、いった。

「お差料を拝見」

この男のふしぎなところである。口をひらくと、相手が王侯でも有無《うむ》をいわせぬ人間の格といったところがあった。

宇野東桜は、あわてて差料をさし出した。

「拝見」

ぎらりと抜き、めききするのかと思えば案に相違し、すばやく拳《こぶし》をひるがえすや、宇野の腹にずぶっと突き立てた。そのまま手を離し、

「宇野さん、隠密なんざ、人間の屑だよ」

といった。

すかさず俊輔は腰の脇差をぬくと、宇野に斬りつけた。

がちっ、と宇野の右の頬骨に刃があたって挑《は》ねかえり、勢いで俊輔は宇野の上にわっと倒れかかった。

「馬鹿、俊輔」

と、白井小助が俊輔をつきとばし、その脇差をうばって宇野の胸にトドメを刺した。

「聞多、俊輔、あとは、始末しておけ」

と高杉はさっさと階下へおりてしまった。

この殺人には異説があり、高杉が詭計《きけい》をもって宇野を刺したまでは確かだが、二ノ太

刀はたれがやったかは、当事者の談話が食いちがっている。

明治三十年代、伊藤博文が、伝記作者の中原邦平に直接語ったところでは、「わが輩が殺したというわけでもないが、みんながぐずぐずして居るから、一つヤッテやろうと思って、短刀をかれの喉へ突きつけようとしたところが、その短刀を遠藤多一がわが輩の手を執《と》って（このところ意味不明）すぐに突込んで仕舞《しも》うた。そうすると、白井小助めが（俊輔あまりこの男を好きではなかったらしい）刀を抜いて、横腹をズブズブ刺して殺した」となっている。

この白井小助は維新後、七十幾つまで生きていた。この事件については、「そのときわしはただ、高杉の刀で宇野の頬をブチ切ったまでである」といっている。要するに、みなで寄ってたかって、夢中で斬り刻んだのであろう。

聞多だけは、刀をぬきそびれてぼんやりしていたが、死骸の片づけとなると、ほとんどいそいそといっていいほどの甲斐々々《かいがい》しさで働き、俊輔と一緒に死体をかついで、近所の空地に捨ててしまった。

この日、兇行直後、有備館塾長の桂小五郎が帰ってきて、事件におどろき、みなを集め、

「どうも藩邸の中で人殺しをするような乱暴なことをしてもらってはこまる」

と、ねちねちと一刻《にじかん》ばかり油をしぼった。

もっとも高杉だけは、宇野殺しのあと、さっさと馬に乗って吉原へ行こうとした。ところが、宇野の死体を遺棄《いき》した空地までくると馬がどうしても進まない。

馬が進まないからしきりに馬を責めて進めようとすると、片一方の鐙《あぶみ》のひもが切れた。すぐ飛び降りて鐙を結びつけて再び飛び乗ったが、やはり進まぬので、またまた馬を責めると、今度は他の一方の鐙が切れた。そこで高杉のような男でも不思議の感を懐《いだ》いて、それきり、屋敷に帰って、「どうも不思議なことがあるものじゃ」という話をしたそうである。（伊藤公実録・明治四十三年刊）

むろん、当時の藩邸のたれかが作ってはやらせたうわさ話だろう。高杉ほどのあっけらかんとした男と怪談とはちょっと結びつきそうにない。

宇野は隠密ではなかったという説がある。とくに藩邸でも反高杉派（公武合体派）はそう信じていた。なかでも被害者宇野東桜と薄い縁者だった長州藩定府《じょうふ》の奥祐筆《ゆうひつ》某は、深く高杉を恨んでいたから、怪談はこの連中の云いふらしたものだろう。

これから十日あまり後、俊輔は、焼打の仲間の山尾庸三と二人でもう一つとほうもない暗殺をやってのけている。

当時、幕府は、極端な攘夷論者だった孝明帝を廃位せしめることを考え、ひそかに廃帝の先例故事を知るために、幕府の和学講談所の教授塙《はなわ》次郎に調査させている――というわさが、天下の激徒のあいだに伝えられた。

が、うそである。

とは、ほどなくわかったが、噂が立ったころには、俊輔は、百姓じみたしぶとさで塙次郎をねらいはじめた。こんどは高杉の企画でもなんでもなく、豊太閤をあこがれている長州藩の若党伊藤俊輔の、ひとりで立案した人斬りである。

塙次郎といえば、盲人で不世出の学者といわれた塙保己一《ほきいち》の子であった。国学者だが、史実に明るい。そんな関係から、幕閣《ばっかく》では、この塙次郎と前田夏蔭《なつかげ》の二人に、寛永以前の外国人待遇の式例（当時、諸外国の公使に対する応接上さしあたって必要だったので）の典《てん》故《こ》を調べるように命じた。これが、廃帝の典故をしらべている、という巷説《こうせつ》になって流れたのである。

が、外様藩の賤臣の俊輔はそんな真相は知らない。

（塙次郎といえば天下の大学者じゃ。しかもかの廃帝陰謀は天下のうわさになっている。これを斬れば、わしも同志のあいだでいっぱしの男になろうか）

と、俊輔はおもった。そのうえ、

（五十六歳の老いぼれではないか）

しかも、筆より重いものを持ったことのない学者である。

（斬れるだろう）

俊輔は、そう計算している。

聞多を仲間に入れようとしたが、そのころ聞多は、あいにく藩の公用で横浜へ出張していた。

やむなく山尾庸三を誘った。

「やろう」

と、このの ちの工部卿《こうぶきょう》、宮中顧問官、子爵は、もちまえの単純さで賛成した。

俊輔は、塙次郎の門人筋をたどって、塙の身辺を綿密にさぐった。

やがて、十二月二十一日、駿河台の中坊陽之助の歌の会に出席することを知った。

「こりゃあ、いい」

俊輔は手を打った。もう一人前の刺客である。一度人の血を見ると、こうまで大胆になるものかと、われながらおどろいた。

夕刻から、九段付近で待ち伏せした。

日没とともに、二人は黒い布で顔を包み、小倉袴を、尻がみえるほどにたくしあげ、草履を大事そうに帯のあいだにはさんだ。

寒い。

山尾は、水っぱなをしきりとすすりあげていたが、俊輔がふとみると、夜目にわかるほど、この相棒は小刻みに慄えている。仲間のなかでは、善良なだけで、どちらかといえば凡庸な若者なのだ。

（聞多なら、こんな場合、慄えまい）

俊輔の理想は、桂小五郎の理智と、高杉晋作の爽邁《そうまい》な精神と、そして聞多めのあのけだもののようなずぶとさだった。

（はて聞多めなら、ここで。——）

とおもいつつ、聞多のまねをしてみたくなり、暗闇でかがんでみた。俊輔にしてはほとんど奇蹟といっていいほど、それが楽々と地上に落ちて盛りあがった。闇の路上に、なまあたたかいにおいが、たちのぼったとき、おれもこう、成長したものだ、と自分の体を撫でさすってやりたいような気持が、わきおこった。

「俊輔、よせ」

山尾は、叱りつけた。そのにおいから逃げたくても、俊輔から離れるのがこわいのである。

「あっ」

と、山尾は、小さく叫んだ。むこうから駕籠がきた。駕籠の先棒《さきぼう》に提灯が一つ、それに駕籠わきで若党が持っているらしい提灯がゆれながら近づいてくる。定紋をみれば、まさしく塙次郎である。

ぱっ、と俊輔はとびだし、

「奸賊」

駕籠にぶちあたりそうな勢いで突進した。

駕籠が、どさっと投げ出された。なかの塙はころび出た。駕籠かきも若党も逃げ散ってしまって、いない。塙は這いころびながら、

「塙だ。なんの恨みがある」

と叫んだ。俊輔は大刀をふりあげ、ふりおろした。が、馴れぬというものは仕様のないもので、何度ふりおろしても、間合の見当がつかなくて切尖がとどかず、そのつど、がちっ、がちっ、と地上をたたいた。

その点、山尾は剣に心得がある。

突き殺してしまった。

そのあとは、俊輔も夢中で突き刺し、やがて刀の刃《やいば》を死体の首にあて、押し切るようにして首を切った。

それを付近の屋敷の黒塀の忍び返しにひっかけて梟《さら》し、天誅の意を書いた用意の捨札を地に突きたてて、闇の中をころがるようにして逃げた。

余談だが、塙次郎の子が、塙忠韶《ただつぐ》である。すでにこのとき三十一歳で、父の横死後家禄を継ぎ和学講談所付を命ぜられた。祖父、父同様、歴《れっき》とした幕臣である。

ところが維新後、忠韶は幕臣、かつ「奸賊」の子でありながら明治政府から召し出され、大学少助教に任ぜられている。さらに文部少助教となり、ついで租税寮《そぜいりょう》十二等出仕、修史局御用掛などを歴任した。はじめ、何者がそのように優遇するのか、忠韶は不可解であったろう。

忠韶は、明治十六年五十二歳で官を辞めた。ついで、家督も長子忠雄にゆずり、隠退した。あるいはこのころ、父を殺した下手人が何者であるかを知ったのではないか。

この稿を書くにあたって筆者は、忠韶の心境を察しうる材料をさがそうとした。その家系が、東京都内に現存しているらしいということもきいた。なにしろ忠韶は長命で、八十七歳まで生き、大正七年九月十一日に病没している。塙家には、云いつたえがあるであろう。が、その塙家の所在をさがしえぬままに、この稿を書いてしまった。

伊藤博文は晩年、この事件につき、大磯の別邸で前記中原邦平（毛利公爵家家史編輯主任）にこう語っている。「あのとき、わが輩は実に危うかった。というのは、わが輩の衣類に血がついておった。その血のついたままで、幕府の偵史の前を通りぬけたのであるから、もしその節に捕縛せられたならば、その血痕が証拠となって、ついに罪をまぬがれることができなかったであろうが、幸いにしてまぬがれた」

この事件から数カ月のちに、俊輔は若党から抜擢されて「士雇《さむらいやとい》」になり、苗字を公称できることになった。士雇とは、下士ながら武士は武士である。しかし一代限りの武士であった。その辞令を意訳すると、「右の者先年吉田寅次郎（松陰）に従学し、かねて尊王攘夷の正義を弁知し、心得よろしきにつき、身柄一代名字差免《いちだいみようじさしゆる》し、士御雇になさる」ということである。この異数な出世は、べつに塙次郎殺しとまさか直接関係はなかろうが、それほど働きが殊勝《しゆしよう》であるということであろう。

三

聞多は学問のできぬ男だが、ひどく好奇心のつよい男である。——お前なんでも聞きたがる、と藩主敬親が笑って、「聞多という名にしろ」といったのは前にのべた。この名のとおり好奇心からここ数カ月、横浜へ行って蘭語や英語をききかじっていたが、とうとう外国へ行きたくなった。当時、長州藩といえば攘夷の先鋒藩だから、聞多の企画は常識はずれのものだし、しかも幕法は密出国を禁じている。が、聞多は藩主に可愛がられているのにつけこみ、こっそり殿様に願い出てみた。毛利敬親は鷹揚《おうよう》な人物だから、眼顔ではうなずき、しかし口で叱った、「そんなことを予に直接願い出るものではない」。長州藩では、歴代藩主は統治すれども政治せず、という建前である。「藩庁の重役に相談しろ」と敬親は暗にいったのだが、機嫌はわるくなかった。「大そうな御機嫌でした」と聞多は重役どもに説いてまわった。曲折のすえ、極秘で英国へ留学させることになった。

「聞多、おれも行きたい」

と俊輔は、聞多に運動をたのんだ。おおもっともなこッた、と聞多は一緒に品川の土蔵相模にでも繰りこむような気安さで藩庁とかけあい、伊藤俊輔の名も入れた。この長州藩の秘密留学団に加わった者は、二人のほかに、野村弥吉、山尾庸三、遠藤謹介の三人で、藩はかれらに英国製兵器の密輸入の任務もさずけ、渡航費、一カ年の滞在費とをあわせて一人二百両を支給した。

そのころ、聞多は横浜の英国領事ガワーに接近していたが、このガワーのいうところでは、「それは安すぎる。どうしても一人千両は要る」ということだった。聞多はおどろかなかった。(なあに、そのときは武器購入の金一万両を流用すればいいだろう)と思った。

横浜から発ち、上海《シャンハイ》についた。すっかり洋式化している上海港の景観をみて、聞多はびっくりした。港内では、びっしりと各国の汽船、風帆船、軍艦が錨をおろしている。

「俊輔。故国《くに》じゃ攘夷々々と騒ぎまくっているが、おらァ、やめたよ。これだけの軍艦が攻めよせて来りゃァ、攘夷もへったくれもあるものか」

「聞多あ。——」

伊藤俊輔は、さすがにいやな顔をした。変節が早すぎる。聞多の発想はなんでも即物的なのである。

尊王攘夷は長州藩の藩是《はんぜ》だけでなく、全国の志士の神聖思想であり、強烈な革命詩であり、俊輔にとってはおかすべからざる先師松陰の政治理念であった。もっともそういうほど俊輔は他の志士たちほどこちこちには考えていなかったが、それでも聞多とくらべると、まだ「理想」というものに対し威儀をただすところが、俊輔にはある。俊輔、聞多はよく似た男だが、その点だけわずかにちがっていた。そのわずかなちがいが、維新後、俊輔と聞多の位置を変えさせた。

五人の密出国者の渡航上の世話は、横浜の英国商会「ジャーデン・マジソン商会」がひきうけていた。上海到着後、五人はすぐ、同商会の上海支店をたずねた。上海支店長ケスウィックが、英国向けの乗船の世話をしてくれるはずであった。

聞多は、英語の単語を三つか四つ知っていた。その権威をもって一同を代表してケスウィックと談じた。ところが実は、双方何をいっているか、最後までわからなかった。ケスウィックは、しきりと、「何の目的で英国へゆくのか」と手ぶり身ぶりで訊いた。やっとその質問が一同にわかった。一同、藩からは海軍の稽古をしろといわれている。聞多は、懐ろから、幕府の蕃所調所編纂《ばんしょしらべしょへんさん》の辞書をとりだしてきて、

「ネヴィゲーション」

と答えた。「海軍《ネーヴィ》」というべきだったが、どちらでも大差はないだろうと聞多はたかをくっていた。ところがこの上海支店長は正確に航海術《ネヴィゲーション》と受けとり、

（ははあこの日本人《ジャニー》どもは水夫になりたいのか）

と理解し、港で碇泊している英国向けの船二隻に、それぞれ乗せた。聞多と俊輔は一組となり、ペガサス号に乗った。三百トンの帆前船で、シナ茶をロンドンに運ぶ老朽船《ろうきゅうせん》である。聞多、俊輔は、客人のつもりで堂々と乗船したのだが、その日から、水夫見習として下級水夫どもに追い使われた。話がちがう、と何度か船長に抗議をしたが、言葉が通じないために、相手はいよいよ誤解し、

――ジャニー、ジャニー。

と手荒く追い使った。二人は四カ月十一日のあいだ、休む間もなかった。帆綱を引っぱらされたり、甲板《かんぱん》掃除をさせられたり、終日ポンプ押しをさせられたりした上、食事の等級も最低のあつかいを受けた。この言語習慣の通ぜぬ夷狄《いてき》のなかにほうりこまれては、さすがに要領の名人の聞多も、手も足も出なかった。夜、やっと苦役から解放されると、二人で甲板のボートの蔭に寄りそって故国の話などをして慰めあった。聞多と俊輔は、以前から御神酒徳利といわれていたが、それは女郎屋通いの悪友という程度であった。終生、離れがたい仲として相寄ったのは、このときからであろう。

マダガスカルから喜望峰へむかう途中、暴風雨に遭った。

その夜、二人は船室にとじこもっていたが、俊輔は不意に、

「聞多ァ、おれは下痢じゃ」

と、情けなさそうな声でいった。この船は、士官用の便所はあるが、水夫にはそれがなく、みな甲板に出、船ばたで用を足す。聞多などは悠々とやったが、俊輔は毎回、身のちぢむような思いでそれをした。が、いまは、甲板は洪水のように波が洗っている。

「俊輔、我慢はならんのかい」

「それが、こう、ならんのじゃ」

「よし」

命がけである。二人は、甲板へ出た。聞多は、ロープで俊輔の体をしばり、そのはしを甲板の小柱に結びつけ、かつ、自分でもロープのはしを持って俊輔の体をあやつった。俊輔は、何度も波にたたきつけられながら、船ばたのほうへ近づいた。俊輔は、いつも用便の場所をきめてある。そこへ命がけで辿《たど》りつこうとするのだ。

俊輔には、そういう一種の節度がある。これには聞多も感心し、俊輔の節度のためには一緒に死んでやってもいい、と思った。

二人がロンドンについたのは文久三年九月である。すぐガワー街のクーパーという家に下宿し、まず英語の勉強をはじめた。勉強といっても、学校などに通う才覚はない。下宿に籠りきりで、蕃書調所の英和辞典を片手に新聞をよんだり、下宿の家族に話しか

けてみたりするだけである。

ロンドンに着いてからほどもないころ、タイムズ紙を解読していると、サツマという字句が出た。薩摩藩がいよいよ攘夷を断行し、英国艦隊と砲戦した、というのである。

「これァ、長州もやるぞ」

長州藩は薩摩藩に対し、憎悪といっていいほどの競争意識があるから、かならず真似るだろう、と見た。

果然、ほどなくそういう記事がしきりと出はじめた。下関沿岸の長州藩砲台が、海峡を通る外国商船に数度発砲した。

「いよいよ、これは戦さになるな」

二人は、英国にきて、かれらの実力がわかった。長州は各国連合艦隊のために亡ぼされる、と二人は思った。井の中の蛙《かわず》というか、長州三十六万石は、全ヨーロッパの文明に対して挑戦してしまった。

俊輔も、いまは攘夷論者ではない。

「帰ろう」

と、聞多にいった。帰って藩の要路者にヨーロッパの文明を説明し、攘夷亡国論を説こうというのだ。

滞在数カ月で留学をきりあげ、聞多と俊輔は、元治元年三月中旬ロンドンを発ち、同六月三日に横浜に入った。

ちょうど、池田屋ノ変の直前である。

聞多と俊輔は、ひそかに横浜の英国領事ガワーを訪ね、

——長州藩に翻意《ほんい》させて無謀の攘夷主義をすてさせたいから、攻撃をやめてほしい。

と頼んだ。ガワー領事は、パークス公使に話してやろうといって、二人を日本人の眼から秘匿《ひとく》するため、横浜の居留地の外人専用ホテルに泊めた。

ホテルの給仕は、日本人である。この日本人にさとられぬように、二人は、いっさい日本語を使わなかった。給仕たちは、二人をポルトガル人だと信じた。金がなくてかれらにチップをやらなかったからである。当時、横浜では、ケチはポルトガル人ときめられていた。給仕どもは、二人が日本語がわからぬものと信じ、二人の眼の前で大声で悪口をいった。しかし一様にふしぎがったのは、

——日本人にそっくりな面《つら》してやがる。

ということだった。

やがて、二人は、通訳官アーネスト・サトウの通訳で英公使と会見した。

「両君の真意はわかったが」

と、英国公使パークスはいった。

「もし長州藩がきき入れずなお攘夷を断行するとなれば、君らの立場はわるくなる。そ

のときは英国への亡命を許らってやろう」

「亡命？」

聞多も俊輔も色をなした。

「われわれは長州武士ですぞ。もし帰藩してわれわれの言が聴き入れられなければ、長州軍の先頭に立ち、貴国の砲弾に斃れんのみ」

といった。パークスは、手を拍って讃嘆《さんたん》した。聞多や俊輔にさえ、そんな根性がある。もしそういう根性が幕末の反幕派の志士になければ、明治はちがったものになっていたろう。

が、結局は、聞多、俊輔の藩論転換運動はむなしかった。

元治元年八月五日、四カ国連合艦隊馬関砲撃。

翌六日、各国陸戦隊上陸、長州藩沿岸砲台占領、破壊。

同十四日、講和。

同十九日、艦隊、横浜にむかって帰航。

この間《かん》、聞多、俊輔は、最初は攘夷放棄を藩主、重役に説いて容《い》れられず、いよいよ藩が戦いやぶれて藩庁の意見が講和に傾いたとき、聞多は、

「戦さを続けるんだ」

と重臣どもに怒号した。最初、藩は主戦論を唱えて聞多、俊輔をおさえたくせに、わずか百発の砲弾を浴びただけで講和とはなにごとだ、と憤慨のあまり、別室で腹を掻《か》っ切《き》ろうとした。

高杉が、飛びかかって制止した。じつのところ、ほんの一年前までは攘夷の大頭目だった高杉晋作が、藩費で上海見学をして帰っただけで、聞多や俊輔と同意見になってしまっていた。

聞多が、刺客に襲われたのは、この年の九月二十五日の夜である。

四

この時期の長州藩ときたら、泣き面に蜂のようなものであった。七月、禁門ノ変で敗れ、八月、四カ国艦隊に砲撃され、それと前後して、幕府が長州征伐の軍令をくだした。これ以上、幕軍にやられてはかなわないから、藩の重役、御一門、支藩の藩主は、幕府に泣訴《きゅうそ》哀願して一意恭順《きょうじゅん》する、という方針を主張した。いわゆる俗論党の擡頭《たいとう》である。

——いや、表面恭順をよそおい、ひそかに対幕戦争の用意をせよ。

というのが、聞多、俊輔、それに高杉晋作の強硬論であった。時勢もこのころになると、かつて長州藩過激論を牛耳っていた聞多らの先輩の多くは非業《ひごう》に斃れて、いなかった。たとえば伊藤俊輔の少年のころ手びきをして松下村塾に入れてくれた吉田稔麿は池田屋ノ変で近藤勇に斬られ、松陰門下の随一といわれた久坂玄瑞は禁門ノ変で斃れ、桂小五郎は変ののちどこへ身をかくしたか、行方もわからない。

かれら、先輩にくらべると第二級の人材として自他ともに評価してきた井上聞多、伊藤俊輔が、にわかに「正義党」の諸領袖としてのしあがってきたのである。

幕府に対し、恭順か、武装恭順かをきめる最後の御前会議が、元治元年九月二十五日朝十時から、山口の藩庁でひらかれた。

俊輔は、身分がひくいために出席できず、聞多が出席し、たった一人の「正義党」代表として約六時間弁じ立て、ついに藩論を武装恭順にきめてしまった。

聞多の粗雑な頭には、幕府と開戦して、どう勝つ、という戦略戦術策などはなかったが、英国で精巧な武器を見てきている。例の一件ですっかり懇意になった横浜のガワー領事、サトウ通訳官、パークス公使などに俊輔と一緒に泣きつけば、長州藩に大量の武器を金は後払いで売ってくれるだろうとたかをくくっていた。事実そのとおりになり、防長二州に攻めこんだ幕軍は、長州人の英国製武器のために連戦連敗するにいたるのだが。――

その御前会議の夜。

聞多が、山口の藩庁を退出したのは、夜八時すぎであった。

家僕の浅吉に提灯をもたせ、先導させた。

聞多の家は、湯田にある。この地は現代《いま》は山口市内に入っており、県下第一の温泉郷としてにぎわっている。

屋敷、といっても生家の井上家のことで、兄の五郎三郎が当主であった。老母も健在で、聞多は萩の養家志道家から出たあとは、屋敷もないまま、この湯田の生家にもどっていた。

聞多は、歩く。

前をゆく浅吉の提灯が、ちょうど讃井町袖解橋《さぬいちようそでときばし》という橋の手前までさしかかったとき、暗闇からぬっと武士があらわれた。

「足下《そつか》は、井上聞多どのではないか」

と、その武士はいった。顔は暗くてわからない。

「そうだが」

と聞多がうなずいた。が、背後にもう一人武士が忍び寄っていることを聞多は気づかない。そいつが後ろから聞多を羽掻《はが》い締《じ》めにし、聞多の両脚に自分の右足をひっかけ、懸命に前へ押し倒そうとした。この刺客も、あまり器用な刺客ではない。

聞多もだらしがなかった。口は達者だが、体の身動きはいたって不器用であった。胴が長く、手足が短かすぎた。どさっと前のめりに倒された。そこを、最初に声をかけた男が、上段から力まかせに聞多の背へふりおろした。聞多は、この一太刀で両断さるべきはずだったが、転び方があまりに不器用だったために、腰の大刀が、背中へまわっていた。

がちっ、と刺客の刃はそれに当たったが、それでも背中が三寸ほど割れ、血があたりに吹き飛んだ。

それでも聞多は起きあがった。が、自分の刀を抜くのをわすれ、相手の刀を素手《すで》で奪《と》ろうとした。その聞多の後頭部を、背後の男が棒で叩くようにして斬った。

「あっ」

斬られてから、聞多は、やっと思いついたように自分の刀に手をかけた。半ば抜いたとき、正面の刺客が、

「面」

と、撃剣の稽古のような掛け声をかけ、聞多の右頰から唇にかけて深々と斬りさげた。それでも聞多は倒れない。刀は、やっと抜きはなっていたが、元来の剣術下手で、防御にも攻撃にもうまくあつかえず、そのうち正面の男が、聞多の下っ腹をずぶっと刺した。

ところが、幸い、いつも懐中に入れている鉄製の鏡が、着付けがくずれたために臍のあたりにずり落ち、そこへ切尖があたった。その切尖がそれて、右腹の脂肪を長さ二寸

ほど切ったが、聞多はまだ倒れない。

全身、血だらけになっていた。

ついに刺客も腹が立ったのか、むやみやたらに聞多の腕、顔などを斬った。最後に、胸を二カ所つづけさまに斬られたとき、聞多は、杉丸太で叩かれたような衝動をうけ、自分の体が自然と、むこう三間ばかり素《す》っとぶのがわれながらふしぎに思えた。

やがて闇の地面に叩きつけられた。

——どこへ消《う》せた。

と、刺客はあたりをさがしたが、暗くてわからない。かれらも度をうしなっている。

「あれだけの傷だ。死んだろう」

と遁走《とんそう》したが、聞多はなお息があった。よほど精のつよい男なのだろう。

近所の農夫のもっこに乗せられて屋敷に帰ったときは、すでに視力はなく、呼吸が切迫し、死人同然であった。医師二人が駈けつけたが、この容態ではほどこす手がない。

「聞多、敵はたれだ」

と、兄の五郎三郎が耳もとでいうと、聞多は答えず、手真似で、

——介錯《かいしゃく》を頼む。

と、いった。

五郎三郎は、刀を抜いた。この重傷でこれ以上苦しませるのは酷《こく》だと思ったのだ。

それを、老母がとめた。聞多の血だらけの体にだきつき、

——ぜひとも介錯したければこの母とあわせて斬れ。

と、いった。

聞多は、運がいい。そこへ偶然、この男の知人で美濃の浪士所郁太郎《ところいくたろう》という者が訪ねてきた。郁太郎は、美濃不破郡赤坂のうまれで、のち同国大野郡西方村の医師所家の養子になった。京都に留学し、さらに大坂の緒方洪庵塾《おがたこうあんじゅく》で蘭医術を学び、業をおえて開業した場所が、京都河原町長州藩邸のとなりであった。

自然、長州藩士と交友するにつれて尊攘家になり、医者をやめて長州藩に投じ、いまは奇兵隊の幹部になっている。

「聞多、おれは所郁太郎だ。外科はにが手の医者崩れだが、成否を天にまかせて縫ってやる」

と、刀の下《さ》げ緒《お》でくるくるとたすきをかけ、焼酎《しょうちゅう》で数十カ所の傷を洗い、母親から畳針の小さいのを借りて、一つずつ縫いはじめた。

各所あわせて五十針縫い、手当のおわったときは、午前二時だったという。

伊藤俊輔はその夜、力士隊という藩の徴募兵を率いて下関にいた。

変報をきいたのは、事件の翌々日の夕刻である。すぐ山口へ急行した。事件から五日目に山口郊外湯田の井上家へとびこんだのだが、そのときはもう井上聞多は、起きあが

ってめしを食っていた。

「聞多」

と、俊輔は大声でよんだ。

が、聞多は、全身白布で巻かれ、眼も耳もあの夜の衝撃でまだ機能がもどっていなかった。ただ繃帯《ほうたい》の間から、口だけが出ていた。

その口が、めしを食っている。

めしは、小者の浅吉が、一箸ずつ、歯の間へ運んでいた。

なまこに似ていた。

聞多は明治後馨とあらためたことは前掲のとおりだが、この男は維新前、山口讃井町の袖解橋で死ぬべきであったかもしれない。維新政府では伊藤博文の下で顕職を歴任し、貪官汚吏《たんかんおり》の巨魁《きょかい》として悪名をのこした。維新後の行跡については、海音寺潮五郎氏の『悪人列伝（四）』（文春文庫）の「井上馨」にくわしい。

彰義隊胸算用

一

（諸式《しょしき》の値動きというのは玄妙《げんみょう》なものだ）

と、寺沢新太郎は、四谷鮫《さめ》ケ橋《はし》をくだりながら、何度もくびをふった。往来をゆく町民どもの顔に生色がよみがえっている。腹いっぱいめしを食った、という顔つきなのだ。年の暮に一俵四十二両という高値をよんでいた江戸の米が、年が明けて正月なかばにはただの七両にまで安くなったのである。

前将軍慶喜《よしのぶ》が帰ってきた、というだけの材料であった。史上、こんな相場はあるまい。

（やはり御威光だな）

といって前将軍慶喜は凱旋《がいせん》したのではない。鳥羽伏見で負けて、大坂から着のみ着のまま軍艦で命からがら逃げもどってきた。あとは上野の寺にこもってひたすら謹慎恭順しているのみだが、それでも米の値は六分の一にさがった。

江戸市民はいまさらのように将軍の偉大さをおもった。この米価のふしぎがなければ、江戸八百八町は、将軍の尻押しをする彰義隊《しょうぎたい》に、あれほど声援はしなかっただろう。

（たいしたものだ）

新太郎は、坂をくだる。

快晴だが、坂は風があった。この日、戊辰《ぼしん》慶応四年二月十七日である。

寒がりの寺沢新太郎は、山岡頭巾で顔をつつんでいた。

名は正明《まさあき》。たかが御膳所《ごぜんどころ》の小役人だったが、それでも親代々、まぎれもない御直参《ごじきさん》である。

薩長が、海道を東下《とうげ》しているという。

新太郎は、腕は立つ。

神道無念流を学び、皆伝《かいでん》をうける寸前まで行った。その後幕府の奥詰め銃隊に入れられ、洋式訓練もうけた。

詩人でもあった。いや、泰平の世にうまれておれば、詩人として世に立った若者だろう。たまたま乱世にぶつかったために、自分自身を詩の中におこうとした。

（あれが、円応寺とは。――）

新太郎の足は早くなった。その町寺に、血で書く「詩」が待っているはずだ。彰義隊の歴史はこの日からはじまっている。

じつは昨夜おそく、回状がきたのだ。文中、

――君辱《はずかし》めらるれば臣死するの時。

という激しい文句があった。回文の起草者は、徳川の恩に報ずるために武俠団をつくろうというのである。

新太郎がきいたうわさでは、この回状ははじめ前将軍慶喜が出た一橋家の家臣だけにまわったそうだが、その第一回の会合の場所である雑司ケ谷の「茗荷屋《みようがや》」にあつまったのはわずか十七人だったという。

（一橋のやつらは、腸《はらわた》が腐れきっている）

新太郎はおもった。

こんどは、幕臣全体によびかけられた。場所は、この坂の下の円応寺である。

新太郎は、山門を入った。

本堂、方丈《ほうじよう》に人が満ちている。

参会者は、幕臣、一橋家の家来だけではない。市井《しせい》の徒もいる。攘夷浪士のくずれなどもいた。そのほとんどが剣術名誉の士で、名を聞けば新太郎も、ああの人か、とたいていは思いだせる人物ばかりであった。

「やあ」

と、新太郎をみつけて、縁側にすわっている男が、座をあけてくれた。

天野八郎である。

新太郎は感激した。この高名な浪人には、二年前、銀座の「松田」で遭い、同行者から紹介されたことがある。それっきりの縁だったが、天野はおぼえていてくれた。いやおぼえていたどころではない。天野は微笑して、

「蕭玉《しょうぎょく》先生、詩の方はちかごろいかがです」

と、きいた。新太郎の雅号など、親兄弟でも知らないのに、この男は、ちゃんとおぼえていてくれた。

「ちかごろ忙しくて」

「それは惜しい。あの酒席であなたから示された詩句はまだ覚えている。春馬金鞍《しゅんばきんあん》、酔《よい》ヲ扶《たす》ケテ帰ル、だったですな」

「はっ」

新太郎、性軽忽《きょうこつ》。

眼のくらむような思いがした。自分でさえもおぼえていない二年前の座興の詩を、この名士はちゃんと記憶しているのである。瞬間、天野のためには命をすててもいいような気がしたのは、江戸育ちのそそっかしさというものだろう。

「天野先生、きょうは」

といんぎんにたずねた。

「いや、私は幕臣じゃありませんがね。徳川家への一片の侠気でやってきたわけです」

なるほど天野八郎のまわりには、平素天野に私淑している御家人《ごけにん》の子弟が十人ほどかたまっている。この連中が、天野を押したててやってきたのだろう。

天野は、その一人々々を、新太郎に紹介した。

「諸君もおひきまわしねがうといい。こちらは寺沢新太郎と申され、神道無念流では免許以上のお腕だ」

「過褒《かほう》です」

新太郎は、うれしかった。

やがて会場のざわめきがしずまり、世話人の一橋家家来本多敏三郎（のち晋《すすむ》。林学界の先達《せんだつ》本多静六博士の父）が立ちあがった。

「人数は六十七人です」

と報告し、されば盟主をえらびたい、ここでおはかりくださるように、といって着座した。

末座ではもう新太郎が夢中で立ちあがってしまっている。

「われらはぜひ天野先生を推戴《すいたい》したい」

天野の心酔者たちは、はじめあっけにとられたような様子だったが、やがて新太郎の口火に勢いをえて、口々に、天野、天野と叫んだ。

が、他の席ではしずまっている。

(百姓じゃないか)

そんな表情であった。

天野八郎は、上州甘楽《かんら》郡磐戸《いわど》村の庄屋の次男坊で、としは三十六、七。来会者のなかでは最年長者である。

早くから攘夷を説いて諸方を巡歴し、交際もひろく、名が売れている。虚名ではないことは、天野を一見すればわかる。

背がひくく肩肉が盛りあがり、眼に異彩がある。笑顔もいい。怒号すれば三軍慄え、笑えば児女もなつく、というのはこういう人物のことだろうと新太郎はおもった。

「ほかにたれがいます」

新太郎は、甲高《かんだか》くさけんだ。いない。一座を見わたしても、自分とよく似た、血気ばかりがさかんで、三軍を統率《とうそつ》できるほどの者はたれも居そうにはないではないか。

「いや、居る」

と、いった声がある。

中央の座である。

そこには十七人の一橋家の家臣が、自分たちこそ前将軍慶喜の直参中の直参である、といった表情ですわっていた。

「本日、この座にはいないが、歴とした幕臣である。陸軍調役で渋沢成一郎。前将軍の御信任がもっとも篤《あつ》いから、これを将領に仰ぐのはなにかにつけて好都合であろう」

という旨のことをいった。天野派をのぞく中立派は、自然、この渋沢案に加担し、彰義隊会頭は渋沢成一郎、副会頭は天野八郎、ということにきまった。

敗れた天野派は、まだ見ぬ渋沢成一郎という会頭につよい反感をもった。

帰路、天野派は、麴町十一丁目のそばやで酒をのんだ。新太郎もいる。いつのまにか新太郎は、天野派の若い連中の兄貴株にたてられていた。

「いったい、渋沢とはどんな男だ」

と、たれかが激しくいった。

「まあいい」

新太郎はおさえた。

「まあ諸君、せっかくきまった会頭だ。しかしろくでもねえ野郎だとわかったら、さっさと斬ってしまえばいい」

「寺沢さん、元気がいいなあ」

天野が、杯をなめて微笑している。新太郎は、その落ちつきぶりをみて、つい、豪傑ぶって軽薄なことをいった自分がはずかしくなった。しかし新太郎よりも輪をかけて軽薄なのは若い連中だった。

らはじまった。

たれかが、ぎらりと刀をぬいた。わっとみなで囃《はや》した。彰義隊の狂躁《きょうそう》は、このときか

「よし、斬ろう」

二

(渋沢とはどんな男だろう)

ということが、翌日、はっきりしてきた。新太郎の屋敷に、天野派の連中がつめかけてきて、ききこんだ話をいちぶしじゅう話したのである。

「たしかに陸軍調役だが、もとは一橋の家臣で、しかも五年前は上州の百姓だよ」

「百姓か」

新太郎はかっとなった。むりはなかった。一橋派の連中は、天野八郎を百姓だという理由で蹴ったくせに、かれらがおごそかに推戴した首領も百姓あがりとあっては、天野派としては気持がおさまらない。

「しかし、人物は人物らしい」

と、事情通がいった。

渋沢は、とし三十一。

利根川べりの武州榛沢《はんざわ》郡血洗島《ちあらいじま》(埼玉県大里郡豊里村)の出である。

家は、農家だが、商売もしている。近郷の百姓から藍葉《あいば》をやすく買いたたき、それで藍玉をつくって江戸の紺屋《こうや》へ売ってもうける。その金利を高利にまわし、近在の百姓を相手に金貸しもかねていた。

「ほう」

単純な江戸っ子の新太郎には想像のつかぬ人物だった。百姓、商人、それに武士を加えたような男らしい。

「しかし、その百姓がなぜ一橋家の家来になったんだ」

「乱世だよ」

と事情通はいった。

京や水戸で尊攘浪士が騒いでいるころ、当時まだ武州血洗島の在所で、藍の買いつけの算盤《そろばん》をはじいていた成一郎は、

——おらァどももやるべえか。

と、従弟の栄一にもちかけた。栄一は二つ年下だが、おなじ環境で兄弟同然にそだったし、血の気の多いところも似ている。

さっそく、近郷の百姓どもに回文をまわし、

「神兵組《しんぺいぐみ》」

という田舎の天誅団をつくった。渋沢旧子爵家に残っているはずのこのときの檄文《げきぶん》は、

「神託」という題がついている。

近日、高天《たかま》ヶ原《はら》より神兵天降《あまくだ》り、皇天子、十年来憂慮《ゆうりよ》し給ふ横浜、箱館、長崎三ヶ所に住居致す外夷《がいい》の畜生どもをのこらず踏み殺し、……

というおそるべき書きだしからはじまるもので、要するに血洗島近辺の壮士をつれて横浜あたりへ斬りこもうというものであった。

が、この暴発計画は、未遂におわった。田舎では人数があつまらなかったのであろう。

そこで、成一郎、栄一は、江戸へ出た。百姓ながらもすでに武士の風体を整えている。乱世である。

江戸では、攘夷党の巣窟のようになっている北辰一刀流の海保塾《かいほじゆく》、千葉塾で剣を学び、さかんに諸藩の志士や浪士とまじわった。

当時、一橋家では、当主の慶喜が京都御守衛総督として京へのぼろうとしていた。

一橋家は、三卿の一つで爵は御三家につぐ家格でありながら、領地というものはなく、単に十万石の賄料《まかないりよう》を幕府から給せられているのみであり、兵備というものがなかった。京へのぼるには、兵備も人材も必要だった。

その一橋家の用人に、平岡円四郎（のちに暗殺さる）という出来物《できぶつ》がいる。成一郎、栄一はある日、根岸《ねぎし》の御行《おぎよう》ノ松《まつ》のあたりにあった平岡の屋敷へ押しかけ、

――一橋様は近日京にのぼられ、禁廷様をご守衛なさるときくが、攘夷の件、どうい

う お肚づもりか、うけたまわりたい。

成一郎、栄一とも、堂々たる快弁である。気概も才気もある。

（おもしろい小僧だ）

とおもって平岡は最初、自分の家来にしてしまい、ついで一橋家に推挙した。これが文久三年の秋だというから、彰義隊を結成したときからわずか五年前でしかない。

その短期間に、二人はたちまち出世して、成一郎は武をもって御床几廻《おしょうぎまわり》となり、栄一は才をもって「京都周旋方」になった。周旋方とは、往年の江戸留守居役とおなじで、諸藩の代表者と交際する外交官である。毎日、祇園で諸藩の有志と酒をのみつつ情勢を論じあうのが役目であった。

やがて一橋慶喜が将軍になるとともに、成一郎、栄一も幕臣になった。

その間、慶喜の実弟の徳川民部大輔が、パリにおける万国博へ日本元首代理として渡仏することになり、栄一は、その随員三十一人のなかに加えられた。

栄一はパリへ。

成一郎は、幕府の陸軍調役として残り、ほどなく、慶喜の大政奉還、鳥羽伏見の敗戦、江戸への遁走、恭順、というぐあいに、徳川の社稷《しゃしょく》は、音をたててくずれた。

「そんな経歴の男さ、渋沢成一郎とは。いわば、幕府衰亡のどさくさにまぎれて成りあがった出頭人だな」

「なるほど」

みな、色白の小才子を想像し、斬るになんの造作やある、と強がった。

あくる十九日、会盟の士一同、ふたたび四谷鮫ケ橋の円応寺にあつまった。新会頭の渋沢成一郎と顔合せをするためであった。

定刻は、西洋時計の十字《じゅうじ》（時）である。新太郎ら天野派の一統は、剣を撫するような気持で渋沢を待った。

渋沢は、定刻よりすこしおくれ、一橋派の連中をひきいて入ってきた。

渋沢は、黒縮緬の羽織に仙台平の袴、それを器用にさばいて、末座にぴたりとすわった。

「私が渋沢成一郎です」

天野派は、声をのんだ。

案に相違して、大入道である。

頭をくりくりにそりこぼっているのは、主人慶喜と恭順をともにする、という芝居気から出たものらしい。

が、なんとも魁偉《かいい》な顔であった。太い眉、大きな唇、ぎょろっと光る眼、新太郎ら天野派はその顔に気おされた。

（こいつァ、天野以上だな）

新太郎は、天野派の仲間をそっと見まわした。みな真蒼な顔でうなだれている。とてものこと、渋沢の面がまえをみると、御家人の坊ちゃん連中に斬られるようななまやさしいものではなかった。

酒が出た。

渋沢は酔いがまわるとさかんに壮語しはじめた。語尾のしっかりした武州弁で、しかも声が野ぶとい。いかにも英雄豪傑にみえるが、しかし新太郎がだまって拝聴していると、どこか威を張っていて空疎なところがある。

（こいつは、存外食わせ者だな）

安堵した。

これなら斬れる、とおもい、渋沢の首筋、肩、両腕、腰などを、なめるように観察しはじめた。腕は松の木のように太いが、かといって右肩の動きが、ひどく重そうである。しかも両肩に力がかかっているから豪傑そうにみえるが、腰が浮ききっている。剣で苦労をしたことのない見かけだおしの体つきであった。

（斬れそうだ）

数日たった二月二十三日、浅草の東本願寺別院で、彰義隊結成式をあげた。官軍の手前をはばかって、表むきは、

「尊王恭順有志会」

という擬装した名をつけるが、要するに薩長を討って徳川家の冤罪《えんざい》をそそごうという武装団体であった。

この日、会盟者は、百三十名。数日たつと五百名になった。総勢を五十人単位に区分し、十番隊までつくった。

隊の組織も、できた。寺沢新太郎は、抜擢されて八番隊副長（ほどなく隊長）になった。御膳所役人にすぎなかった以前の身分からすれば、わるい気持はしない。

八番隊五十二名。

天野は利口である。この隊だけはひとりのこらず、入隊前に天野八郎と縁のあった者ばかり集めており、天野の私兵といってよかった。いずれ渋沢派をたおす中核兵力になるだろう。

その気配は、渋沢派も察したらしい。連中はほとんど、一橋家の家臣である。

「天野君、いったい彰義隊の目的をどこにおくつもりです」

と、ある日、会頭の渋沢成一郎は、わかりきったことを談じこんできた。

天野が、円応寺会議での結論をいうと、

「それァ、おかしい。われわれは主人慶喜公の御一身をお護りするために加盟したので、徳川宗家の安泰とか、薩長官賊の討滅とか、そんな大それた話には応じられませんよ」

むろん、云いがかりである。天野が必死になって弁駁《べんばく》すると、渋沢は鼻でわらい、

「では、天野さん、袂《たもと》をわかつまでですな」

と、いった。

天野は、やむなく隊士一同をあつめ、

「自分の意見に御賛同のむきは、上野寛永寺にあつまってもらいたい」

と説くと、なんと半数しか賛成者がなかった。天野も渋沢の政治力にはかなわなかった。あらかじめ隊士に金銀をまいて下工作をしてあったのである。

彰義隊は、ふたつできた。

天野派彰義隊は、上野寛永寺山内。

渋沢派彰義隊は、浅草東本願寺別院。

ところが渋沢派のほうが景気がいい。渋沢は例の政治力で幕閣の要人を説き、幕府の府庫や一橋家からしきりと金を流させたから、天野派から渋沢派へ走る者がしだいにふえ、ついに寺沢新太郎の八番隊とあと十数人という貧弱なものになった。

「幕府もしまいだね。こう同志が金で動くようじゃ」

天野八郎も、さすがにさじを投げたかたちだった。

天野はよほど腹がたったのか、「新さん、幕臣がこう金にきたなくちゃ、薩長の田舎者に負けるはずだよ。先年の長州征伐のときなんざ、旗本八万騎が、お手当がでない、

というので出陣をしぶった。あのとき身ぜにを切ってでも幕兵がどんどん出てりゃア、長州はけっこう叩きつぶされ、幕府もこんな事態にならずにすんだんだ。その金癖のわるさが、土壇場になってもなおらない。三河武士も、三百年御府内の水で洗われるとこんなぐあいになるのかねえ」

「酷だ、天野さん、それは。渋沢がわるいんだ。あいつ一流のやり方で、金でつらを張るようなことをしやがるから、みなそっちへゆく。彰義隊の隊士と云や、吉原でも大そうなもてかたです。若いから知らず知らず金の出るほうへ行きますよ」

「知らず知らず？——新さん」

天野の云いかたが、上州人らしく、ついあざとくなった。

「きくがね、新さん、まさか、連中、遊興するために彰義隊に入ったのではあるまい」

(そんな野郎もいるにはいる)

新太郎は肚のなかでおもったが、これ以上こんな野暮な論議をつづけているよりも、渋沢派に負けず、器用にこっちも金をあつめることだとおもった。金を勢いよく撒《ま》けば、天野派の同志もあつまることだろう。

「じつは、妙案がある」

と新太郎はいった。

幕府の金銀座を襲うのである。天下の貨幣鋳造所《ちゅうぞうしょ》だから何十万という金はあろう。こ

の金をおさえれば勝負はこっちのものだ。と新太郎は勢いこんで提案した。が、天野は、

「蕭玉先生もがらがわるくなった」

と、とりあわなかった。

そのうち、天野派の本陣の寛永寺に、江戸の富商の番頭、手代が、毎日幾組となく青い顔でのぼってきた。

みな、妙なことを嘆願した。

——手前どもは何屋でございますが、先日おおせつけられました御用金、五百両とのことでございますが、ここも不景気でございますので、どうか三百両でご勘弁を。

といったぐあいである。

八番隊長の新太郎が一人々々聞きただしてみると、江戸中の富商に御用金を申しつけているのは、渋沢派彰義隊のようであった。

新太郎から報告をきいて、天野はしばらく考えていたが、さすがこの男は果断だった。立ちあがった。この機会だ、とおもったのだろう、

「全員、すぐ支度を」

と命じ、山を駈け足でくだって、白昼、浅草本願寺の本陣に突入した。渋沢にとって不運なことに、隊士はほとんど出払っていて、手のほどこしようがなかった。

「渋沢君」

天野は頭ごなしに一喝した。

「申しひらくことがあれば、明日殿中で申されよ。拙者も同行する」

と、否応いわせず身柄を谷中の天王寺という荒れ寺に移し、軟禁した。むろん、境内の戸口、山門、裏木戸は、天野派の隊士でかため、日没後は篝火《かがりび》をたいた。

が、大入道の渋沢成一郎はどういう成算があるのか、にやにや笑って方丈の中央にあぐらをかき、酒を飲みくらっている。

新太郎は日没後、そっと障子のすきまからのぞくと、渋沢は左掌に灯明をのせ、右手で箸をつかい、ひとりゆうゆうと牛鍋をつついていた。方丈があつらえむきに荒れきっているだけに、この首筋の脂ぎった大入道の姿が、ばけものじみてみえた。

ふと、渋沢は顔をあげた。

「寺沢君かね」

気配でわかるらしい。

「食わんか」

と、箸で大肉片をはさんでぶらさげてみせ、にやっと笑った。

(斬ろう)

とおもったのか、とにかく新太郎は障子をあけて踏みこみ、夢中で刀のツカに手をかけた。

その拍子に、渋沢は真赤な生肉をとりあげ、自分の坊主頭のひたいにべろりとはりつけた。頭が真二つになったような、妙な感じだった。

「どうした」

「……」

新太郎は気合負けをしている。機先を制せられたぐあいになり、どうも刀が抜けなかった。

渋沢は、また食いはじめた。

「奸賊。——」

やっと、新太郎はうめいた。

「おや」

渋沢は箸をとめた。

「金を集めたのが奸賊かね。君も天野君も、金なしで戦さをするつもりか」

「程度があります。あなたは、ご出身がご出身だから彰義隊をたねにひと儲けしようとたくらんでいらっしゃるのだ」

渋沢は、狡猾《こうかつ》な表情でだまった。これ以上口論すれば、この若者はいよいよ昂奮して本当に刀を抜きかねないとみたのだろう。

「いま、私は酒をのんでいる」

と、渋沢は、杯に眼を俯《ふ》せた。

「天野君がいったとおり、問答は、あす殿中でやることにしよう」

新太郎は、席を蹴って退室した。

翌朝、天野とともに勢いこんでこの渋沢の軟禁所にやってきたとき、もう一度おどろかねばならなかった。

渋沢の姿が、かき消えていたのである。

警衛に立てておいた天野派の隊士十人の姿もみえなかった。買収されて渋沢ともども逃げたとしかおもえなかった。

「寺沢君、これが幕臣だよ」

天野は吐きすてるようにいったが、すぐこの機敏な男は、その足で登城し、殿中で渋沢の行状をのこらず言上した。

自然、彰義隊正統は天野の手に落ち、輪王寺宮《りんのうじのみや》御守護という名目で、上野の各坊を割《さ》いて隊士を分屯することをゆるされた。

「これで大丈夫だ」

と、天野は晴ればれと笑ったが、ところが妙なことに毎日のように隊士が、一人消え、二人消えして減ってゆく。

「渋沢の手が動いている」

と、天野はみた。

探索してみると、案の定、渋沢は、入谷にある輪王寺宮奥家老奥野左京の屋敷に潜伏し、しきりと上野の隊士を金で釣ってはひきよせ、再挙をはかっている様子だった。

「もはや、化物退治をやるより手がない」

天野はついに決心し、新太郎の八番隊に左京屋敷の討入りを命じた。

三

「そいつは縁起がいい」

と、伍長の笠間金八郎が、はねあがってよろこんだ。

「渋沢を斬るのが、なぜ縁起がいい」

「知らないんですか」

笠間金八郎のいうところでは、徳川家が、代々柳営《りゅうえい》で三百人におよぶ御坊主と称する円頂《えんちょう》俗服の役人を飼っているのは、殿中の御用をするだけの目的ではない。いざ出陣のとき、その坊主どもの何人かをひきだし、首を刎《は》ねて軍神を勇めるためのものだ、というのである。

「ほんとうかね」

「古来の軍法ですよ。私は祖父からきいた。とにかく、渋沢の大入道首なら、摩利支天の犠牲《にえ》には極上品です」

新太郎は、笠間のほかに、岡島藤之丞（のちに後藤鉄郎）、幸松《こうまつ》市太郎、加藤作太郎、そのほか四、五人の剣術名誉の者をえらんで、夜陰、山内慈眼堂《さんないじげんどう》から信濃坂をくだり、坂下門を出て下谷坂本町に入った。

合言葉は、ウエニ、シタニ、ときめ、

――ツカはツバモトでみじかく持て。斬るよりも突くがよかろう。

と屋内での乱闘心得をさとし、左京屋敷につくと、表門、裏口にかためをのこし、塀に梯子をかけ、どっと乱入した。

どこかの森で、梟《ふくろう》の声がきこえてくる。おどりこむなり、みな刀をぬきつれた。が、邸内は真暗である。おたがい、斬りこみに馴れていないから、たちまち仲間の影を見うしない、ついみな庭を駈けまわりながら、声が出た。大声でたがいの名をよんだ。声でも出していなければ、真暗闇にしずまりかえった邸内のぶきみさは、やりきれたものではない。

そのさわぎを、雨戸の内側で渋沢成一郎はきいた。ほかに腹心の隊士が二名。

「畳をあげろ」

と、渋沢は命じ、床もめくらせた。床に這いこんだ。渋沢も、二人の腹心も、千両箱を一つずつかかえこんで四つンばいになっている。箱が、重い。つい、小脇からずり落ちて、音をたてた。

「腹へのせろ」

と、渋沢はいった。

なるほど渋沢はあおむけざまになり、両刀を腹へまわし、その腹の上に千両箱をのせ、背中で、ずりっ、ずりっ、と進んでいる。

とっさの智恵だが、渋沢の頭はこういうことになると、神わざのようにまわった。維新後、変動のはげしい生糸相場に手を出したり、東京株式取引所を創設したりしたのも、こういう素質と無縁ではなかろう。

「会頭」

と、腹心の一人がささやいた。

「畳の上をかけまわっている足音をきくと、どうやら小人数のようです。斬って出ましょうか」

「ばか。討ち込むやつに勝てぬ」

つねに襲撃する側に利がある、ということを渋沢は知っている。というより、斬って出れば千両箱の行方がどうなるかわからない、という心配もあった。

——遁《に》げられた。

と、寺沢新太郎は、奥八畳の間で叫んだ。

「あかりをつけろ」

用意のろうそくをともしてまわり、くまなく邸内をしらべたが、左京の家人さえいない。

奥野左京はその夜、上野の御本坊どまりで家人は戦さを予想して下総《しもうさ》のほうに疎開していた。

新太郎は、くやしまぎれに、刀を畳につきたてた。清麿《きよまろ》二尺七寸という剛刀《ごうとう》で、口惜しさのあまりよほど力をこめたのか、床板をつきとおし、刃先が、床下にいる渋沢成一郎の鼻さきへスーッとのびた。

うそのような偶然だが、これはこのあと渋沢が蔵《くら》へ遁《に》げこんだとき、その戸板へ新太郎が刀をつきたてた、そのときのことだ、という説もある。

渋沢はその暁《あ》け方《がた》、江戸を逃げた。最初は武州北多摩田無《たなし》に腰をすえ、そこであらたに近在の浮浪、江戸の同志などをよびあつめ、振武軍《しんぶぐん》というものを組織した。

余談だが、そのころ、京の新選組も江戸へ舞いもどっており、隊長近藤勇、副長土方歳三が、再挙をはかるべく、南多摩方面でしきりと募兵していた。ちょうど南多摩の首《しゅ》邑《ゆう》府中まで募兵にきていた渋沢成一郎と、同じ目的で駐留している土方歳三とが、旅宿でぱったり顔をあわせた、という話がある。

「渋沢さん、江戸へ帰りなさい」

と、土方は頭からいった。江戸での渋沢の話は、耳に入っている。

「いや、再起をはかるために武州壮士をあつめているのです」

「それがよくねえ、てんだ」

気短かの土方は一喝した。甲州街道ぞいの南多摩は近藤、土方の出身地で、いわば幕兵のナワバリである。その縄張りを、金でつらを張るようなやりかたで荒らされてはたまらぬ、と土方はおもったのだろう。

——二度とこの辺に姿をみせると、たたっ斬るぞ。

といったというのだが、幕府瓦解で気が荒れている新選組副長なら、あるいはそういったかもしれない。

渋沢はついに南多摩に手を染めるのをあきらめ、田無から西多摩箱根崎《はこねざき》（いま、村山貯水池付近）に本陣をうつした。中世、武蔵七党のひとつ村山党の根拠地で、近在は農村ながらも武のさかんなところである。

しかも、天領（幕府領）で、幕軍といえばまだ十分に威光がきいた。ここで渋沢は、近郷の庄屋、年寄百姓をあつめ、金穀《きんこく》を出さしめ、領主然としてなかなか羽ぶりをきかせた。この幕府瓦解にともなう乱がながくつづけば、渋沢はあるいは戦国時代の領主のように、近在近郷を斬りとって大領土をつくりあげていたかもしれない。渋沢の才能は、天野などよりもはるかに戦国風であった。

「化物は箱根崎に拠《よ》ったらしい」

とうわさは、すぐ上野の本陣につたわってきたが、天野派では問題にしなくなった。渋沢遁走後、事情は天野派に好転した。幕府そのものが、彰義隊の面倒をみはじめたのである。

幕府は、統制上、家格の高い幕臣を頭目にすえることにきめ、頭《かしら》、という最高首脳には小田井蔵太、池田大隅守を据え、頭並《かしらなみ》、として、天野八郎、菅沼三五郎、春日左衛門、川村敬三。そのほか、頭取、頭取並、さらに組頭格の会計掛、器械掛、本営詰、兵隊組頭(一番から十八番隊まで)、天王寺詰、真如院《しんにょいん》詰、万字隊取締、神木隊《しんぼくたい》取締、などの幹部職制ができ、堂々たる陣容になった。

このほか、彰義隊頭の指揮下に入るものとして、砲兵隊、純忠隊、臥竜隊《がりょうたい》、旭隊、松石隊、浩気隊、水心隊、高勝隊などが付属せしめられた。

棒禄俸給も、幕府から出ることになった。

天野八郎が国もとの実兄大助のもとにやった手紙を口語に訳すると、「ちかごろは金には困っていません。ただいまのところ、頭は千石、頭並は四百俵」とある。平隊士でさえ、「支度金五両、戦争中は、日当十両」という景気であった。

遊興には、十分すぎるほどの俸給である。

このため吉原の妓楼は、空前のにぎわいをみせた。

寺沢新太郎、明治後の正明は、こう語っている。

彰義隊士が現はれると、助六ではないが、それはそれは、あちらからもこちらからも、煙管《きせる》の雨が降るやうだ。（遊女どもは）あたまに隊名「彰義」にちなんだ将棋駒のかんざしをさし、見るもまばゆき粧《よそお》ひこらして、たとへば虎鬚乱髪《こぜんらんぱつ》の一兵士といへどもよろこんで満腔《まんこう》の誠をささげ、あるときは幾千金の紅羅錦裳《こうらきんしょう》を質屋の蔵に忍ばせても馴れそめし隊士を迎へざれば名妓一期《ご》の恥辱のやうに、さしも広い吉原も隊士でなければ夜も日も明けぬ全盛無比のありさまであつた。（山崎有信編、寺沢正明翁直話）

この給金のよさで、にわかに応募者がふえ、傍系の諸隊をふくめると三千人という大世帯になった。本陣は、山内の寒松院。

新太郎の八番隊は、上野黒門から坂をおりて東、忍川《しのぶがわ》にかかっている三枚橋（三橋）のきわの茶屋「山本」を屯所とし、付近一帯を警備した。

すでに前将軍慶喜は水戸へ退隠し、江戸城は官軍にあけ渡され、その大本営になっていた。その官軍大本営から、宇都宮方面にむかってしきりと早籠《はやうち》の偵察員、飛脚がゆく。宇都宮には、幕将大鳥圭介が兵を擁して薩長への叛旗をひるがえしたからである。

八番隊の役目は、坂本の街道筋に出張し、その偵察員、飛脚をとらえては検査し、答弁うろんとみれば容赦なく斬った。ついには斬るのがおもしろくなり、旅姿の町人体の者とみれば躍りかかるようにして斬った。

――一日血をみないと、どうも寝つかれない。

といいだすものもあり、新太郎は、人を斬るごとに兇暴化してゆくかれらを、どう制御することもできない。吉原帰りの肥後藩士というのも斬った。が、薩長土の兵だけは避けた。かれらは余藩の官軍とちがって剽悍《ひょうかん》な者が多く、小うるさいとおもったのだろう。

官兵のほうも、市中の評判ほどには横暴でなかった。かれらにはおそるべき軍令が出ていた。「もし市中にて死闘を行なえば罪三族に及ぶべし」というもので、当人が死罪になるだけではすまなかった。

もっとも、彰義隊のほうではこの軍令は知らないから、官軍弱しとみてしきりとかれらを挑発し、肩の錦切《きんぎ》れをむしりとっては吉原の遊女に見せびらかす者が多かった。

「備中《びっちゅう》を斬ろう」

と、隊士がいいだしたのはそのころである。

最初、新太郎も不審におもい、「備中とは官軍の何隊だ」ときくと、官軍ではない、駿河台に屋敷をもち、幕府のもと撒兵頭《さんぺいがしら》（歩兵司令官）だった大平《おおひら》備中守のことである。

幕府の撒兵組というのは兵制改革のときに誕生した洋式調練隊のことで、はじめは御家人のなかからの志願兵制だったが、志願者があつまらないため、諸組の同心、坊主と称する者を強制的に入れて、フランス式の苛烈《かれつ》な軍事教練をほどこした。泰平に馴れた御家人の子弟の堪《た》えられるような訓練ではなかったから、不平者が続出した。

そのうち幕府が瓦解し、この訓練を受けた者が、新太郎の隊にも十人ほどいる。

そのころの調練掛が大平備中守で、

「これがフランス式の臥射《ねうち》だ」

といって、事もあろうに武士に対して寝ころんで鉄砲をうたせた。場所が水溜りであろうと、馬糞の上であろうと備中は容赦せず、ころぶのをためらう者があると、靴で蹴った。こういう制裁法もフランス直輸入なのだが、武士を足蹴《あしげ》にかけることは、幕臣の誇りにかけてゆるされない。

「天誅、天誅」

と、新太郎配下の彰義隊、備中の訓練をうけた者十人ともども駿河台の屋敷におしかけ、邸内を逃げまどう備中守を追いかけて殺してしまっている。幕末暗殺史上、大平備中守ほどあわれな被害者はなかったであろう。政治上、思想上のどういうことともかかわりなかった。もっともこの討入りで彰義隊のほうでも、討死一名を出している。内田安次郎という人物で、備中守のピストルで撃たれた。

そんなことで日を消しているうち、歓楽と狂躁の尽きるときがきた。

五月十五日払暁、天野八郎は山の下の市街を巡視するために、馬上、広小路から山下道根岸まで行ったときに、本郷切通《きりどおし》あたりで砲声一発がきこえ、馬頭をめぐらして天王寺まで馳せもどったときすでに七発、池《いけ》ノ端《はた》まで帰ったときには、穴稲荷の付近で小銃戦がはじまっていた。

官軍の第一線は薩摩、長州、肥後、因州、芸州、肥前、筑後、大村、佐土原、館林。第二線は備前、伊予、尾州、阿波。第三線は紀州、小田原などの兵を、遠く、古河《こが》、忍《おし》、川越、関宿《せきやど》あたりまで点々と布陣させ、彰義隊の気づかぬまに、上野一山を文字どおり十重《とえ》二十重《はたえ》にかこんでいた。

この日、雲が低い。

夜来の雨が、夜あけとともにはげしくなり、実のところ戦さどころではなかった。

新太郎は、隊士を手もとにあつめ、家蔵院の西びさしで雨を避けている。ちょうど天野が池ノ端に帰ったころ、新太郎の陣地にも、つい眼の前の草むらへ砲弾がころがりおちてきた。

「つまんで捨てて来い」

凛然《りんぜん》と命じた。八番隊戦闘命令の第一号というべきものであった。

隊士でも武士どもはそんな下賤の労働はしないから、もくねんと静まっている。隊の人夫が五、六人走り寄ってつまみすてようとしたとき、轟然と炸裂《さくれつ》して、人夫たちはこなごなに吹っ飛んだ。

あとは、隊士は銃砲弾から逃げまどうだけの戦いになった。

天野八郎は、山内八門を馬で駈けめぐっては指揮をしていたが、正午すぎになって黒門危うしの声をきいた。

城でいえば、大手門である。寄せ手は薩摩兵で、寄せゆくにつれて肥前藩のアームストロング砲四門が本郷の加州屋敷から援護射撃をするという作戦で、この地点への砲撃がもっとも苛烈であった。

天野は、黒門口を指揮すべく単騎山内をかけ、清水堂のそばまできたとき、幕臣（撒兵、歩兵差図役、その他旗本の士）ばかりで編成して、旗本小川斜三郎を隊長とする四十人の隊に行きあった。

天野は、頭並ながらもとの身分が百姓だから馬からとび降り、

「黒門があぶない。諸君、徳川の恩に報ずるのはこのときだ。私と一緒に死のう」

みな、おう、と応諾した。

天野は馬上にもどり、駈けだした。小川斜三郎の隊も武者押しの声をあげて駈けだした。ところがかんじんの山王台まできたとき後ろをふりむくと、たれもいなかった。天野はのち獄中で「斃休録《へいきゅうろく》」という一文をかき、文中、「此時、我、徳川氏の柔極まるを

知る」と歎息している。

彰義隊に、後半から加わったひとで、幕府の大目付をしていた大久保紀伊守という老人がいる。

天野が逃げまどう隊士をかき集めるために駈けまわっているのをよびとめ、

「私の死場所はないか」

と問うた。「されば黒門へ」と天野は手短かに答え、自分は頭並ながらも馬から降り、八発込めの連発銃をかかえ、

「ご馬前に従います」

といった。

大久保老人は大いによろこび、付近にいる旗本約百人をあつめ、東照大権現、と大書した旗をかかげ、黒門へ進んだ。

そのとき黒門はすでに破られ、薩摩兵は立射《たちうち》、長州は臥射《ねうち》をくりかえしながら進んでくる。

「三河武士、進め」

と馬上、大久保老人が采配《さいはい》をふったとき、不幸にもひたいに銃丸があたって、どっとあおむけざまにころがり落ちた。

息はある。

天野が駈けよって抱きおこすと、たったいままで従っていた旗本百人は、煙のように消えていた。――「斃休録」は憤慨している。

一百余、散乱して一人もあらず。（中略）ここに徳川氏たるものにまた愕然《がくぜん》たり。紀伊守いまだ息あるを捨ておくにしのびず、これを荷なひ、本坊の門番所にかき入る。そのうち敵、門外へ切迫すれども、守兵一人もなし。宮御方（輪王寺宮）心もとなく、玄関より奥へ行き見るに、ただいま退《たい》せられしあとのていなり。

どうもこれをみると、戦いの後半は、大将の天野、豪雨のなかをひとりで戦さをしていたらしい。というより、隊士をさがしだすことに天野八郎の戦さは忙殺されていたというべきだろう。

天野が、人影のない本坊へ駈けあがったころ、新太郎は、三河島へむかって逃げのびていた。

この後、僧や医者に化けて官軍の探索の眼を避け、江戸の内外を転々としていたが、品川沖に榎本武揚《えのもとたけあき》の幕府艦隊が健在とききい、深川河岸から同志四人とともに小舟をやとい、旗艦開陽丸にたどりついた。

「われら、天地間、身をおくところがない」

と哀願すると、榎本は「この艦を逃げ場所にされてはこまる」としぶったが、やがて搭乗を許された。

——嬉しさに夜もねられずとは、げにまことぞや。

と、新太郎はのちに速記させている。

やがて、海が暮れると毎夜のように彰義隊の逃亡兵が艦にのぼって来、ほどなく二百余人にもなった。人数がふえると、みな急に元気になり、ありもしない手柄話を声高にしゃべりはじめた。

ある日、河野十蔵というかつて幕府の奥詰め銃隊にいた男が、耳よりなことをききこんできた。

開陽丸のむこうに、長鯨丸《ちょうげいまる》という軍艦が浮かんでいる。

「どうやらその船に、渋沢成一郎が逃げこんでいるらしい」

といった。渋沢の噂はきいている。例の振武軍をひきいて大いに西多摩で威をふるっていたところ、官軍に飯能《はんのう》で一撃され、まもなく逃げ散ったという。その残兵三十五人をひきいて、長鯨丸にのりこんでいる、というのである。

「斬れ、斬れ」

と五、六人景気よく叫ぶと、もうそれが口火になって、

「天誅」

ということになった。

騒ぎをきいて榎本はさすがに憤《いきどお》り、新太郎ら主だった者を艦長室にあつめ、

「君らは、なんのために干戈《かんか》をとった。徳川家のためか、それとも私闘をするためか」

と怒鳴り、和解をしろ、いや和解だけではない、かつては渋沢が頭領だったのだから隊長として推戴しろ、兵は秩序だ、と命じた。

やむなく、榎本の命に従った。従わねば気のみじかい榎本は退艦を命ずるかもしれない。

「ただ、条件をつけたいのですが」

「ああ、つけろ。和解をするためなら、十分話しあっておけ」

榎本は、渋沢のほうにも、おなじことをいっておどしたらしい。渋沢も、退艦させられると、天地に身のおきどころがない。

談判は、長鯨丸甲板でおこなわれた。

新太郎は、同志五人とともに長鯨丸の舷側から甲板にあがると、渋沢成一郎は、やはり五人の同志を従え、甲板にぴたりとすわっていた。

相変らず青々とした坊主頭で、以前よりもふとった様子であった。背は六尺ちかく、背後の短艇《たんてい》が、この男のために小さくみえた。新太郎も、むっつり着座した。このときの情景を、新太郎自身の「直話」から借りよう。

渋沢氏。御身《おんみ》とわれわれとは、かつて仇敵の思ひをなして鎬《しのぎ》を削つた。しかし今かく同じく榎本氏の麾下《きか》についた上からは、私怨《しえん》を捨てよ、といふ榎本氏の言葉もあり、またすでに天野も囚はれの身となつて、われわれも首領を失つた場合であるから、このさい、あらためて私怨を忘れて君を首領に戴《いただ》かうといふのであるが、しかし条件がある。まつたく天野の志を継いで天野として尽してもらひたい。天野のために、と思つて尽してもらひたいが、如何です。

——そこで渋沢。

大兵肥満《だいひょうひまん》の身で、頭をピタリと甲板の上に擦《す》りつけて、なるほどごもつともです。まつたく私怨を忘れて天野として尽しませう。あくまで天野の志を継いでやりませう。

これはどうもまことに済まなかつた。

何が「天野の志」か。

しゃべっている新太郎もわからねば、渋沢もむろんわからなかったろう。ところが、渋沢の勢力はわずか三十五人、新太郎側は二百余人である。ここは、わけはわからずともとにかく甲板に頭をこすりつけておくが勝ち、とおもったのだろう。

やがて、秋十月二十日、蝦夷地《えぞち》の鷲ノ木《わしのき》港上陸。

同二十五日、五稜郭《ごりょうかく》占拠《せんきょ》。

十一月五日、松前藩の居城福山城攻撃。

福山城は、前に幅三十間の川をめぐらし、背後に山を負っている。城主松前徳広をはじめ主だつ重臣はすでに落ちのびていたが、それでもわずかな守兵が、城内と、川のむこう岸に銃陣を布《し》いて待っていた。

榎本軍は、旧陸軍奉行並松平太郎を攻城軍司令官とし、フランス海軍士官カズノフが実戦指導にあたり、新選組、彰義隊、衝鋒隊《しょうほうたい》、工兵隊、砲兵隊、伝習隊、仙台額兵隊、それに高田、豊橋、長崎、桑名、会津各藩の脱士隊が、川にむかい、むらがり突入した。

自然、諸隊、競争になった。

「彰義隊、進め」

新太郎は、河中で流れと闘いながら、一番乗りをすべく、必死になって怒号した。敵は薩長ではない。ほんの先年、藩公が幕府の老中をつとめた藩で、旧式装備の守兵がわずかにいるだけである。

対岸に上陸するや、大手門は閉まっている。新太郎は隊長の渋沢をはげましはげまし、城の背後にまわって、搦手《からめて》門に押し寄せた。運よく敵はいなかった。

防備といえば、木柵が植わっているだけであった。その木柵を、おどろいたことに、渋沢は根もとを抱きかかえるや、うむ、とひきぬいてしまった。

抜きつれて城内に乱入したとき、火の手があがった。

「城頭に、隊旗を樹てろ」

と新太郎は叫んだが、敵味方の叫喚と猛煙のために命令がとどかない。

そのうち、隊長の渋沢成一郎が、旧振武軍の腹心三十余人をつれて妙な方向に走りだした。自然、新太郎ら二百余人も引きずられるようにそのあとに従った。

行くさきは、金蔵《かなぐら》である。逃げおくれた門番がうろうろしているのを渋沢はひっとらえ、

「こら、錠をあけろ」

とどなった。金蔵があいた。

彰義隊は、どっと乱入した。すでに金銀はもち去られていたが、天保銭が、カマス詰めにしてびっしり積みかさねられていた。

「荷車だ、荷車を持って来い」

渋沢がどなりちらすと、たちまち何台かの荷車があつまり、みな血相を変えて天保銭のカマスをどんどん積んでは運びだした。

そのうち、大手門を打ちやぶって、新選組と伝習隊がなだれ込み、一人の伝習隊が機敏に天守台へあがって一番乗りの隊旗をかかげた。

——事実先登したわが彰義隊は、隊長金蔵行きのために旗をたてる機会をうしなった。

（寺沢翁直話）

このあと、渋沢は、妓楼「松川屋」を買いきり、腹心とともに連夜大騒ぎをし、その間新太郎らが斬り込むのだが、このときも渋沢はすばやく蔵の中へにげこんで、一命をたすかった。

それより二日後、熊石に拠る松前藩の残兵掃蕩《そうとう》のために総軍出陣したが、旧天野派の彰義隊全員が、

「渋沢を隊長に戴けない」

といって出陣を拒否し、ついに戦闘に参加しなかった。

榎本軍は、明治二年五月十八日、官軍に降伏。その降伏の寸前まで、渋沢派は、「旧天野派は、日曜日《ドンタク》に出陣しても賃銀は貰えぬから、といって出陣を拒否した」といい、旧天野派は「城を取るより金蔵に駈けこむような連中と戦さはできぬ」といって紛争し、榎本はこの旧幕臣団の始末に頭をかかえこんだ。

寺沢新（覲）太郎、維新後正明——一時、旧幕臣とともに静岡に居住していたが、榎本武揚の新政府入りで引きたてられて官途につき、北海道開拓使出仕を手はじめに、太政官、内務、逓信《ていしん》などの諸官衙《しょかんが》に出仕し、のち官を辞し、明治末年まで存命。

渋沢成一郎、維新後喜作と改名——財界に入り、北海道製麻会社、東京人造肥料会社、十勝《とかち》開墾会社、田中鉄工所、ほかに生糸売込商、廻米問屋、東京米穀取引所、商品取引所などに関係したが、ほとんど失敗し、そのつど、従弟の栄一が負債の補塡《ほてん》をした。大正元年八月、七十五歳で死去。

天野八郎——上野陥落後、本所石原の鉄砲師炭屋文次郎方に潜伏していたが、七月十三日、捕縛、十一月八日牢死。

浪華城焼打

一

浪華《なにわ》の道頓堀《どうとんぼり》、といえば芝居小屋だが、ここに、
鳥毛屋《とりげや》
というふるびた旅館がある。

その土間に、元治元年九月の十三日の夕暮れ、

「上方《かみがた》見物のために、しばらく逗留したい」

といって入ってきた八人の浪人がある。

帳場にいるお光が、どうぞ、と上へあげた。そのうちの一人の若者が、ひどく稚児《ちご》めいて可愛かったからである。

しかしあげてみてから、よく観察すると、みな眼つきが尋常でない。

そのうえ、宿帳には、みな「越後浪人」と書いたが、あきらかに偽称であった。なまりで知れる。どの男も、ひどい土佐言葉なのである。

「土佐者、とは厄介《やっかい》な」

番頭は小声でお光にぼやいたが、町役人にも届け出ずにおいた。このために、あとで奉行所からひどく叱られている。

なにしろ京で、長州藩の諸隊、および土佐の浪士隊が、御所蛤御門《はまぐりごもん》のあたりで戦さわぎをおこしてほどもないころだ。大坂でもその残党詮議がやかましい。新選組などはわざわざ出張してきて、長州人とみれば斬った。

土佐浪人も、同臭《どうしゅう》とみられている。

土佐藩というのは、藩そのものは佐幕主義だが、下級武士が過激化していてつぎつぎと脱藩し、それらのほとんどが長州へ走り、このところ、天誅組騒乱、池田屋事件、それにつづく蛤御門ノ変でも、土佐浪人の参加が圧倒的に多い。

「お光つぁん、気ィつけや」

と、番頭はいった。お光は、先代のころにいた番頭の遺子で、身よりがなく、器量もあまりいいほうではなかった。おもわしい縁談もないままに、婚期がおくれている。

番頭は浪人を警戒して、とくにかれらの面倒はお光にみるように命じた。

「かわったことがあったら、すぐ報《し》らせなはれや。御用盗《ごようとう》かもしれぬさかいな」

浪人は、奥十畳の間で相宿《あいやど》していた。お光のみるところ、かれらに共通していることは、服装がみすぼらしいこと、金がなさそうなこと、それと、一様に疲れきっていることだった。

そのくせなにか重要な目的があるらしく、ひそひそと協議したり、しきりと外出していた。

（いったい、何をたくらんでいるのだろう）

お光は例の若者に接近した。まだ前髪がとれたばかりの感じで、仲間から、

「稚児《とんと》、とんと」

とよばれていた。

ちょっと風がわりな顔で、椎《しい》の実《み》をあぶらでみがきあげたような顔に、細い眼がゆだんなく動いている。

体はやせがたで、どちらかといえば虚弱そうであった。この変哲もない肉体が、のちのち九十七歳まで寿命を保とうとは、むろん、お光などは想像もおよばなかったであろう。

（ほんまに、可愛らしい……）

若者も、お光が自分に好意をもってくれていることがわかったのだろう。ある夜、お光の階下四畳半の部屋に入ってきて、

「これ、縫ってくれないか」

と、すこし甘ったれていった。袴がたてに一尺ばかり切り裂かれている。

「そこの土掘り場で犬に爪を立てられた」

脱がせてみると、点々と血痕《けっこん》がとび散っている。人を斬ったことは、まぎれもなかった。

（こんな子供のような男が……）

土佐者はやはりこわい。

しかも齢をきいてみると、意外にも二十二歳だといった。れっきとしたオトナだとおもうと、お光はますますこわくなった。

「これは、犬の血やおまへんな」

「ち、ちがう」

若者はあわててふところから、まんじゅうの包みをとりだして、「まあ食べとくれないか」と押しつけた。まんじゅうで口止めしようというところが、いかにも子供っぽいのである。お光は笑ってしまった。

「ほんとうは、十六、七ですやろ？」

「うそとおもうなら、お光さん、抱いてみて証拠をみせてやろうか」

「厭や」

存外、げびたことをいう。なるほど、二十二歳のすれっからしであろう。

「田中顕助様、というお名も宿帳どおりでっか？」

「いやに詮議をする」

「でも、みなさんトントといわはります」

「あれはあだなだ。おれが稚児《とんと》っつらをしているからだろう」

「田楽《でんがく》はん」

「なんのことだ」

「わてのつけたあだなです。あんさん、お体が小さおますやろ。それにお腰のものが長すぎる。丸ゆの味噌田楽そっくり」

「この刀か」

ぎらっとぬいた刀に、素人眼からみても、ありありと血曇りがついている。

「もう収《おさ》めとくれやす。そんなことをしていると、魔《ま》ァ差《さ》してえらい騒ぎがおこります」

(騒ぎか)

顕助は、軒昂《けんこう》として眼をあげた。なるほど騒ぎをおこそうとしていた。いや、騒ぎどころか、これがもし成功すれば、天下はおそらくひっくりかえるだろう。

二

八人の浪人の名は、大利《おおり》鼎吉《ていきち》、島浪間《なみま》、千屋《ちや》金策《きんさく》、井原応輔《おうすけ》、橋本鉄猪《てつい》、池大六《だいろく》、那《な》須《す》盛馬《もりま》、それにこの田中顕助である。

田中顕助については、この連作の「土佐の夜雨」の稿に登場したことを、記憶のいい読者はおぼえておられるだろう。

土佐藩参政吉田東洋を、城下帯屋町で暗殺した那須信吾のオイである。那須はその後天誅組の一将となり、大和吉野川畔の彦根兵陣地に斬りこんで討死した。信吾の養父だった那須俊平もその後脱藩、長州に身を寄せ、元治元年夏の長州軍の京都襲撃（蛤御門ノ変）に参加し、鷹司邸前で戦死してしまっている。

当時顕助は、土佐の佐川郷にいたが、肉親の非業《ひごう》の死をきいて矢もたてもたまらず脱藩した。このとき一緒に脱藩した仲間が、いま鳥毛屋にいる井原、橋本、池、那須の四人である。

長州へ走った。

が、長州の情勢は、かれらの期待をうらぎった。――話は、ここからはじまる。

顕助らが、長州藩領三田尻《みたじり》港に上陸したときは、幕府の征長軍が、すでに広島までせまっているという風評がしきりで、最悪の時期であった。

去年までは、京都で威をふるっていたこの勤王急進藩は、いまは一転して防長二州に追いこまれ「朝敵」の汚名までうけている。

なにしろ長州系の七人の公卿は京都を追われ、天皇に歎願するために攻めのぼった入《じゅ》洛軍《らくぐん》は蛤御門で戦って敗走し、その間、四カ国艦隊と下関海峡で激戦して惨敗、――さらに幕府は天下の諸侯を動員して、長州征伐を準備しつつあった。

その間、藩内に保守、佐幕派が首をもたげ、藩論は恭順、降伏に傾こうとしていた。

これに対して急進派の高杉晋作などは、躍起に藩の要路を説きまわっている。「戦うのだ」と主張した。

「防長二州を焦土にしても戦い、かなわぬときには君公父子を奉じて朝鮮に渡り、その一角を斬りとって勤王討幕の旗をあげるのだ」

が、藩ではいまや、そういう書生論に耳を傾ける者がない。

藩情はあんたんとしている。

そういう時期であった、顕助らが長州をたよってきたのは。

とりあえず、三田尻の招賢閣《しょうけんかく》に泊めてもらった。

招賢閣とは読んで字のごとく、長州藩を慕ってやってくる天下の浪士のための藩営の宿所である。土佐人だけでも、中岡慎太郎をはじめ、二十人ほどがわらじをぬいでいた。

翌日、ひょっこり、山口の藩庁から高杉がやってきた。

顕助が、この高名の士にあいさつすると、

「やあ、那須君の甥御か」

と、肩をたたいてくれた。

「君のご一族からすでに二人の勤王殉難の士を出している。われわれ長州人も、このさいもって範とすべきだ」

高杉は、教祖のようなところがある。天性の煽動家《せんどうか》といっていい。その証拠に顕助はこの一言で、命も要らぬ、と思い、感激のあまり、

「弟子にしてください」

とたのんだ。高杉は迷惑したが、とうとう顕助におしきられた。顕助は、その礼として、のちに安芸国友安の差料を高杉に献上している（高杉は顕助が譲った刀がよほど気に入ったらしく、のちに長崎でその刀を腰辺にひきつけて写真をとって、顕助に送った。断髪、着流し、イスに腰をかけている。こんにち残っている高杉の写真はこれである）。

「先生、こうして遊んでいても、気がひけます。なにか私にできることはないでしょうか」

「君に？」

高杉はあらためて顕助をみた。子供々々した顔である。可愛くなったのか、肩の肉をつかみながらぐんぐんゆすって、

「どうだ。将軍の首でもとってきてもらおうか」

と笑った。

高杉一流の冗談だが、顕助にはそれが通じない。それを大真面目にうけとった。

「とります」

「はっはは、元気がいい」

高杉はその場で忘れてしまったろう。

そのうち、長州藩領の富海《とのみ》という港に、京都の情勢を探訪してきたという者が上陸した。

本多大内蔵《おおくら》という京都浪士である。

もと武者小路卿《むしやのこうじきょう》の家臣であった。早くから河原町の長州藩邸に出入りしていたために、こんどの長州の政治的失陥《しっかん》で主家を追われて浪人し、いまは大坂の松屋町筋《まっちゃまちすじ》で、ぜんざい屋をひらいてかろうじて衣食している。

さっそく顕助は、土佐脱藩の同志たちと一緒に、本多に会いに行った。

「いやもう、話にならぬ。京都は幕府隆盛時代に逆もどりしたようなあんばいだ。会津藩士や新選組が、肩で風を切って横行している」

それに、——と本多はいった。

「大坂城が長州征伐の根拠地になっていて、市中は幕兵でいっぱいだ。ほどなく、征長軍を総攬《そうらん》するために、将軍家茂《いえもち》が大坂城に入城するという」

「将軍が？」

顕助の眼がかがやいた。

あきらかに高杉の狂気が伝染《うつ》っている。高杉の口ぶり、性行を模倣したのだろう。

「斬ろう」

といった。

「顕助。将軍をか」

みながおどろいた。

「むろん、浪華城も焼きはらうんだ。そうすれば、幕府も長州征伐どころの騒ぎではなくなる。われわれが長州の恩義にむくい、回天のためにいささかの役にたつのは、これ以外にない」

「顕助、お前は」

同郷の土佐人は、あきれた。猫が虎になった、そんなおどろきである。

翌日、顕助は同志七人とともに長州藩の駅馬を借り、山口にいる高杉に会いに行った。

高杉は、山口郊外湯田の井上聞多の屋敷にいた。

顕助は、自分たちの計画を話した。高杉は終始だまっていたが、最後に、

「何人でやります」

ときいた。

顕助は、「自分たち土佐浪士八人、それに本多大内蔵を加えて九人です」といった。

「暴挙だ」

とは、高杉はいわなかった。

「諸君は恵まれている。世がいかになりゆくにせよ、諸君ら土佐義士の名は、史家によって千載《せんざい》ののちにまで伝わるだろう」

高杉はべつに煽動したわけではない。ただ、ふしぎな男で、言葉のひとつ一つが、相手の胸を灼《や》くような魅力をもっていた。生得《しょうとく》なものか、あるいは同じ傾向のあった師匠の吉田松陰からゆずり受けたものなのか、それはわからない。とにかく、稀有《けう》な革命児であったといえるだろう。

これには、顕助以外の者も感動した。

「私も、遅れはとらぬ」

と高杉はいった。

「幕府の砲火に斃れるか、それとも藩内俗論党の手で殺されるか、いずれにしても、こんど相見るときには、冥土《めいど》ということです」

高杉は、懐ろ手帳をとりだして、一同の名を書きとめた。島浪間、千屋金策、井原応輔、橋本鉄猪、田中顕助……と高杉が書きすすめるにつれて、その手もとを見つめている八人の土佐浪士は、自分の名がたがねで刻むごとく千載不朽の歴史に刻まれていくような感動をおぼえた。

高杉は、本多をまじえた九人の壮士を、周防富海湊《すおうとのみみなと》まで送ってくれた。

海路、大坂へ。

鳥毛屋に投宿したくだりは、前述のとおりである。このときの心境を、田中顕助（伯爵田中光顕）は、昭和十一年四月、改造社刊行「維新夜語《よがたり》」で、大意こう語っている。

たったこれだけの書生で、浪華城の焼打の計画を進めうるかどうかは、はなはだうたがわしいものである。

が、当時の私どもは、それをやりうると信じていた。よしやり得なくとも、断じてやりきるつもりであった。が、なにしろ事が事である。うかとほかへ知れると大変である。それでその場に居合せた同志以外には絶対秘密で計画を進めて行った。折りしも長州では、非戦論の連中が、益田、国司、福原の三家老（蛤御門ノ変の責任者）を切腹させるというわさが耳に入った。が私どもは、もはやそんなことに耳をかたむけるいとまはなかった。いまにも、浪華の大城が紅蓮《ぐれん》の炎に包まれ、将軍家茂の首がころがりおちたような気分になり、意気天を衝《つ》く、といったありさまであった。

富海から、こっそり船で脱出した。

秋晴れの瀬戸内海《うちうみ》は、旅ならば一句あるところである。が、草莽《そうもう》の書生の私どもにはそんなことは眼中にない。長州征伐の裏をかいて、まんまと後方を攪乱《こうらん》し、その隙に兵を挙げて尊王討幕の師を起こそうとするのが目的であった。

本多大内蔵が世を忍んでひらいたぜんざい屋は、道頓堀筋鳥毛屋から、遠くはない。松屋町筋の松屋表町にある。

両側に玩具屋の密集している街路で、本多のぜんざい屋は、平野屋治兵衛という花火問屋のとなりにある小さな借家であった。

われわれは本多の家を根城として焼玉を作ったり用意万端《ばんたん》怠りなくその計画を進めておった。（田中光顕夜語）

ところが、松屋表町のひとつ東の筋が、松屋裏町。

ここに、剣術の町道場がある。町名はちがうが、本多のぜんざい屋とは背中あわせのようなかっこうになっていた。

師匠は、備中松山藩の浪人で、谷万太郎という人物である。痩せて頰が張っていたから、町内では、

「万太郎狐」

といわれていた。吝嗇《りんしょく》で町内のつきあいもしない。自然そういう蔭口をたたかれていたのだろう。

道場といっても長屋の一軒をつぶしただけのもので、場所もわるい。大坂の武家屋敷は城の周辺にかたまっているが、この万太郎狐の町内までわざわざ習いにくる武家の子弟などはなく、門人といえば、商家の若旦那、あぶれ者、芝居小屋の木戸番、そういった雑多な連中である。

この道場に、京の新選組から加盟の勧誘がきたのは、去年（文久三年）の四月である。当時新選組では、京、大坂の道場をしらみつぶしに訪ねては、入隊の勧誘をしていた。

万太郎に、弟がある。

谷三十郎といい、槍術宝蔵院流の免許者でながく兄の道場に同居していた。この三十郎がまず参加し、入隊早々、副長助勤、ついで七番隊組頭になった。この弟三十郎が養っていた少年が近藤勇の養子となり、周平と名乗って、池田屋の斬り込みにも参加したことは有名である。

兄の万太郎狐も、

「いずれ、道場を整理したうえで京へのぼります」

と確約し、新選組ではすでに名前だけは名簿に入っている。ただし、平隊士であった。

この万太郎狐が、旧主家の大坂蔵屋敷に所用で行ったとき、谷川辰吉という同藩の旧知の者が、国もとからのぼってきていた。

「ひさしぶりだ」

と、ふたりは付近の小料理屋へあがった。

万太郎狐は、新選組に加盟する一件を話すと、谷川は、

「それは祝着《しゅうちゃく》だ。ゆくゆくは幕臣にお取りたてになるということだから、出世は功名次第のつかみどりだな」

と迎合《げいごう》した。

ふと思いだして、

「道頓堀に鳥毛屋という宿がある。わしは市中見物のため上坂早々投宿したが、二階奥座敷にどうも挙動不審の浪人七、八人が逗留している様子であった。手がらのたてはじめに一度さぐってみればどうであろう」

といった。維新史上、谷川辰吉という名はこの一言を残したまま、消える。どういう人物であったかはわからない。

とにかく、この一言で、松屋裏町の万太郎狐がにわかに動きだした。

三

顕助らは、大利鼎吉を謀主にえらんだ。

これには、本多大内蔵がひそかに難色をしめし、顕助に、

「大利君ではどうだろう」

といった。

大利は、土佐の国許で武市半平太に剣をまなび、目録以上の腕である。

それに、蛤御門ノ変で長州軍の浪人組「忠勇隊」に属して奮戦し、実戦の経験があり、京都敗走後は長州へ落ちのび、招賢閣で顕助らに合流した。

学問もあり、非常な慷慨家《こうがいか》でもあった。いわゆる蛤御門ノ変に出陣するとき、死を覚悟して遺髪を故郷におくり、

「古里《ふるさと》にかねてぞ送る黒髪は　わが亡きあとの形見とも見よ」

との歌を同封している。

敗走して長州に落ちのびたとき、ひどくそれを恥じて、

「君がため尽す心の甲斐なくて　生きのこる身の恥ずかしきかな」

という一首を、故郷の同志に送った。どちらかといえば殉教的な志士であった。

「あの人は、暗い」

と、本多大内蔵はいうのである。「死所を求めている様子がある。事を成功させるには、もっと利害打算に眼がきき、心術の陽性な者が大将になる必要がある」というのが理由であった。

が、みな大利を推した。早くから脱藩して世間をひろく渡っているため名が知られているし、なによりも腕が立つのが魅力であった。

「大利さん、謀主をたのむ」

とみなで頼んだ。

「私が？」

大利は、不得要領で受けた。土佐人のくせに酒は一滴もたしなまず、性格はいたって律義で、こより細工がうまかった。

謀主の大利は、その日から鳥毛屋をひきはらい、根城《ねじろ》である本多大内蔵の店の二階にひきうつった。

大利は、こつこつと焼玉《やきだま》を作った。手の器用な男で、それに細工ごとがすきなのであろう。こんな作業をさせておくと、一日中うつむいたきりで、顔もろくにあげない。

「大利さん、あなたは首領だからいろいろ下知してくだされぱいいのです。焼玉は私どもが作ります」

と、顕助や井原応輔がたのむようにいったが、大利は、好きなんだよ、と笑っているだけで、やめようとしない。

本多のぜんざい屋は、わりあい繁昌していた。店は、老母と妻女がやっている。近所の者がひっきりなしに、出入りしていた。

その顧客のあいだで、

「ぜんざい屋の二階の浪人さん」

といえば、妙に人気が出てきた。

どうやら、大利は、焼玉をつくるかたわらこより細工もつくり、馬、駕籠、奴《やっこ》、牛車《ぎっしゃ》などの形にひねりあげては、店へ来るこどもたちにやっている様子なのである。これは本多も気づかなかった。

とにかくわれわれは一考した。城を焼いたばかりでは効果が薄い。そこで後方攪乱のため同志を募《つの》ることにして、とりあえず千屋金策、井原応輔、島浪間の三人は、山陰方面へ遊説に出かけた。（田中光顕夜語）

顕助も同行するつもりであったが、このころにはすでにお光との仲ができていた。なにしろ、顕助は、のちに八十二歳になって妾にこどもを生ませた、というだけあって、こういうことには、存外、手が早い。

同志たちも、顕助に対してゆだんがある。いつまでも、顕助を稚児《とんと》あつかいし、元気者の那須盛馬などは、

「顕助はまだおなごを知らんきに、芝居裏を素見《ひやか》しに連れたら、歩いちょるだけで慄えがとまらん様子じゃった」

と、からかった。

（なあに、うそだ、馬鹿《べこのかぁ》め）

と、顕助は、仲間どもの揶揄《からかい》をはらのなかであざわらっている。みな気づかなかったが、この稚児《とんと》ほど、本性、ふてぶてしい男はいない。

ある夜、同志が寝しずまってから階段をしのび足で降り、お光の部屋に入った。故郷の佐川郷で、何度か経験がある。

息をころして掛けぶとんのすそを持ちあげたが、不意にお光は寝返りをうって、

「大利はん？」

といった。

これには顕助もおどろいた。いつのまに、あの謹直な大利とできていたのであろう。あとは夢中で遂情《すいじょう》すると、お光のほうがようやく気づいたらしい。しかしさすがに帳場をあずかるほどの女だけに、だまっていた。

それから数度、機会をみつけては顕助はお光の部屋に忍び入った。

お光の本心はわからない。

「顕助《とんと》はん、もうええかげんにやめんと、癖になりまっせ。みつかったらどうしなはる」

と、母親のような口ぶりで説教した。しかし大利鼎吉という名前は口にも出さず、素《そ》ぶりにもみせなかった。

（あの大利さんは、いつ、どんな顔で、このお光と逢うているんじゃろ）

稚児にはわからない、おとなの巧妙な世界があるようにおもえた。

そんなお光との交情がある。だからいましばらく鳥毛屋を離れたくなかったために、

「私は、近畿、中国筋をうけもつ。だから諸君は先発してくれ」

と、山陰組を送りだした。山陰へ発ってゆく千屋、井原、島の三人のうしろ姿が、どことなく影が薄かった。

かれらの嚢中《のうちゅう》は、無一物にちかい。長州を出航するとき高杉が、いくばくかの金をくれたが、軍資金というほどの額ではなかった。高杉はすでに藩内でも失脚同然で、以前のように藩金をひきだす手だてを失ってしまっていたのである。

（金なしで、浪華城を焼打するのか）

とは、かれらはおもわない。もともと貧には馴れている土佐の貧乏郷士ばかりである。顕助のそだった浜田家などは、米の飯などは年に二、三度食えばいいほうで、年中、黍《きび》、麦、芋など、気のきいた百姓なら食わぬようなものを食って生きていた。

「なあに、途中、篤志家をさがしては一宿一飯にあずかって道中をしてゆく」

と、山陰組は出かけた。

その間、顕助は、お光に給仕されては、食いなじまぬ真白なめしを、三度々々食っている。宿の支払いは、十日ごとに本多が工面してきてまず滞《とどこお》りがなかった。米が食える

ということが、顕助にとって脱藩後のくらしでのたまらぬほどの楽しみであった。

顕助の生家浜田家というのは、土佐藩家老深尾家の知行地佐川郷の勘定役で、郷士より以下の身分である。郷内でこそ士格であったが、お城下の高知へゆくと、庶人の待遇をうけた。

食禄は、わずか二人半扶持である。一人扶持が一日玄米で五合ということだから、一家に一日につき米が一升二合五勺が給せられるわけであるが、これで副食物、日用品、衣類などを買いまかなわねばならぬため、ほとんど食うや食わずの生活であった。当時、顕助の一生の希望は、「たった一度でよいから紙衣《かみこ》を着てみたい」ということであった。紙衣とは、仙花紙に柿の渋をぬったもので、土佐藩では、毎年正月になると、士格以上の者は紙衣を着て殿様の前へ年賀のあいさつに出る。そういう暮らしをしてみたい、ということである。

だから顕助は、お光とのこともあったが、それよりも鳥毛屋のめしに離れがたくて、のまず食わずの山陰遊説などには行きたくはなかった。人一倍、顕助は、生きる欲がつよくうまれついているのであろう。

が、これが幸いした。

山陰組は、悲惨な最期をとげた。

この組の中心的な人物は、土佐高岡郡半山《はやま》村姫野々《ひめのの》（現在葉山村）の出身で、千屋金策であった。

兄の千屋菊次郎は、蛤御門ノ変で長州軍に陣借りして戦い、敗走後天王山にこもり、浪士隊の首領真木和泉らとともに切腹した十六人のひとりである。自刃の前に弟金策への遺書をかいて大和の人大場逸平に託した。

其許《そこもと》（金策）においては、われらが遺志をつぎ、必ず再興を謀《はか》り申さるべく、もしもその儀、能はずば、七生までの勘当なり。能《よ》く死を遂げ候時は、これまでの罪科、許すべき也（罪科とは、金策はこの事変に参加するはずであったが、大坂で病いに倒れ、当時長州藩の大坂藩邸で病臥中であった。それをさす）。

なお、この大場がもたらした十六人の志士の遺書のなかには、真木和泉の有名な辞世の歌も入っていた。「大山《おおやま》の峰の巌《いわお》に埋めけり、わが年月《としつき》の大和魂」

亡兄が、再挙のために死ね、といった。千屋金策は、そのつもりでいた。ちなみに、千屋家は、顕助の生家などとはちがい、富裕な郷士で庄屋をかねていた。暮らしの不自由などは知らずに育った点、同志中、唯一のお坊っちゃん育ちといっていい。それだけに、人柄がどこか、あまくできていた。

各地を巡歴して、作州路（いまの岡山県）に入り、久米郡吉岡村の慈教院という田舎寺に逗留した。住職某が勤王僧だったからである。

吉岡（現在柵原町《やなはらちょう》）は津山城下から南三里の山峡にあり、郷中を吉井川が流れている。

三人はここで十数日足をとめ、近在の若者に剣術を教えて米塩《べいえん》の資を得つつ、作州国内の志ある者に義軍の参加をすすめてまわった。

が、いよいよ活動資金にこまってきたので慈教院住職に相談した。

「工夫はある」

と、住職はいった。この吉岡から東北へ小一里ほどはなれたところに、百々《どど》という部落がある。

「百々の池上」

といえば近在きっての金持で、造り酒屋を営んでいた。さいわいその池上家（当主は文左衛門）の奉公人が数人、かれらのもとへ剣術を習いにきていたので、縁がないことはない。しかも住職の話では文左衛門は読書家で、平素、やかましく勤王論を説いているという。

「拙僧から、あらかじめ話しておきますから、あすにでも掛けあいに行かれるとよい」

明朝、出かけた。

なるほど蔵の十もならんでいる宏壮な屋敷である。

住職の紹介状を渡すと、客間に通された。が、文左衛門は容易にあらわれず、半刻《いちじかん》ほど待たせて、やっと出てきた。

三人は、じゅんじゅんと勤王の義を説きはじめたが、文左衛門は薄ら笑っている。千屋ら三人の風体のひどさをみて、軽侮したのであろう。

いざ軍資金を、と切り出した。かならず他日返済する、ともいった。このとき文左衛門は、薄ら笑いをつづけたまま、こういったという。

あなた方は、勤王とやらのためと申されまするが、勤王とはまさか金を無心することではござりますまい。事成るのあかつきは必ず返金する、といわれるが、いつ事が成るのじゃ。そんな雲をつかむような話に金を貸すばかがどこの世界にあろうか。そのようなことより、御浪人衆、金がほしければ欲しゅうございますと、なぜ手をついて泣きつかぬ。正直に泣きついたほうが可愛らしゅうござります。

三人、激怒した。

「われわれに乞食のまねをせよと申されるのか」

「乞食ではないか」

文左衛門がいったとき、千屋金策、おもわず刀をぬいた。

「おのれを斬って、わしも死ぬ」

文左、わっとわめいて逃げだしたが、途中妻女と番頭がとびこんできて、金策らに抱きつき、

「御勘弁くださいませ。主人はああいう高慢な口跡《こうせき》がくせなのでござります。御用金のことならば、ここに用意をしてござります」

五両ばかりのわずかな金を、鬱金色《うこんいろ》の袋に入れて番頭は千屋につかませようとした。

「金などは要らぬ。主人を出せ」

と、千屋はもう半狂乱であった。天王山で死んだ兄の名が汚された、と思った。

しかし、番頭その他家内中が出てきて平身低頭して詫びたので、やむなく金をうけとった。

池上家を出た。

そのとき、文左衛門とその伜輝道《せがれてるみち》というものが村役人のもとに走って、

「ただいま、強盗が入りました」

と告げたため、半鐘が鳴りわたり、それが隣り村から隣り村へと伝わって、またたくまに四方一里の百姓が、手に手に竹槍、田切鎌《たきりがま》、鳥銃をもって街道の辻々に屯集《とんしゅう》した。

百姓どもは、四人（一人は、たまたま慈教院をたずねてきた備前浪士山中嘉太郎。山中は文

久三年、京都の等持院で足利将軍三代の木像の首を刎ね、逆賊として三条河原に梟《さら》した連中の一人である）を追いまわし追いまわしして、鳥銃を撃ち、石を投げつけたりしてきた。

「いや強盗ではない。事情はこうだ」

といって金袋を投げ返したが百姓どもはきかず、ついに腕自慢のものが、井原応輔にむかって竹槍を繰り出してきた。やむなく井原はそれを斬った。騒ぎは一そう大きくなった。四人は百々部落から五里むこうの英田《あいだ》郡土居の宿場に、安東正虎という勤王同情の庄屋がいることを知っていたため、そこへのがれようとした。

が途中一里、江見村警固坂《けいござか》を越え、門尻という部落までたどりついたときには遠巻きの人数がいよいよふえてきて、もはやのがれられぬと知った。

門尻に村社がある。

現在《いま》、竹田神社という社名になっている。

四人は百姓に遠巻きされながらその境内に入って手洗水《ちょうず》をつかい、神前に拝礼し、やがて境内のそと、街道へ出た。

「もはやのがれられぬ」

街道に松並木がある。そのうちの老松をえらび、まず山中嘉太郎がすわって、腹をくつろげた。

「千屋君、介錯をたのむ。われわれは事志とちがい、かような名もなき片田舎で強盗の汚名を着て死ぬ、せめて、首は笑顔でありたいとおもう。笑っているうちに、首をおとしてくれ」

首が落ちた。笑っていた。

つぎに、井原応輔、島浪間が、

「われら、家郷を脱走して王事のために奔走してきたが、野盗の汚名を着て死ぬ。魂魄《こんぱく》となっても永《とこし》えに恨みは尽きぬであろう」

と、刺し違えて死んだ。

が、井原は傷が急所をはずれたため路上で半日息があり、通りかかる者があると、

「介錯をたのむ、たのむ」

と自分の刀をさし出して懇願したが、「強盗は苦しめばよい」としてたれも相手にならず、ついに噂をききつけた土居村の医師福田静斎がやってきて、礼をもって介錯してやった。

千屋金策は、このころにはこの現場をとっくに立ち去っている。自分らの汚名について弁解するため、土居村の町方総代武藤太平に会い、両刀をあずけ、物語ろうとした。が武藤は作り笑いをうかべながら、

「まずこれなる旅籠へ」

と泉屋という屋号の宿に案内し、体よく監禁した。このため千屋金策は弁明する相手

のないまま、遺書二通をしたためた。

一通は漢文である。

「民を安んぜんと欲して却《かえ》って成らず、死して神となり、夷を攘《はら》い、もって宸襟を安んぜんとす」

いま一通は和歌で、その大意は、

「夷《えびす》らを斬りつくさんと思うことのみがわが起き伏しの願いであったのに、こういう事情で死ぬとは、なんという不運であろう」

兄菊次郎は、かれに「死ね」と遺言した。金策は、泉屋の奥の間で用意の短刀をとりだし、まず腹を十文字に切り裂き、のどを突いて作法どおりに切腹した。

その直後、近在の若者が数人、火消の鳶口《とびぐち》をもって躍りこみ、死体をさんざんに傷つけている。

かれらの死体は数日路上にすておかれた。ところが遺書その他から真相がほどなく村人のあいだに判明し、土居村の百姓どもは、死体の上に土をかぶせた。しだいに土をかぶせる者が多くなって、人のたけほどの高さの土饅頭が四つできた。やがて塚のそばに幟《のぼり》が立てられ、香華《こうげ》が献ぜられ、界わいでは「四ツ塚様」とよんで、一種の流行神《はやりがみ》になった。百々村の池上家はひどく近郷から憎まれ、とくに土居村では俗謡がはやった。

「西に百々の酒屋（池上）がなけりゃ、若い侍ころしゃせぬ」

また、童女の手まり唄にも、こういうのがある。

「山家《やまが》なれども土居の村ァ名所、今日も詣《まい》ろで四ツ塚様へ、花を立てましょ手まりの花を、ヒーフーミーヨー何時《いつ》までも」

明治三十一年、墓は改葬されていま土居小学校の校庭のそばにある。


顕助は相変らず、鳥毛屋にいたが、ある日お光がこの女にしてはめずらしく顔色をかえてやってきて、

「何やしらん、お武家はんが町年寄はんをつれてやってきて、半刻《はんとき》ほどひそひそ話しこんだはりましたが、貴方《あん》さんらのこととちがいますやろか」

「武士が？」

顕助はむろんそのとき知るよしもないが、それが松屋裏町の剣術使い万太郎狐であった。

宿泊人はたしかに土州浪士か、ということを念を入れて確かめにきたのである。長州、土州の浪士ならば斬りすててよし、しかし他藩の藩士、浪士ならば、うかつに手を出すと本藩が故障を入れて時節がらなかなかうるさいことになる。

土佐藩は支配層が佐幕だったから、勤王運動をしている土佐人に対して冷酷で、京都でも新選組に斬られる者は多くは土佐人であった。斬られても藩が何の故障もいいたてないから、幕府方では遠慮なしにやった。幕末、もっとも多く血を流した集団の一つは土佐人であったが、藩としての行動でなかったために、維新政府は薩長に独占された。維新後よくいわれた比喩に、「土佐の志士は、長州のミカン畑のコヤシになり、薩摩の諸畑《いもばたけ》のコヤシになった」というのがある。かれらの流血はほとんど酬《むく》われず、維新後、自由民権運動に奔《はし》って、反薩長政府の行動をとったのは当然であった。もっとも維新政府で酬われた者も相当数は居た。が、かれらの多くは、維新後でさえ母藩を恨み、「土佐藩はあのあぶない時期に一度も庇護《ひご》してくれなかった。むしろかばってくれたのは長州藩で、われわれの故郷は長州であるといいたい」といった。もっとも長州藩も、結果的には土佐浪士を危所に使ってずいぶん得をしている。

ついにお光も訊問《じんもん》された。利口な女だからぬらりくらりととぼけていたが、

「あの若い武士は本名何というのだ」

と万太郎狐がきいたとき、

「さあ、何といわはりますのやろ。よう知りまへんけど、皆さんから、トント、トント

と可愛がられてはりまっせ」

と冗談まじりについ口をすべらせた。お光は気づかなかったが、万太郎狐は心中、うなずくものがあった。

(稚児《とんと》とは土佐言葉ではないか)

これで素姓が明確になった。

しかしお光が訊問されるころには、顕助もさすがに鳥毛屋は危険とみて、

「旅に出る」

と、那須らとともに姿をくらましていた。その実、松屋表町のぜんざい屋本多大内蔵に身を隠したことは、お光だけが知っている。

その二階では、あいかわらず、大利鼎吉が終日だまりこんだまま、焼玉を作っている。たいくつすると、こより細工をつくることも相変らずであった。

「器用なものですな」

顕助は、感心した。この界わいは玩具問屋がびっしりと軒をならべているが、これほど器用な細工をつくる職人はちょっと居まい。

「俺《うら》ア、子供が好きなんじゃ、店に遊びにくる子供に呉れてやるんじゃが、なかでもおさんちゅう娘《いと》がお転婆《はったか》での。よう肥えはちくって、俺《うら》の兄の娘《いと》とそっくりじゃ。これはその娘《いと》に呉れてやるつもりじゃ」

親指ほどの姫人形で、人形の首は買ってきたものだが、衣裳はすべてこよりで作り、きれいに彩色もしてある。

この日は、かれらが大坂にやってきた日から三月目、年がかわって慶応元年正月六日である。

階下の土間に幼女の声がして、どうやら大利鼎吉のいうおさんのようであった。

大利はすぐ降りて行って、自分のつくった人形を懐紙につつんで呉れてやった。

幼女が喜んでいる声が階上まで伝わってきた。顕助が階段の口からのぞくと、なるほど肥えはちくった市松《いちまつ》人形のようなこどもである。このこどもが、偶然ながらも大利の運命を変えようとは、顕助も大利も、むろん神ではないから気づかない。

裏町に、万太郎狐の道場がある。

娘のおさんがもどってきて、父親の万太郎狐にそのこより人形をみせた。

「ほう」

万太郎もその細工には感心し、いったいこれをたれにもらったのか、ときいた。

幼女は、表通りのぜんざい屋の二階にいる浪人からもらった、といった。

「ふむ?」

と、万太郎狐は眼をひからせ、その浪人のことを幼女が知りうるかぎり訊きただした。

実は、鳥毛屋から、土佐浪人が一人のこらず消えてしまっている。

「浪人は何人いる」

「一人きりのときもあるし、四人も五人もいる時もある。しかしきょうは二人だった」

という意味のことを、幼女はまだまわりにくい舌でいった。

万太郎狐は門人をつかって探らせた。

その結果、どうも土佐言葉であるという。

「鳥毛屋の浪人に相違ない」

その日のうちに、本町橋の西町奉行所へ駈けつけて一部始終を話した。

なにしろ将軍が大坂在城中のことだから奉行所でも神経をとがらせ、すぐ大坂城代松平伊豆守の公用人まで伺いを立てると、事がひどく重大になってきた。

「定番《じょうばん》の諸兵を動かそう」

この役には、定法として譜代の小諸侯があてられている。当時は、大和櫛羅《くしら》一万石の永井信濃守、大和柳生一万石の柳生但馬守、大和柳本一万石の織田筑前守で、この三藩の兵が松屋町筋まわりを厳重に警戒することになった。

討入りは、新選組の万太郎狐。

幕府というのは万事先例主義だから、去年の夏京都三条の池田屋のときも、諸藩の藩兵、町奉行所の人数が遠巻きをし、新選組が斬りこんだ。

「ぜひ、拙者の手で」

と、万太郎狐が申し出たためでもあった。またとない功名の機会である。新選組にはまだ名義のみの加盟だが、いよいよ入隊のばあいの絶好な手みやげになろう。

むろん、奉行所の飛脚を借りて、京都の屯営には、局長近藤勇あて手紙を送り、「火急のことゆえ不取敢《とりあえず》、拙者の門弟のみで討込み可 申 候《もうすべくそうろう》」と報らせた。

その夜から、万太郎狐は火のついたようにいそがしくなった。

門弟、とは聞えがいいが、例の苗字もたぬ大坂町人ばかりで、刀の使いかたも知らず、刀らしいものを持っていなかった。

その中から十五人を選んだ。この界わい持てあましの博奕《ばくち》打《うち》や無頼漢《くすぶり》、火消といった連中ばかりである。

万太郎狐はその夜おそく使いをほうぼうに走らせてかれらを道場の板敷にあつめ、

「お上の格別な御沙汰が当道場にくだった。右の次第であるによって、おのおの一命を惜しまず神妙に働くように」

といいわたした。みな慄えあがり、なかには小便を洩らした者もあるそうだ。

「刀がおまへンねや」

と口々にいったが、そこは万太郎、ぬけめなく用意してある。城代からくだった金で、三朱から一両までの安刀をその日のうちに買いあつめてあった。仕入刀《しいれがたな》というやつで、大坂の刀屋がさかんに作り、それを日本橋《にっぽんばし》の露天で山と積んで売っているやつだ。拵《こしら》えも中身も型で押したように画一のもので、この手のものが、時節柄よく売れた。むろん切れ味は庖丁程度の粗悪品だが、これよりのち、長州が農民を兵隊に仕立てて刀を持たせたときこの手の刀を大坂からどっと買い入れた。そのため一時は、勤王刀といわれたこともある。

鉢金《はちがね》、鎖帷子《きこみ》は、奉行所から借用した。

「日ごろ教えたとおりにやりばよい。とにかく真剣では相手より、先へ先へと踏みこめば負けることはない。受けず、かわさずに面、肩、籠手へ撃ちこんでゆく。胴を払おうと思うな。眼をつぶってでも、まっすぐに振りおろしてゆく。かならず勝つ」

すぐ酒樽の鏡をぬき、みなに茶碗をくばって、万太郎狐みずからひしゃくで注《つ》いでまわった。

「相手《さき》は何人だっか」

「わからん」

事実、いまも、奉行所の密偵数人をはなっているのだが、夜分のためその報告がどうも要領を得ない。

「しかし、十人はくだらぬだろう。なあに、こっちは諸藩の後詰めが何百と辻々をかためることになっているのだ。案ずることはないし、手にあまるような相手がおればわしが斬る」

「どんな悪事を働いたやつだす」

「強盗だ」

土佐浪士である、とはいわなかった。いえばこの連中はおぞ気をふるうだろうとおもったのである。

「諸藩の兵が部署につくまでに多少の時間がある。来着すれば合図があるから、そのときが出陣ということになる」

万太郎狐は大げさにいったが、出陣といっても、この裏長屋を百歩も駈けぬければ、もうぜんざい屋である。

四

その刻限よりすこし前、ぜんざい屋の二階で、顕助が、大利にいった。

「ひょっとすると今夜あたり、鳥毛屋に国許から中沼幸太郎(かれらの同志。事歴不詳)がやってきているかもしれぬ。ちょっとみてきます」

「この夜分に。――」

大利がちょっと表情を曇らせたのは、すでに顕助とお光の関係に気づいていて、顕助がなにをしにゆくかがわかったのだろう。

大利鼎吉がお光とどの程度のかかわりであったかは今となってはわからないが、すぐ

この男特有の澄んだ表情にもどって、

「ではお光さんにこれをあげてくれないか」

と、こより細工の兎《うさぎ》を渡した。お光は卯年《うどし》うまれなのである。

「すぐ戻ります」

この夜は、あいにく橋本鉄猪、池大六は河内久宝寺の庄屋飯島家に義挙の相談に行っており、那須盛馬も外出中であった。本多家の屋根の下にいるのは、町人姿の本多大内蔵とその母お静、妻おれん、それに、大利鼎吉の四人である。大利はひとり、二階にいた。

やがて二更《こう》（亥の刻、午後十時）の鐘がきこえたが、大利鼎吉はまだ寝につかず、差料の手入れをしていた。この刀は、天誅組の大将であった侍従中山忠光が佩用《はいよう》していた半太刀で、銘不詳、こしらえはめずらしく太刀造りである。

そのとき、家鳴《やな》りがするのと、雨戸を打ち破る音がしたのと同時であった。

（来たっ）

と大利が立ちあがったときは、階下にいたこの家の当主元武者小路家の公家侍本多大内蔵は、裏口から逃げていた。

置きざりにされた本多の老母、妻はその場でからめ捕られた。路上にほうり出され、奉行所の牢に入れられたが、その後どうなったかわからない。

「二階だ。――」

と、万太郎狐は馬乗り提灯を腰につけ、階段をふた足ずつ駈けあがった。その昇りきった階段の口で、大利は足をあげて万太郎狐を蹴おとした。が、そのときは大利鼎吉も、肩に一太刀受けてしまっている。

その隙に二階から、屋根づたいに遁《に》げようとしたが、討入り側にそれだけの用意があり、裏から梯子二つを掛けて、万太郎狐の師範代通称正木直太郎、それと炭屋町の某が、とびこんできた。

大利は、畳の上に左ひざをついて折り敷くなり、正木直太郎の右腕を斬って落した。そのすきに、炭屋町の某が、例の仕入刀をめったやたらとふりまわしたため、その一太刀が右肩にあたって、大利はころげた。

起きあがるなり太刀をふるって炭屋町の腰を撃ちのめしたが鎖帷子《きこみ》で刃が立たず、そのうち階下から万太郎狐がふたたび駈けあがってきた。

「――」

とふりかぶるよりも早く、

「奸賊っ」

と、大利は、足をはらった。これが、こ、よ、り、細工の人形をつくってやったお、さ、ん、の父親とは、大利はむろん知らなかった。

万太郎、さすがに剣術師匠だけあって大利の太刀をとびあがってかわし、かわしつつ上段から真向に打ちおろした。

が、剣尖《けんさき》が、天井を切ってとまった。そのすきに大利はさらにすねをねらった。大利は、蛤御門での実戦の経験者で、鎖帷子を着込んだ相手には、すねをねらう以外に手がないことを知っていた。

ざくっと万太郎狐の右のすねを斬ったが、万太郎も気が立っていたためこれほどの衝撃に気づかず、大利の頭へ撃ちこんだ。

昏倒《こんとう》した。

すかさず万太郎狐、走りよって背から垂直に刃を突きとおしてとどめをさし、

「討ち取ったり」

とわめき、さらに二階の手すりに身をのりだして路上の諸藩の藩兵に、

「谷万太郎、首魁《しゆかい》を討ちとめました」

と数度叫んだ。

すぐ屋内のほうぼうに提灯を掛け、死体をあらためたところ、手帳が出てきた。雑詠幾首か書きとめてあるなかで、まだ墨の湿りのある詠草《えいそう》があった。

「もとよりの軽き身なれど大君に、心ばかりはけふ報《むく》ゆなり」

暗合している。大利鼎吉はむろんこの事件を予想していたわけではなかったろうが、

何らかの予感があって、感興の湧くままに書きとめたのであろう。

偶然、辞世の歌になった。

顕助は、鳥毛屋で事件を知り、その夜、那須盛馬と落ちあって、大和十津川の山中にのがれ、折立村《おりたてむら》の文武館に潜伏し、その後町人の姿に化け、十津川、熊野の山中を転々とし、七月になってようやく土佐浪士の指導者中岡慎太郎をたよって、京へ潜入した。

維新後、陸軍少将、ついで武職をやめ、参事院議官、元老院議官、警視総監、貴族院議員、宮中顧問官、学習院長、宮内大臣を歴任し、明治四十年、伯爵を授けられた。

「宮内大臣の職にあること十一年、宮中に絶大な勢力を扶植した。しかし辞任に際してはとかくスキャンダルも噂され、その後、政界、官界の表面から姿を消した」と、河出書房新社刊「日本歴史大辞典」のうち、川村善二郎氏担当の記述にある。

顕助。

没したのは昭和十四年。

九十を過ぎてもなお精気横溢《おういつ》し、春画のたぐいを集めたり、座談でたくみに好色譚《こうしょくたん》をまじえて訪客を笑わせたりした。

九十を過ぎてから朝日新聞の記者が、

「閣下の御長寿の秘訣《ひけつ》は。――」

と訊きにきたとき、しばらく考えて瞑想した。おそらく幕末風雲のころを想いだしたのであろう。めずらしく生真面目な顔で、

長生きの術《すべ》やいかにと人問はば
殺されざりしためと答へむ

と詠んだ。

才質さほどでもなく、維新の志士のなかでは三流に近かったが、一流はほとんど死に、顕助、ただ奇蹟的な長寿を得たために多くの栄誉をうけた。晩年は維新殉難の志士を毎日回向《えこう》して暮らした。かれが自筆でかいた大冊の過去帳が、故郷高知県佐川町の「青山文庫」に保存されている。

最後の攘夷志士

一

すでにご存じの田中顕助。

土佐浪士である。

読者は、おもいだしていただけるであろう。この稿の「土佐の夜雨」のときは、まだ二十歳の田舎書生で土佐の草深い佐川郷に棲《す》んでいた。叔父の那須信吾が藩の参政吉田東洋を暗殺したとき、走り使いをさせられている。

のち、脱藩。

「浪華城焼打」では、長州藩へ奔《はし》った。当時まだ幼な顔がのこっていた。ちょうど長州藩は、幕府の長州征伐の火事場さわぎの真最中で、顕助は後方攪乱《かくらん》をうけもち、幕軍の根拠地である大坂に潜入し、数人の同志で大坂城に焼打をかけようとして、失敗した。

その後、幕吏に追われ、大和十津川の山中にかくれた。

ようやく京に潜入したときは、時勢が急転し、薩長による討幕計画が実行段階に移ろうとしていた。おりから洛北白川村で浪士団陸援隊をひきいている土佐浪士中岡慎太郎を知り、顕助はさっそく入隊し、入隊早々、中岡が同藩のよしみで副長格に抜擢してくれた。

ほどなく、中岡隊長が幕吏に暗殺されたため、顕助が隊長代理となった。このころの顕助については「花屋町の襲撃」の稿に登場している。

顕助、運がよすぎる。

陸援隊長代理になったとたんに、王政復古、討幕、と舞台がまわった。

このため一昨々年前に土佐をとびだしたばかりの二十五歳の青年が、周囲のめまぐるしい変化で、にわかに土佐討幕派の巨魁《きょかい》のひとりにのしあがった。乱世である。

いや、顕助自身も茫然としたのは、討幕の密謀主である薩摩藩の大久保一蔵にひそかに呼ばれ、

「すぐ、侍従《じじゅう》の鷲尾隆聚卿《わしのおたかつむきょう》を奉じて京を脱出し、紀州高野山にのぼって義軍をあげてもらいたい」

といわれた。大久保のいうところでは、幕軍の主力数万が大坂にいる。日ならず、京都の薩長と京坂の間で戦火をまじえることになろう（果然、これより二十数日後に鳥羽伏見の戦いがおこなわれた）。そこでいざ開戦のばあい、紀州徳川家五十五万五千石の向背《こうはい》が問題である。これを足下《そっか》は陸援隊残党をひきい、高野山上から牽制《けんせい》してもらいたい、ということであった。

さっそく顕助は、旧陸援隊士のほかに同志の浪士をあつめて四十数人の隊を作り、幕吏の眼をかすめて京をぬけ出た。

余談だが、途中、堺に入り、大坂湾沿岸にさしかかったとき、公卿の鷲尾隆聚が、薄化粧、おはぐろをつけた口をひらいて、

「あれはなんという湖や」

ときいた。「海でござる」と隊長の顕助がいうと、

「さよか。まろは湖かと思うたで」

と何度も感心した。公卿というのは京から一歩も出ないから、これほど世間というものを知らない。こういう公卿が総督で、しかも軍略を知らぬ自分が隊長（職名は参謀）だから、さきざきどうなるかとおもった。

（軍師がほしい）

とおもった。兵はいまでこそ四十数人だが、大和十津川の郷士によびかければ、たちどころに何百人かになるであろう。

が、軍は頭脳で動く。軍略家が必要であった。さがそうとおもった。

高野山では金光院《こんこういん》を本陣とし、四方に募兵した。大和十津川郷には、とくに別勅をくだしたため、七百人が参加し、総勢八百人という大部隊になった。

紀州徳川藩では、戦略的には和歌山城の頭上にあたる高野山に、にわかに「勅命軍」が湧くようにあらわれたため一驚し、とりあえず重臣伊達五郎を使者に立て、千両箱一つを「御軍資金の足しにも」と持ってきた。まったく無銭旅行同然で高野山にのぼってきた浪人隊だったから、顕助らはほっと一息つき、鷲尾卿などは、

「これで勝ったようなものやな」

とよろこんだ。兵も集まり、金もできた。あとは、作戦家である。

「いい工夫はないか」

と、水戸浪士で、顕助と相役をつとめている香川敬三（のち伯爵・皇后宮大夫）に相談した。香川は幕末の一部の志士から「品性劣等」と悪罵されるような面のある男だが、早くから風雲のなかを流転してきた男だけに、諸方の人物をよく知っている。

「妙な坊主がいる」

といった。学問がある。国学者であり、和歌がうまい。軍書にも明るい。しかも、熱狂的な攘夷論者だ、と香川はいう。

「この坊主を連れ出そうではないか」

「学者か」

顕助は、眼をかがやかせた。顕助には学問というほどのものはない。しかし学者というだけでは戦さは動かせぬであろう。

「その点はどうじゃ？」

「いや、この男は戦さができる」

「名は？」

「浄尚《じょうしょう》、と申したかな」

大坂にいる。門徒坊主である。大坂きっての東本願寺派の大寺である願教寺に寄寓しているという。もとは大和添下《そうのしものこおり》郡椎木《しいのき》村浄蓮寺という村寺のうまれである。年のころは顕助より五つばかり上だという。

「なんだ、そいつは」

「天誅組の市川だよ、市川精一郎」

「あっ」

と顕助がおどろいたのは、天誅組にも生き残りがいたか、ということである。ほとんどは戦死し、刑死した。顕助の叔父の那須信吾もそうであるし、土佐勤王党では顕助の大先輩にあたる吉村寅太郎もそうであった。この四年前の事件は、革命の時期を早期に判断しすぎて大和で暴発し、幕府諸藩の追撃をうけて潰滅した。幕末勤王史上の悪夢のような事件である。

その坊主は、高名ではない。幹部の藤本鉄石の南画の弟子であり、おなじく幹部の伴《とも》林光平《ばやしみつひら》の国学の弟子である。そういうつながりから大和義挙をきいて、はせ参じ、伍長格となった。

天誅組が、大和高取城の嶮阻《けんそ》にこもる植村藩を攻撃したのは文久三年八月二十五日で、これは天誅組がわのさんざんの敗北におわった。

無類に下手な攻城戦で、天誅組は、急募の十津川兵千人に不眠不休の行軍をさせ、そのまま天下の名城といわれた高取城の山坂を縦隊でのぼらせた。当然の敗北である。

その坊主は、潰走する敗軍のなかで、

「こんな馬鹿な戦さはない。主脳部は戦さを知らなすぎる。ああいう主脳部と、大事は共にできぬ」

とさんざん罵《ののし》り、そのまま敗軍にまぎれて大和から姿をくらましてしまった。

大事とは、攘夷である。新政府を樹立して横浜、下田、長崎などの開港場にいる外国人を武力で神州の地からおっぱらうことであった。この勤王攘夷こそ天誅組の眼目であり、この坊主の強烈な主義であり、同時に、この顕助らの高野山義挙の眼目でもあった。

「その後、鳥取藩領にのがれて、同志の国学者飯田年平の屋敷にかくれ、しきりと第二義挙の同志を募っておったが、事が成らず、とうとう大坂へ舞いもどり、親寺の願教寺でまたもとの坊主になっている」

「そいつはいい」

顕助は香川に頼み、大坂願教寺に行ってもらった。

期待がある。天誅組の殉難者、生き残りといえば、その後の勤王運動家にとっては聖徒のようなものである。

二

坊主、改名して三枝蓊《さえぐさしげる》。

顕助が、この三枝蓊に会ったのは、慶応三年十二月十三日である。

三枝は、夜、雪を冒《おか》して山麓の学文路《かむろ》から不動坂をのぼってきた。本陣の金光院の門前で笠、合羽《かっぱ》をぬぎ、はらりと雪をはらったのを、顕助は、偶然、番卒の背後で見ていた。

「三枝です」

と、番卒にあいさつした。背の高い落ちついた男である。坊主頭に黒木綿の紋服、腰には粗末なこしらえの大小を帯びていたが、体つきはたくましい。武芸で練りあげた体であろう。

（これは頼もしい）

番卒が三枝を案内した。顕助はこっそりあとをつけた。かねて、番卒に自室へ案内しろといいつけてある。

三枝は、白洲の積雪を、ゆっくりと踏んでゆく。やがて、その雪の中で足をとめ、

「おたずねつかまつりますが、鷲尾侍従様はいずれにおわします」

と番卒にきいた。

「あれに」

と、番卒が方丈を指さすと、三枝はいきなり大刀を脱して雪の上に正座し、その方角にむかって拝礼した。

「和州添下郡の住人三枝蓊、ただいま王事に身命を捧げまつらんがため、参上つかまつりましてござりまする」

(堅い男だ)

顕助はおどろいてしまった。むろん鷲尾侍従には聞こえない。三枝にすれば、御本陣の門に入ると同時に、貴人にあいさつすべきだとおもったのであろう。

ただ、気の毒なことに、三枝は番卒の言葉をききちがえて、宿坊の便所の方角にむかって拝礼していた。

あとで顕助が番卒に、

「なぜ、注意してさしあげなかった」

と責めたが、番卒は、「ご注意など、致せば叱られそうなお人柄でござりますゆえ、ついだまっておりました」と弁解した。そのとおりであろう。

顕助は、すでにさきに戻っている参謀の香川敬三、同大橋慎三とともに三枝に会った。

蠟燭の火が、三枝を照らしている。

（こわいような眼だ）

嶮《けわ》しい、というわけでない。眼が澄んでいて動かず、瞬《まばた》きもすくない。大和人によくある丸顔だが、ただひたいが突き出、その額が両眼を圧している。異相である。

「三枝先生、私は土佐の田中顕助です。参謀をおおせつかっております。――私の叔《しゅ》父《ふ》」

「ああ那須慎吾どの」

三枝は、顕助がそのオイであることを知っている。瞳も動かさず、

「豪強比類《ごうきょうひるい》なき仁でござった。性、豪宕果決膂力《ごうとうかけつりょりょく》人に絶し、渾身これ攘夷という烈士でござった。鷲家口《わしかぐち》で敗軍をたてなおし、みずから突進して大胆にも彦根藩の陣地に単身斬りこみ、彦根の将大館《おおだて》孫左衛門を一刀で斃し、さらに進もうとなされたところ、幕賊の銃丸にあたって即死なされた。かねて拙者にも辞世の歌をお見せくださっておった」

と、容儀《かたち》をあらため、「君ゆゑに惜しからぬ身をながらへて、いまこのときに遭ふぞうれしき」と吟じた。

「この辞世、ご存じか」

「いや」

顕助は参謀の身だから、やや尊大にくびをふった。ところが三枝には、この若僧の参

謀を、むかしの同志の甥《おい》というあたまがある。

「顕助どのも、よく肝《きも》に銘《めい》じなされ」

ぴしゃりといった。

「難物だな」

と、顕助は、あとで香川にこぼした。香川も、連れてきたものの、ややへきえきしたらしい。

「あれは国学者だから」

と、香川はいった。おなじ攘夷主義者でも国学者系の志士は、別の臭味《くさみ》がある。毛色が別だといっていい。荷田春満《かだのあずままろ》、賀茂真淵《かものまぶち》、本居宣長《もとおりのりなが》、平田篤胤《ひらたあったね》、大国隆正《おおくにたかまさ》といった系列から出ており、宗教的な自国尊重者である。かれは、洋学、洋人、洋臭をきらうばかりか、漢学、仏教をも外国思想として極度にきらっている。顕助と同時代の志士では、九州系浪士団をひきいて元治元年蛤御門の幕兵と戦い、天王山で自刃した久留米水天宮の宮司《ぐうじ》真木和泉や、但馬の生野銀山で義兵をあげ、京の六角堂で獄死した筑前浪士平野国臣《くにおみ》などはそうであった。平野は通称二郎といったが、かれの復古思想から国臣と改名し、大刀の帯びかたも異風であった。「戦国以来、武士は刀を差すが、あれはまちごうちょるたい」と、中世の武士のように腰に佩《は》いていた。幕末、ひと口に攘夷志士というが、この国学系統の志士はひどく宗教的で、行動も勁烈《けいれつ》であった。明治後なおこの系列は生き残って、熊本で神風連《じんぷうれん》ノ乱をおこしたのは、この精神の残党であろう。

「なるほど」

顕助は、香川と顔を見合わせた。顕助も攘夷党である。しかし本当は血気にはやって風雲の中にとび出し、討幕、攘夷、尊王、と叫んでいるだけで、かれの攘夷には思想というほどのものはない。いや、顕助だけでなく薩長の連中の多くはそうであった。その証拠に、すでに薩長は藩兵を洋式化し、英国とひそかに好誼《こうぎ》を通じ、ただ開港政策の幕府をこまらせるために、攘夷、攘夷とさけび、

「朝廷は攘夷の御方針である。しかるに征夷大将軍（将軍の正称）は、征夷の官職にかかわらず、外夷の威圧に屈している。倒すべし」

と恫喝《どうかつ》し、すでに薩長とも、初期の純正攘夷主義をひそかにすてて、それを偽装しつつ、攘夷を倒幕の道具にしようとしている。

「三枝をどういう職につける」

と、顕助は、年上の香川に相談した。香川は、人のわるそうな微笑をうかべて、

「さあ」

と思案した。当然、三枝は先輩である。しかも歴戦の勇士でありかつ学識者である以上、もし一軍の職につけるとすれば、顕助らと同格の参謀であるべきである。

「まあ、当分、客分のようなかたちで、三枝先生というだけにしておこう。先生、先生と奉っておれば、むこうもよろこぶし、こちらも実害はあるまい」

三枝、そのとおりであった。

べつに、参謀、監軍、監察といった役目をほしがるでもなく、毎日未明に起きて井戸ばたで水をかぶって体をきよめ、京を遥拝し、伊勢神宮の方角をおがみ、そのあと、大剣をふるって数百回の素振りを行ない、

「夷狄《いてき》、夷狄」

と叫ぶのである。

顕助や香川は、方針どおり、

「先生、先生」

とよんだ。三枝は権力欲のうすい男らしくそれだけで満足しているようであった。ただこまったことには、公卿の鷲尾隆聚までが、顕助らのまねをして先生、先生とよびはじめたのである。

「卿にはこまるな」

と、香川はいった。鷲尾卿は、ほとんどの公卿がそうであるように、根っからの攘夷・神州主義者である。しかも、国学、和歌の素養があるから、顕助ら無学な参謀連中より、三枝とのほうが話があう。和歌などのやりとりをしてよろこんでいる。

い。

ほどの犬猿の仲になるのだが、すでにこのころから、多少の萌芽《ほうが》があったのかもしれな

と、顕助は推薦者の香川をなじった。後年、この二人の伯爵は、明治の宮廷で有名な

「が、かんじんの三枝の軍略のほうはどうなのだ」

香川は、こういうことにはうるさい男であった。

「どうやら、鷲尾卿は三枝をわれわれよりも上位の階等に見ておられるらしい」

「君は、責《せ》めるのか」

そういったきり、香川敬三は数日、顕助にはものをいわなかった。

ところが、ちょっとした異変があった。

もの知らずであったはずの鷲尾卿が、にわかに軍略家になってきたのである。

参謀の顕助、香川敬三、大橋慎三の三人をよび、

「兵はまず威を四隣に張ることが肝要や。わが軍、朝命によって紀州徳川藩およびはるか浪華城（大坂城・当時幕軍の根拠地）を後方より牽制している。ところが、兵数わずか七、八百。これでは幕軍も軽侮しよう。されば兵書に擬兵《ぎへい》というものがある。人数を五千はあるかのごとく見せる要がある」

と、高野山の七口《ななくち》に巨札を建て、かつ山内の宿坊に札をつくって、

薩州援軍屯所

長州奇兵隊営所
十津川郷士宿陣
といったような関札《せきふだ》を山上の東西五十丁の間《かん》いたるところに樹《た》てさせ、その陣所々々に雑多な旗、のぼりをひるがえさせることを命じた。

なるほど、妙案である。

さっそく顕助らは実行した。あきらかに実効があった証拠に、あいさつかたがた偵察にやってくる紀州藩の使者たちも、一挙に態度をあらためるようになった。

「田中君、あれは三枝先生の智恵だな」

とまず気づいたのは、香川である。なるほど、そう思われるふしがある。

三枝は鷲尾卿の部屋に入りびたっている。

が、それを制止はできない。理由はないし、第一、三枝には鷲尾卿にとり入って隊の主導権をにぎろうというような欲はまるで見られない男なのである。

ただ、顕助や香川に多少不快だったのは、三枝の態度であった。傲慢《ごうまん》というわけではないが、物腰がわるい。

「顕助どの」

と叔父貴が甥でもあしらうような態度で参謀としての敬意をはらわなかった。

それといま一つは、三枝を中心に朋党《ほうとう》ができはじめたことがある。その朋党の中心は三枝蓊のほかに、山城浪人朱雀操《すざくみさお》（桂村出身。もと京の諸大夫某の家来）、それに武州の剣客川上邦之助《くにのすけ》（のち宮内省主殿寮主事。その女婿は御歌所寄人の千葉胤明《たねあき》翁）で、いずれも隊の幹部ではない。

が、剣客川上邦之助も、その神道無念流の卓抜した長技をもって、隊士から、

「先生」

と尊敬されていた。朱雀操も歌道に長じ、やはり先生とよばれている。この三枝、朱雀、川上の三人は、その熱狂的な攘夷思想でたちまち結ばれて、鷲尾卿のサロンの常連になった。

この義軍には、三人の参謀をのぞき、二十一名の幹部がいる。列挙するのはわずらわしいが、明治後、栄え得た人物をひろってもわりあい多い。たとえば土佐浪士中島作太郎は、のち信行と改名し、貴族院議員、男爵、その長子久万吉《くまきち》は、昭和七年商工大臣になっている。大江卓（当時斎原治一郎）は維新政府につかえたがほどなく辞し、自由民権運動で活躍し、晩年は部落解放に力をつくした。

幹部はほとんどが土佐浪士であり、あとは水戸浪士が多い。要するに薩長と縁の濃い大藩の出身者で、三枝、朱雀、川上の「三先生」はいわば閥外であったために、幹部の座につくことができなかったのであろう。

もっとも「三先生」とも熱烈な攘夷主義者で、ただその宗旨に殉ずることだけでよろ

こんでいるふうがあった。

かれらが高野山上に駐営したのは慶応三年十二月初旬である。明けて慶応四年（明治元年）正月三日から、大坂の幕軍が北上し、京都から南下してきた薩長土の兵と鳥羽伏見で激戦が展開された。

戦況は高野山までわからない。

が、義軍の戦略的使命である紀州藩への牽制はどうやら奏功したらしく、

「動きそうにない」

と、顕助は諜者のしらせでそれを知った。さらに京坂《けいはん》方面の模様は、錦旗受領のために京へ潜入していた大江卓によってほぼ明らかになった。

「勝った、ようである」

という。

すぐ、幹部による軍議がひらかれた。むろんほとんどが血気だけであって戦さの経験のない連中だから、

「このまま高野山に滞陣していてはいたずらに軍功を京都の薩長土に独占させるようなものだ。いそぎ大坂を急襲し、幕軍の混乱につけ入って大坂城を陥落せしむべし」

という勇壮な意見が多かった。

「されば出立《しゅったつ》やな」

と、鷲尾卿がいったとき、軍議の席に入ってきた男がある。三枝蓊である。

「よしたほうがいい」

と、三枝がいった。

「京坂で幕軍が破れれば、逃げる路は、海路江戸か、紀州である。紀州徳川家を頼ってなだれこんでくる人数はおそらく数千はあろうと思われる。あるいはそれらが和歌山城に籠城すればどうなる」

と、例の瞬きのすくない表情でいった。

「義軍はよろしく紀《き》見峠《みとうげ》の嶮に拠って和歌山への流入軍をおさえることだ」

「なるほど」

鷲尾卿はふかくうなずいた。正論である。

「道理や。三枝のいうとおり、田中、香川、すぐ兵を部署しなさい」

「はっ」

といったものの、参謀、監軍といった連中は顔色はなかった。

（いやなやつだ）

と、顕助はおもった。越階《おっかい》行為である。三枝にそれほどの意見があれば、なぜ順を踏み、軍議のはじまる前に、自分にまでその意見を申し出ないのか。

「部署の仕方はご存じか」

と、三枝は顕助にいった。

「老婆心ながら申しあげると、兵二百人を割《さ》いて高野山の二つの関門である神谷口《かみやぐち》と矢立口《やたてぐち》の警備に残しておく。これは警備とともに予備隊《ごづめ》という両面につかえる。総督はこれにお残りあるがよし。お付の参謀は香川君がよかろう」

——それで。

と、三枝は言葉をついだ。

「紀見峠へは五百人が押し出す。これは若い元気な参謀がいい。田中君」

「は？」

答えざるをえない。

「君が適任だろう。私もゆく」

「それがよろし」

と鷲尾卿がうなずいたため、顕助ら居ならぶ参謀は平隊士の三枝から命じられた形になった。

その翌日、顕助は主力を率《ひき》いて山麓へくだり、紀ノ川沿いに橋本へ出、そこから高野の巡礼街道の山坂をのぼりはじめた。

顕助は馬上。

そのそばに、先日京都から受領してきた錦の御旗がひるがえっている。義軍は、官軍になったのだ。

三枝先生は、徒歩である。軍の先頭、数十歩さきを、癖のある怒り肩で歩いてゆく。

ときどき大坂方面から来る巡礼とすれちがった。巡礼はみな馬上の顕助よりも、徒歩の三枝先生に拝礼した。

この男は、眼がするどい。

天性、庶人でさえ打たれる威があったのであろう。あるいは国学系の攘夷志士らしく表情に狂気があり、それに怖れをなしたのかもしれない。

紀見峠の宿場で、分宿した。

夕刻、顕助は三枝先生にたのみ、新募の十津川兵の伍長以上をあつめて、討幕の本義を説いてもらった。戦う目的が兵のすみずみまで滲《し》みとおれば、士気はさらに高まるからである。

「薩長のためにあらず」

といった。

「先帝（孝明帝）ご生涯のご悲願は、ただひたすらに攘夷におわした。幕府を倒そうとまではなされておらなんだが、天子から武権を委任されている幕府が、征夷攘夷の役目をはたさず、果たさざるばかりか、外夷に屈従し、港をひらき、神州の士を夷奴の足に踏ませた。幕府は、先帝の勅命にそむき奉った。皇天皇霊のおん怒りはいかばかりであろう」

幕府は攘夷の勅命にそむいた。だから討伐する、という論旨である。奇説ではない。この攘夷論は、嘉永六年のペリー来航いらい、天下の攘夷志士が奉じてきた思想で、その思想が革命エネルギーとなって時勢がここまで煮えつまってきたのだ。かつての天誅組の殉難志士などは、ただひたすらに攘夷のさきがけたらんとして事をおこした。

（しかしこまるなあ）

とおもったのは、顕助である。天誅組の事件はわずか数年前だが、その後、時流は眼にみえぬ川底でかわっているのだ。攘夷の雄藩といわれた薩摩藩は、英国艦隊に鹿児島を砲撃され、薩摩方の沿岸砲台からうちだす砲弾はすべて海中に落ち、英国艦隊は射程外を悠々遊弋《ゆうよく》しつつ長距離砲撃を行ない、ほとんど一方的な砲戦におわった。その後ひそかに英国と手をにぎり、軍制を洋式化した。

四カ国艦隊の砲撃をうけた長州藩も、おなじ事情で英国と手をにぎり、その軍制も戦術も武器も一変させた。

両藩とも攘夷はすてた。しかし秘密に、である。捨てた、となれば、全国の攘夷志士の支持をうしなう。第一、攘夷の総本山である京都朝廷がおどろくであろう。薩長にとって、「攘夷」はもはや、倒幕の道具にすぎなくなっている。

（三枝さんは、天誅組のころから一歩もすすんでいない）

顕助はもともと思想というほどのものはない。ただ土佐を脱藩してから長州へ身をよせ、第二幕長戦争のときなどは、長州の軍艦にのって艦底の罐焚《かまた》きまでしてきたのだ。時流の変化は、身をもって知っている。

（しかし、攘夷論が変質した、とは口が裂《さ》けてもいえぬ）

聖論、というべきものだからだ。この聖論のために、幾百の先輩志士が血を流してきている。

「どうです、参謀」

と、三枝先生は顕助をふりかえった。

「結構なお説でござる」

顕助は、頭をさげた。

その翌未明。

三里むこうの河内長野方面に出してある斥候《せっこう》から急報がきた。どうやら河内方面から大部隊の幕軍が進撃しつつあるという。

「うろたえるな」

と、三枝は幹部をしずめ、さらにくわしい報告を待った。

その容儀の静かさ、名軍師である。

やがて、人数は五百人とわかった。洋服、洋式武装の幕軍歩兵のほかに、和装の者、雑多の軍である。砲はない。

三枝はすぐ兵を二隊にわけ、一隊を峠の河内側に埋伏《まいふく》し、一隊を宿場の旅籠三軒に押しこんで、いっさいの篝火《かがりび》を消させた。

「いいか、いまの幕軍の速度では、夜のしらじらあけに峠の上に来るであろう。敵味方を間違う心配はない。伏兵がわっと起てば、山上の主力は、槍をそろえて突っこむのじゃ」

さらに銃隊だけをえらんで最北端の旅籠に伏せさせた。

顕助、用がない。

(まあええ。智ある者を使い、勇ある者を使うのが、将の将たるゆえんじゃ)

と、顕助、そういう度量だけはある。

やがて、はるか紀州の海に、慶応四年正月六日の陽が昇ろうとしたころ、わっ、と峠の下で声がした。

眼の下は、もやである。

靄《もや》のなかで、激しい銃声がおこった。

「それ」

と峠の街道の中央で、三枝が剣をぬいた。みな槍をかまえた。

「顕助どん、下知なされ」

と、そこで顕助に指揮を渡した。

「かたじけない」

とつい礼を云い、あとで腹が立った。もっともこのときは夢中で坂を駈けおりていた。

「わめけ、わめけ」

と三枝も、白刃を振りふり十津川農兵をはげました。

みな、声をそろえ、地軸も割れるような必死の叫喚をあげつつ、駈けおりた。

幕軍は、腹背に敵を受けつつ、はじめは押されては果敢に押し返してよく奮戦したが、なにぶん指揮に系統がない。かれらは、京坂方面で潰走した敗残兵で、紀州家を頼るためにこの方面に南下してきた連中なのだ。

その乱戦のなかで、三枝は、

「怨敵討滅《おんてきとうめつ》、怨敵討滅」

と、あざやかな剣をふるった。怨敵とは、攘夷の敵というのであろう。

戦いは三十分ほどで済んだ。幕軍の戦死者のなかに士官服の死体があり、衣服をあらためてみると、辞世の歌一首に職、氏名が書かれていた。

歩兵指図役小笠原鉱二郎で、幕臣としては富士見宝蔵番格であった。

高野義軍の戦闘はこの一戦だけで、あとは閑兵《かんぺい》におわった。

ほどなく下山し、京都に入った。

一同、二条城に宿営させられ、総督の鷲尾侍従は隊を離れて御所にもどり、香川敬三ら諸参謀は板垣退助指揮による東山道征討軍に入り、顕助のみが残留して浪士隊の隊長、というより内実は、

「取締方」

として薩藩の大久保一蔵から命じられた。

「かれらは過激な攘夷論者が多い。なにをしでかすかわからぬゆえ、ひとまとめにして屯宿させておくにかぎる」

というのが理由であった。名は「御親兵」だが、まるで虎狼《ころう》のあつかいである。幕権華やかなころには新選組、見廻組の手で追われ、捕殺され、新政の世になっても危険視されている。

(しかし維新というものは、かれら攘夷浪士の死屍が累《かさ》なり累なりしてゆくうちに気運が盛りあがったものではないか)

とまでは、顕助は考えなかった。そこまで顕助は詩人ではない。かれの一族から、那須信吾、那須俊平という攘夷の「死屍」を出したが、時勢は動いている。若い顕助は、

むしろその時勢のほうに過敏である。

ところへ。

霹靂《へきれき》のような事態がおこった。

鳥羽伏見の敗報をきいて、大坂在陣の前将軍慶喜が海路江戸へむかって脱出したのは、正月の六日である。

京畿《けいき》の地は「官軍」に帰したが、要するに幕軍を追ったその翌日、御所に、

「外国事務総裁」

という奇怪な官職ができた。攘夷のための勤王倒幕であったのに、「外国事務」とは何事であろう。

総裁には、宮様が任命された。ちかごろまで僧侶であられた嘉彰《よしあきら》親王である。

その数日後の正月十五日、

外国交際の儀は、宇内《うだい》の公法なるをもって、これを取りあつかい候間、この段、心得申すべき事。（意訳）

との朝廷布告書が渙発《かんぱつ》された。

これには公卿さえおどろいた。公卿たちは「いよいよ新政府によって外夷撃攘がおこなわれる」と信じていたのである。

この奇術といっていい芝居は、薩長指導者の密計だが、筋書は、公卿のうち薩藩系の

岩倉具視《ともみ》がかいた。

「奸雄《かんゆう》」

といって職を投げた男もいる。岩倉の秘書で、岩倉が、「わが諸葛孔明《しよかつこうめい》」と尊敬していた儒者玉松操《たまつみさお》老人である。

玉松操は、下級公卿の子で、もっとも国学に長じ、名文家として知られた。幕末の名文のひとつといわれる「王政復古詔勅」は、岩倉に頼まれてかれが書いたものだし、官軍の錦旗の図案を考えたのもかれである。玉松はただひたすらに攘夷を祈念してきたのだが、それが、

「朝廷は外夷と交わる」

という。

玉松は岩倉を面罵して、中立売新町《なかだちうり》角の隠宅にこもってしまった。ほどなく明治五年六十三歳で死んだが、岩倉は玉松の長子の真幸《まさゆき》に男爵をおくっている。功臣の死後その子孫に爵位を贈った例は絶無ではないが、めずらしい。岩倉はよほど玉松にわるいと思ったのであろう。

玉松さえ、職を投げた。

まして二条城に駐屯している攘夷浪士の打撃は深刻であった。

「薩長、岩倉にしてやられた」

と、三枝蓊は、これをきいた日、城内表書院の白洲にすわったきり、ただそうつぶやくだけで、乱心の様子であった。

その夜、顕助は、隊中、国学の先生の三枝蓊、歌道の先生の朱雀操、剣術の先生の川上邦之助を呼んだ。

慰撫するためである。

顕助には理論などはないから、

「まあまあ、天朝にも深い御考えがあってのことです。軽挙のないように」

という一方であったが、理窟をいわせれば三先生の方がまさっている。

「顕助どん、叔父御那須信吾はなんのために大和鷲家口で死んだ。叔父御の養父那須俊平は、あの老齢で脱藩し、長州に入り、蛤御門で越前兵の槍にかかって亡くなられたが、その霊は、貴殿をどう思う」

といい、さらに、

「かれら先人は、幕府の開国違勅に憤って草莽《そうもう》より起ちあがり非業に死んだ。しかるに新政府は、往年の幕府同様外国掛を任命し、――外国交際ノ事ハコトゴトク旧幕府ガ締《てい》結《けっ》セシ条約ヲ遵守《じゅんしゅ》スベシ、と告示したそうではないか」

「まあまあ」

「それでいま、討幕の軍を起こしている。徳川討伐の名分が立ちますまい」

「そういえばそうか」
と顕助はおもったが、
「いや、時勢じゃ」
と、わけもわからなくなり、ただ大汗をかいてかれらをなだめた。

三

その前後、相ついで諸藩の藩兵と外国兵との衝突事件がおこっている。正月十一日、神戸を行軍中の備前岡山藩兵が突如、行列の中央に割りこんできた仏人水夫二人に対し、制止し、発砲した。場所が居留地であったために諸外国の領事館の警備兵が駈けつけ、一時大騒動になった事件が、その一つである。

ついで二月十五日、堺で事件がおこった。おりから岸壁に碇泊中の仏国軍艦から士官、水兵多数が上陸し、市中にまで侵入、堺の婦女子で退避する者があるほど乱暴した。市中、櫛屋町、糸屋町に駐屯していた土佐藩兵が出動し、ついに仏人死者三名、負傷者八名を出すにいたった。

「開国」の朝廷は、この事件処理について、かつてかれらが「腰抜け」と罵《ののし》った幕府以上に狼狽し、各国公使の恫喝に対し、ただあやまる一方で、先方の条件に唯々《いい》として応じた。

喧嘩両成敗でなく、土佐藩士二十人に、仏国全権代理の立ち会いの上で切腹させた（うち九名は中止、流罪に）。妙国寺事件である。

かれら土佐藩士は、新政府の「変心」を知らなかった。攘夷こそ天朝への忠義とみた。

君のためわが魂は神となり

早く攘夷のなるを守らん

その辞世の一つである。かれらは攘夷がまだ天子の「大御心《おおみこころ》」であることを信じ、自分の死が無駄でないことを信じて、よろこんで切腹した。

その報は、即日、京につたわった。

「顕助どん、どう思う」

と、三枝蓊が、顕助の部屋に入ってきたのは、妙国寺事件の翌夜である。

「君は土佐の人だ。君の御縁族をはじめ、土佐浪士は多く攘夷のために死んだが、いままた妙国寺で多数の土佐人が血を流した。これが黙視できるか」

「まあまあ」

顕助は、なだめるしか手がない。

「これ以上、洋夷の侮辱に堪えられぬ。幸い高野義挙以来、寝食を共にしてきた浪士団がここにいる。君は立て、立つのだ」

「どうせよ、と申される」

「神戸の居留地を襲撃する。それとも君は、攘夷の志を捨てたか」

「いや」

顕助は逃げるように部屋を出た。出るとき、ふとふりかえった。燭台のむこうに三枚蓊の両眼が、異様に光っている。

(こいつは、何かやる)

しかし、新政府のいかなる顕官《けんかん》もかれを議論によって屈服させることはできなかったであろう。なぜならば、顕官たちもまた、かつては熱烈な攘夷主義だったからである。その間、新政府は「非攘夷主義」だった徳川氏を討伐すべく、錦旗を奉じた諸軍が、ぞくぞく東下している。

一方、諸外国との外交を正式に開始すべく「新元首」の天皇が、各国公使を召見することに決定した。

攘夷派の老公卿大原重徳などは、「されば攘夷は徳川を倒す口実にすぎなかったのか。天下の志士に会わせる面の皮がない」とはげしく反対したが、押しきられた。

ついに、各国公使の宿舎の宿割りまできまった。仏国は今出川の相国寺、英国は東山の知恩院、といったぐあいである。

謁見の日は、二月三十日(旧暦)。場所は御所紫宸殿《ししんでん》である。当時、明治帝十七歳。少年にすぎなかった。

二月二十七日だったという。二条城東苑の老梅を一枝、三枝蓊が剪《き》りとって、竹筒に活けた。かれは、立華《りっか》の心得がある。花が、二輪だけひらいていた。その日、文机《ふづくえ》の上で筆をとり、しきりと文字を添削《てんさく》していたが、やがて一首出来、朱雀と川上をよんだ。

「風懐だよ」

と示した。

朱雀と川上の表情が緊張した。朱雀は歌人だけにたちどころに一首したため、三枝蓊にみせた。三枝は一礼してそれを読み、

「心が一つになったな」

と、めずらしく破顔した。親友の朱雀操も三枝がこれほどさわやかな微笑を見せた記憶がかつてなかった。

「やろう。どの洋夷をやる」

と、朱雀がいった。三枝はうなずき、

「大国がいい。英国とする。公使といえば大将であろう。その首を一刀両断し、安政以来攘夷殉難の志士を弔《とむら》おう」

三枝は、最後の攘夷志士の心境にまでなっていた。自分が時流に遅れつつあることはすでに気づきはじめている。しかし男子たる者が、節を捨てて時流に乗ってよいものか

どうか。

攘夷は、多くの志士にとって天の声であった。三枝蓊も家を捨て、生死の間を流転し、ついにこんにちまできた。死を賭けた攘夷をいまさら捨てられるものではない。

朱雀に見せたのは、辞世である。

今はただ何を惜しまむ国のため
　君のめぐみをわがあだにして

あだにして、とは御親兵に取りたてられた天朝の恩にそむいて脱出する、ということであろう。歌人朱雀操がみせた歌は、さらに悲痛である。もはや攘夷の時代おくれであることを知りつつ、なおその志操に殉ずる、という心懐がこめられている。――

咲きかけて散るや大和の桜花
　よしや憂き名を世に流すとも

咲きかけて、とは、ながい念願であった討幕と王政が実現しつつある、ということであろう。それをみつつ、自分は死ぬ。

ということである。

剣客川上邦之助は、三枝と朱雀に説きつけられて、襲撃失敗後の予備にまわった。この第二襲撃隊にはさらに同志が志願した。松林織之助、大村貞助、出身不詳。

四

すでに英国軍艦は大坂に投錨している。

二月二十八日、英国公使サー・ハーリー・パークスは入洛、宿舎の知恩院に入った。この男は商人のあがりで、機智もあり度胸もあったが、ひどい癇癪《かんしゃく》もちで、怒りだすと手のつけられぬところがある。

知恩院の諸門の固めは、紀州徳川藩をはじめ五藩の兵が任ぜられ、おそらくむかしの将軍警固以上の厳重さであった。維新の元勲たちは、かつての自分の同志が襲撃にくることを怖れている。接待役は、この連作「死んでも死なぬ」に登場していた長州藩士伊藤俊輔であった。往年、品川の御殿山の外国公館に焼きうちをかけたり、開国論者の学者を暗殺したりしたこの男も、いまは新政府の接待方としてまめまめしく働いている。

謁見の日、午後一時。

英国公使は、肥馬にまたがり、浄土宗本山知恩院を出た。服装はどうしたわけか、公式の礼装ではなく、フロックコートである。

警備の人数が、おびただしい。

警視ヒーコックの指揮するロンドン第一警部隊十一騎、さらにブラッソー陸軍大佐指揮の英国騎兵第九連隊の将兵四十八騎、これは絢爛《けんらん》たる儀仗服《ぎじょうふく》である。ほかに英国歩兵。

先頭に立つ道案内は、宇都宮靭負《うつのみやゆきえ》、土肥真一郎といった外国方。

身分ある者としては、薩摩人中井弘蔵（弘《ひろし》ともいう。幕末、英国に留学し、明治後貴族院議員）が裃《かみしも》をつけ、騎乗で、警視ヒーコックと馬首をならべている。

さらに、日本側の先導役代表として、土佐藩参政後藤象二郎（のち伯爵）が、公使のすぐ前で馬を打たせている。

そのあとに騎乗、乗駕、徒歩の英国公使館全員がつづき、海軍医官までが礼装で馬上にある。日本側護衛は肥後藩兵百人。

沿道は、洛中はおろか、近郊近国からこの異風の盛儀を見るために押しかけた見物人でびっしりと人垣をつくっている。整理には肥後藩兵があたっていた。

「この大軍に斬りこめるか」

と、朱雀にささやいたのは、三枝である。林下町の軒下で見物にまぎれこんでいる。

「なあに、洋夷が何人いようと」

と、朱雀は微笑した。三枝もうなずき、かねての作戦どおり、別れ別れになった。

やがて四条縄手通の弁財天町の角で落ちあった。ふたりは道の両側の軒下にそれぞれ待機した。ここも見物客が多い。肥後藩の足軽が、六尺棒をもって懸命に整理している。

ふと、そのうちの抱丁字紋《だきちょうじもん》の肥後藩士が、三枝の眼の異様さに気づいた。

声をかけよう、としたが、すぐ眼をそらし他の部署へ歩き出した。この藩士も、あるいは攘夷論者であったのであろう。しかしきょうの整理は、藩命による仕事である。英人七十人、パークス一行は、林下町から橋本町に出、さらに新橋通に出、その先駆の騎兵隊がまさに弁財天町の町角をまがろうとしたとき、三枝、朱雀が同時にとび出した。

かれらに錯誤がある。真赤な騎兵服こそ、高貴の者とみた。侍大将か、あるいは公使か。と信じつつ、三枝の一刀が、まず先頭の騎兵の一人を斬り落した。つづいて朱雀が、士官らしい男を斬りおとして、中軍へ中軍へと進んだ。わっと混乱がおこったが、なにぶん道路がせまく、見物、行列の人数がひしめき、騎兵たちも、その主要武器である洋槍を十分にふるうことができない。

二人は、つぎつぎと斬り落しつつ、

「パークスは、パークスは」

と求めた。

「暴徒、縦横に飛躍し、手当るを襲撃す。その勢《せい》、すこぶるあたりがたし」

と、記録にある。

英国騎兵の狼狽は極に達した。馬上不自由とみれば、とびおりて闘うべきであったであろう。が、一人もそれをしない。ただ二人の閃々《せんせん》たる白刃におそれたのは、すでに国際語にさえなっている「ローニン」の刀術を過大に評価してすくんだのであろう。

乱軍のなかで、三枝は朱雀を見失った。ときどき、出遭った。どちらも返り血をあびて真赤になっている。が、大将の見わけがつかない。公使がまさか、黒いフロックコートで騎乗しているとは思わなかったのである。

ここに不可解な現象がおこった。警備、整理の役目であったはずの肥後藩兵が、ひとり残らず消えてしまったことである。

されば一行のなかで日本の武士といえば、先頭の通訳二人（御所へ報告と称して逃走）と、土佐藩参政後藤象二郎と、薩摩人中井弘蔵の二人しかいない。

中井は、先頭にいる。

すぐ剣をぬいた。朱雀を追った。

一刀斬りさげたが、朱雀は受けた。とびさがって同時に英国騎兵の槍をはらいつつ、

「武士の情けじゃ。公使はいずれにある」

と中井にきいたが、中井は無言のまま、ふたたび肉薄すると、朱雀はすかさず中井の頭上に斬りつけた。刀鋒間遠《とうほうまどお》く、中井のひたいをかすり斬った。血が、中井の顔を染めた。

そのとき、後藤象二郎はパークス公使とともにまだ元吉町を進んでいたから、四条縄手の混乱がわからない。

やがて伝わってきたとき、後藤、

「御免」

と公使にあいさつして馬からとびおり、コジリをあげて駈け出した。

「英国《エゲレス》のけ、英国のけ」

と後藤は人馬をかきわけつつ走り、やがて中井と激闘中の朱雀操を見つけた。

「乱心者」

一刀のもとに斬った。朱雀、即死。

三枝は、さらにすさまじい。

全身十数カ所の傷を負いながら、馬を斃し人を斬り、その軽捷さ「車輪の如く」だったという。馬上の騎兵が銃をふりあげた。三枝はくるりとふりかえって受けとめたが、刀がつばもとから折れた。

すぐ脇差をぬこうとして腰をおさえたが、さきほどからの乱闘で、ぬけ落ちたのであろう、

「ない」

騎兵の槍につかみかかろうとしたがおよばず、ついに退却を決意した。

背をひるがえした。

となれば、英国兵の混乱は一瞬でおさまり、執銃騎兵が、ようやく銃をかまえる余裕

をとりもどした。

乱射した。

その一発が、三枝の足にあたって転倒したが、さらに起きあがり、人家の軒下へかけこみ、格子をあけ、土間を走ろうとしたとき、ふたたび倒れた。

そこを捕縛されている。

英国側の損害は、斬撃された者九人、倒された馬は四頭。ただし死者はなかった。

当時、二条城にいた浪士取締方の顕助は大いに驚き、即夜、川上邦之助、松林織之助、大村貞助を監禁した。

「捕縄《ほじよう》はせぬ。武士として遇するゆえ、かれらに連繋があったかどうか、ありていに申してもらいたい」

「あった」

と、三士とも昂然として答えた。なお攘夷志士としての誇りをもっていたのであろう。

新政府の刑法事務局では、英国側がこれらの一味の存在に気づいていないことを奇貨としてひそかに隠岐島へ送った。

ただ、三枝と、死んだ朱雀に対しては極刑をもって臨んだ。

かれらの士籍を削り、平民に落し、朱雀の死屍から首を切りはなして、粟田口刑場に梟《さら》した。

同じ梟首台《きょうしゅだい》に、三枝の生首もならんだ。

処刑の場所は粟田口であり、方法は、武士に対する礼ではなく、斬首である。

梟首は、三日。

ほんの数カ月前なら、かれらは烈士であり、その行為は天誅としてたたえられ、死後は、叙勲の栄があったであろう。

かれらは、その「攘夷」のかどで攘夷党の旧同志によって処刑され、ついに永遠の罪名を着た。

幕末、志士として非命に斃れた者は、昭和八年「殉難録稿」として宮内省が編纂収録したものだけで、二千四百八十余人にのぼっている。

そのうち、おもな者は大正期に贈位され、すべては靖国神社に合祀《ごうし》された。

ただ二人、三枝と朱雀だけはそのなかにふくまれていない。

とくに三枝蓊のばあい、文久三年の天誅組幹部の五人のうちの一人として、もしかれが「時流」に乗る気さえあれば……その旧同志でしかもおなじ和州出身の平岡鳩平（明治後、北畠治房）は男爵となり、おなじく土佐出身の伊吹周吉（明治後、石田英吉）も、男爵になっている。

三枝蓊のみは、極刑になった。節を守り、節に殉ずるところ、はるかに右の両男爵よりも醇乎《じゅんこ》としていたのだが。

三枝の生家は、いまも奈良県大和郡山市椎木町（新地名）で、東本願寺派末寺浄蓮寺としてのこっている。檀家二十一戸の貧寒たる寺である。現在職は、龍田晶という初老の僧で、三枝との血縁はない。

冬の朝、この寺から東を望むと、藍色の伊賀境いの連山が美しい。

あとがき

暗殺だけは、きらいだ。

と云い云い、ちょうど一年、数百枚にわたって書いてしまった。

暗殺者の定義とは「何等かの暗示、または警告を発せず、突如襲撃し、または偽計を用いて他人を殺害する者」をいう。人間のかざかみにもおけぬ。

とおもう感情は、私のように泰平の世に遇会して「天下のために死なねばならぬ」客観的必要のいささかもない書斎人のねごとであろう。

歴史はときに、血を欲した。

このましくないが、暗殺者も、その兇手に斃れた死骸も、ともにわれわれの歴史的遺産である。

そういう眼で、幕末におこった暗殺事件を見なおしてみた。そして語った。しかしながら、小説風に。

なぜ「小説風に」書いたかといえば、幕末の暗殺は、政治現象である。政治情勢から出てきている。主人公はあくまでも政治思想であって、歴史を書くばあいならばその政治情勢と思想に紙数を九割ついやさねばならぬであろう。

が、それは、歴史に興味のない読者にとっては、月遅れの新聞の政治面を読むよりも無味乾燥である。

なるべくそれを端折り、人間と事件にはなしの中心をおろした。歴史書ではないから、数説ある事柄は、筆者が、このほうがより真実を語りやすいと思う説をとり、それによって書いた。だから、小説である。

暗殺は、歴史の奇形的産物だが、しかしそれを知ることで、当時の「歴史」の沸騰点がいかに高いものであったかを感ずることができる。ロシア革命党が、皇帝アレキサンダー二世を暗殺しようとし、執拗な計画をたて、計画を変えること十一回、失敗をかさねつつ、じつに十五年の長きにわたった。歴史の平静な時期の人間には、想像もできない異常さである。

この連作には、人斬りの異名で有名な岡田以蔵、河上彦斎をとりあげなかった。幕末を象徴する典型的暗殺者であるこの二人については、井上友一郎氏、海音寺潮五郎氏、今東光氏らの好編がある。

ことさらにはずした。


書きおわって、暗殺者という者が歴史に寄与したかどうかを考えてみた。ない。

ただ、桜田門外ノ変だけは、歴史を躍進させた、という点で例外である。これは世界史的にみてもめずらしい例外であろう。

その後、幕末に盛行した佐幕人、開国主義者に対する暗殺は、すべてこれに影響された亜流である。暗殺者の質も低下した。桜田門外の暗殺者群には、昂揚した詩精神があったが、亜流が亜流をかさねてゆくにしたがい、一種職業化し、功名心の対象になった。

暗殺は否定すべきであるが、幕末史は、かれら暗殺者群によって暗い華やかさをそえることは否定できないようである。

昭和三十八年十一月

解説

桶谷秀昭

幕末動乱期の暗殺者を主人公にした十二篇の短篇群である。

作者の「あとがき」によると、暗殺者だけは書きたくなかつたらしい。書きながらも、「暗殺だけは、きらいだ」といひつづけてゐたといふ。

暗殺者には、掬すべき人間らしい動機がすこしも見当らない。つまり「人間のかざかみにもおけぬ」、そんな人物を主人公にした小説は、書きたくないと、作者は考へてゐる。

これは作者が、ジャアナリズムの要請にしたがつて書いたのであらう。しかし、書く以上は、作者にそれなりの動機がなければならない。職業小説家といふものは、書きたくないものを書かなければならないことがある。

好悪の情以外にその動機を求めて、「このましくないが、暗殺者も、その兇手に斃れた死骸も、ともにわれわれの歴史的遺産である」といふ見方に作者は立った。

江戸十九世紀中ばから後半にかけての、黒船による外圧と幕府の無力といふ危機的状況の中で生まれた政治思想と権力抗争が、暗殺者といふ「奇型的産物」を生じた。さう考へれば、暗殺者にも歴史的な存在理由はある。

しかし、あくまで「奇型的産物」なのであつて、政治思想の必然的な人間的具現ではない。この、政治思想、尊皇攘夷と呼ばれたイデオロギイと暗殺者の行動のあひだには、さむざむとした風が吹いてゐる。それを、暗殺者たちは、ほとんど自覚してゐない。

そんな思ひのために、作者は、暗殺者たちを主人公とするより、彼ら「奇形的産物」を生んだ歴史的なさまざまな連関の総体を主人公と見立て、「幕末」と名づけたのであらう。

冒頭の「桜田門外の変」は、例外的な一篇である。そのゆゑんを作者はいふ。

「この桜田門外から幕府の崩壊がはじまるのだが、その史的意義を説くのが本篇の目的ではない。ただ、暗殺という政治行為は、史上前進的な結局を生んだことは絶無といっていいが、この変だけは、例外といえる。明治維新を肯定するとすれば、それはこの桜田門外からはじまる。斬られた井伊直弼は、その最も重大な歴史的役割を、斬られたことによって果たした。」

この短篇の主人公は、薩摩藩士有村治左衛門である。作者はこの人物の朴訥な性格とその純粋なこころざしを、愛情をもつて描いてゐる。有村家の三兄弟の中で、長兄はもつとも世渡りの才覚があり、西郷、大久保にひきたてられて、海江田武次と名のり、維新後は元老院議官にまでなつたが、もつとも人物が小さかつたことを、作者は、治左衛門の人柄の純粋と対比させていふのを忘れてゐない。

かういふ偏狭な小人物が生き延びて維新政府の高位高官に登りつめたことを思へば、有村治左衛門の行動と死が、歴史的遺産たりうることを、この一篇はよく示してゐる。

清河八郎を描いた「奇妙なり八郎」になると、それは題名の示す通り、投機的功名心に駆られた策士の、奇妙としかいひやうがない生涯である。

ところで、『幕末』が単行本となった昭和三十八年といふ年は、『竜馬がゆく』（立志篇）が出た年である。つまり『幕末』の短篇連作は長篇『竜馬がゆく』の最初の部分とほぼ並行して書かれてゐた。

「花屋町の襲撃」は、慶応三年十一月十五日に坂本竜馬と中岡慎太郎が京都河原町で、何者かによつて暗殺されてから十日ほどたつた頃、おなじ河原町の酢屋といふ材木商に、あらはれた宗十郎頭巾に面をかくした陸奥《むつ》陽之助の姿から描き出されてゐる。

海援隊副長格の陸奥が、自分の才能を見出して愛した故人坂本竜馬への愛惜の念もだしがたく、復讐を決意して、腕の立つ剣客を探してゐる。この復讐譚が他の暗殺劇とちがふのは、その動機が、坂本竜馬の人柄が放つた独特の魅力を記憶してゐる人間たちの愛惜の念から発してゐるところにある。

陸奥が探し出した剣客後家《ごけ》鞘《ざや》彦六にしても、坂本に一度会つたきりで、そのときに受けた人間的魅力を、恩義のやうに思つてゐる人物である。田宮流の居合抜の達人だが、和算の学に通じ、その才能が仇になつて金貸しの手代になりさがつて身すぎ世すぎとしてゐる。尊皇攘夷の浪士連とは、手づるがないためにつきあひがない。

いまひとりの十津川郷士中井庄五郎は、刺客の類型に入る人物だが、功利の念にとぼしく、坂本に一度酒を御馳走になり、自分と対等に時勢を談じてくれた感激を忘れることができず、復讐の挙に加はる。

しかしこれは失敗にをはつた。坂本竜馬を直接に殺した刺客が新選組の隊士であることは見当がついたが、新選組をそそのかして坂本暗殺の指令を下したのが紀州藩用人の三浦休太郎といふ佐幕派の大物で、この三浦を斬ることが目的だつたが、護衛の新選組隊士に邪魔され、重傷を負はせたにとどまつた。中井庄五郎はこの乱闘で斬殺されてゐる。

この事件の二日後に王政復古の大号令が下つた。だからこの復讐の挙は、目的を達したとしても、歴史の流れの大局に何の関係もない。ただ、動機が人間的なのである。

「猿ケ辻の血闘」は、薩摩の刺客で有名な田中新兵衛のほとんど無意味な末路を描いてゐる。姉小路卿暗殺事件にかかはる謎めいたエピソオドであるが、作者は、この謎の背景に、会津藩の密偵大庭恭平といふ刺客との交友と、血気にはやつた私闘を描いてゐる。しかし、この大庭恭平も、姉小路卿暗殺事件の翌日、自害してゐる。が、これも何のための自害かわからない。ただ、会津藩の政略に強ひられた犠牲者のやうにも思はれる。

暗殺者の動機の廃頽と陰惨を、とりわけ印象づけるのは、「冷泉斬り」である。

正六位の朝臣絵師冷泉為恭《れいぜいためたか》が、ふるくから三条実美《さねとみ》公の邸に出入りしてをり、朝議の機密がしきりに幕府側に洩れるのは、この絵師のせゐではないかといふ臆測がひろがつてゐる。尊攘浪人らがその臆測に立つて、「天誅」を加へるといふ。「天誅」はその言葉も行動も当時の流行で、彼ら浪人らは、功名心からわれさきに「天誅」をおこなはうと躍起になつてゐる。

この動機の廃頽に見合ふやうに、冷泉為恭の内儀綾子が世にもまれなうつくしい女で、隣家の姻戚の甥に当る男と不義密通を犯してゐる。

冷泉為恭暗殺をさそはれた長州脱藩浪人間崎馬之助は、「天誅」ばやりにひそかに反感を抱いてをり、暗殺の相手が絵師であることも手伝つて、実情を調べるために夜陰に乗じて、その邸内に忍び込み、綾子の不義密通の現場を目撃し、いやになつて立ち去らうとしたとき、綾子にみつけられ、声をかけられる。

馬之助は現場を見なかつたことにし、それとひきかへに主人為恭の居どころを教へよと迫り、いはば綾子と密約を交はす。しかし馬之助は為恭襲撃に加はらない。その理由を同志にも告げず、自分の心に問ふのもためらふ。

一方、冷泉邸の護衛の任に当つてゐる新選組の米田鎌次郎は綾子に懸想して、言ひ寄り想ひを遂げる。為恭襲撃は馬之助が加はらなかつたために失敗し、同志一人が米田鎌次郎に斬殺される。為恭は恐怖におそはれて大和まで逃げるが、執拗な「天誅」浪士のために惨殺される。馬之助はその後、路上で偶然、米田鎌次郎と出会ひ、一刀のもとに斬り殺し、辛うじて京の浪士間での自分の存在理由をたしかめる。

無力な絵師を追ひまはして弄《なぶ》り殺しにする「天誅」の功名争ひの愚劣と陰惨を、作者はひややかに描いてゐる。

「祇園囃子」の土佐藩士山本旗郎が、十津川郷士浦啓輔《うらけいすけ》をかたらつて、水戸藩京都警衛指揮役住谷《すみや》寅之介《とらのすけ》を暗殺するといふ動機は、薩長が倒幕の秘密盟約を結んだといふ情報にたよつて、もはや公武合体を唱へる者はすべて朝敵であるがゆゑに斬るべしといふ、浅薄な情勢論である。住谷寅之介が藤田東湖亡きあとの第二の東湖といはれる見識の持主であることや、水戸学の尊皇攘夷運動における悲劇的先駆性を回想するやうな歴史感覚など薬にしたくもない。

その暗殺行為も、切り盗り強盗のたぐひと変らない卑劣きはまる仕業である。

「死んでも死なぬ」は、元治元年、刺客におそはれて九死に一生を拾つた井上聞多を書いてゐる。戦争期、私らは国定教科書の国語で、この話を美談として知つた。作者は、この人物を、「横浜で清国人が食っている黄色い高粱饅頭を思わせるような、ぶよぶよした扁平づらで、まるで品というものがない」さういふ容貌にふさはしい精神の持主として描いてゐる。情勢によつて、いとも簡単に変節する。

明治初年の頃、宴席で、西郷隆盛が、井上馨（聞多改め）にむかひ、「三井の番頭さん、一杯いかう」とからかつたといふ、有名な話があるが、作者もまた、おなじやうなことをいひたかったのであらう。

「……この男は維新前、山口讃井町の袖解橋《そでときばし》で死ぬべきであったかもしれない。維新政府では伊藤博文の下で顕職を歴任し、貪官汚吏《たんかんおり》の巨魁《きょかい》として悪名をのこした。」

巻末の「最後の攘夷志士」は、冒頭の「桜田門外の変」に対応して、『幕末』一巻の首尾をなす。その主人公は天誅組の生き残りの市川精一郎、改名して三枝蓊《さえぐさしげる》である。彼は藤本鉄石の南画の弟子で、かつ伴林光平《ともばやしみつひら》の国学の弟子である。そして、明治維新政府成立後も、伴林光平の忠実な弟子でありつづけた。すでに、維新政府は、薩長同盟のときから、攘夷を捨ててゐる。攘夷は倒幕のための口実に変質してゐた。

三枝は英国公使パークスの行列に斬り込み、斬人斬馬の剣をふるひ、刀折れたとき英国兵の銃による乱射によつて倒れ、捕縛され、かつての攘夷の同志の手によつて梟首《きょうしゅ》の極刑に処せられ、永遠の罪名を得た。

三枝の行為は、わづか数か月の差によつてアナクロニズムの烙印を押され、歴史から葬られた。しかし作者は、その大和の生家の檀家二十一戸の貧寒たる東本願寺派末寺から望む風景の凜《りん》とした美しさを述べてゐる。

「冬の朝、この寺から東を望むと、藍色の伊賀境いの連山が美しい。」

（文藝評論家）

本書は一九七七年一月に刊行された
文春文庫「幕末」の新装版です。

文春文庫

©Midori Fukuda 2001

幕《ばく》末《まつ》

定価はカバーに
表示してあります

2001年9月10日　新装版第1刷
2004年1月5日　第7刷

著　者　司《し》馬遼《ばりよう》太《た》郎《ろう》
発行者　白川浩司
発行所　株式会社　文藝春秋
東京都千代田区紀尾井町3-23　〒102-8008
TEL 03・3265・1211
文藝春秋ホームページ　http://www.bunshun.co.jp
文春ウェブ文庫　http://www.bunshunplaza.com

落丁、乱丁本は、お手数ですが小社営業部宛お送り下さい。送料小社負担でお取替致します。

印刷・凸版印刷　製本・加藤製本

Printed in Japan
ISBN4-16-710593-4

文春文庫

司馬遼太郎の本

（　）内は解説者

司馬遼太郎
十一番目の志士（上下）

天堂晋助は長州人にはめずらしい剣のスーパーマン。高杉晋作は、旅の道すがら見た彼の剣技に惚れこみ、刺客として活用する。型破りの剣客の魅力ほとばしる長篇。（奈良本辰也）

し-1-2

司馬遼太郎
世に棲む日日（全四冊）

幕末、ある時点から長州藩は突如倒幕へと暴走した。その原点に立つ吉田松陰と、師の思想を行動化したその弟子高杉晋作を中心に変革期の人物群を生き生きと描き出す。

し-1-4

司馬遼太郎
酔って候

土佐の山内容堂を描く「酔って候」、薩摩の島津久光の「きつね馬」、宇和島の伊達宗城の「伊達の黒船」、鍋島閑叟の「肥前の妖怪」と、四人の大名を材料に幕末を探る。

し-1-8

司馬遼太郎
功名が辻（全四冊）

戦国時代、戦闘も世渡りもからきし下手な夫・山内一豊を、三代の覇者交代の間を巧みに泳がせて、ついには土佐の太守に仕立て上げたその夫人のさわやかな内助ぶり。（永井路子）

し-1-17

司馬遼太郎
故郷忘じがたく候

秀吉の朝鮮侵攻のおり、薩摩に連れてこられた陶工たちが、帰化しても姓をあらためず、故国の神をまつりながら生きつづけて来た姿を描く表題作に、「斬殺」「胡桃に酒」を収録。

し-1-21

司馬遼太郎
歴史を紀行する

風土を考えずに歴史も現在も理解しがたい場合がある。高知、会津若松、佐賀、京都、鹿児島、大阪、盛岡など十二の土地を選んで、その風土と歴史の交差部分を見なおした紀行。

し-1-22

文春文庫

司馬遼太郎の本

（　）内は解説者

幕末
司馬遼太郎

歴史はときに血を欲する。若い命をたぎらせて凶刃をふるった者も、それによって非業の死をとげた者も、ともに歴史的遺産だ。幕末に活躍した暗殺者たちの、いわば列伝である。

し－1－23

夏草の賦（上下）
司馬遼太郎

戦国時代に四国の覇者となった長曾我部元親。ぬかりなく布石し、攻めるべき時に攻めて成功した深慮遠謀ぶりと、政治に生きる人間としての人生を、妻との交流を通して描いた長篇。

し－1－24

義経（上下）
司馬遼太郎

牛若丸としての少年時代から、義経となって華やかに歴史に登場したこの武将は、軍事的な天才ではあったが、あわれなほどに政治感覚がなかったため、ついに悲劇的な最期に至った。

し－1－26

日本人を考える
司馬遼太郎対談集
司馬遼太郎

梅棹忠夫、犬養道子、梅原猛、向坊隆、高坂正堯、辻悟、陳舜臣、富士正晴、桑原武夫、貝塚茂樹、山口瞳、今西錦司の十二氏を相手に、日本と日本人について興味深い話は尽きない。

し－1－36

殉死
司馬遼太郎

戦前は神様のような存在だった乃木将軍は、無能ゆえに日露戦争で多くの部下を死なせたが、数々の栄職をもって晩年を飾れた。明治天皇に殉死した彼の人間性を解明した問題作。

し－1－37

余話として
司馬遼太郎

アメリカの剣客、策士と暗号、武士と言葉、幻術、ある会津人のこと、『太平記』とその影響、日本的権力についてなど、歴史小説の大家がおりにふれて披露した興味深い、歴史こぼれ話。

し－1－38

文春文庫

司馬遼太郎の本

（　）内は解説者

司馬遼太郎
翔ぶが如く（全十冊）
〈新装版〉

明治新政府にはその発足時からさまざまな危機が内在外在していた。征韓論から西南戦争に至るまでの日本をダイナミックに捉えた大長篇小説。ＮＨＫ大河ドラマ原作。（平川祐弘）

し-1-39

司馬遼太郎
木曜島の夜会

オーストラリア北端の木曜島で、明治初期から白蝶貝採集に従事する日本人ダイバーたちがいた。彼らの哀歓を描いた表題作他「有隣は悪形にて」「大楽源太郎の生死」「小室某覚書」収録。

し-1-49

司馬遼太郎
歴史を考える
司馬遼太郎対談集

日本人をつらぬく原理とは何か。千数百年におよぶわが国の内政・外交をふまえながら、三人の識者、萩原延壽、山崎正和、綱淵謙錠各氏とともに、日本の未来を模索し推理する対談集。

し-1-50

司馬遼太郎・陳舜臣
対談
中国を考える

日本と密接な関係を保ちつづけてきた中国を的確に理解しているだろうか。両国の歴史に造詣の深い両大家が、長い過去をふまえながら思索した滋味あふれる中国論。

し-1-51

司馬遼太郎
ロシアについて
北方の原形

日本とロシアが出合ってから二百年ばかり、この間不幸な誤解を積み重ねた。ロシアについて深い関心を持ち続けてきた著者が、歴史を踏まえて、未来を模索した秀逸なロシア論。

し-1-58

司馬遼太郎
手掘り日本史

私の書斎には友人たちがいっぱいいる――史料の中から数々の人物を現代に甦らせたベストセラー作家が、独自の史観と発想の核心について語り下ろした白眉のエッセイ。（江藤文夫）

し-1-59

司馬遼太郎の本

（　）内は解説者

司馬遼太郎
この国のかたち（全六冊）
長年の間、日本の歴史からテーマを掘り起こし、香り高く豊かな作品群を書き続けてきた著者が、この国の成り立ちについて、独自の史観と明快な論理で解きあかした注目の評論。

し-1-60

司馬遼太郎
八人との対話
山本七平、大江健三郎、安岡章太郎、丸谷才一、永井路子、立花隆、西澤潤一、A・デーケンといった各界の錚々たる人びとと文化、教育、戦争、歴史等々を語りあう奥深い内容の対談集。

し-1-63

司馬遼太郎
最後の将軍
徳川慶喜〈新装版〉
すぐれた行動力と明晰な頭脳を持ち、敵味方から怖れと期待を一身に集めながら、ついに自ら幕府を葬り去らなければならなかった最後の将軍徳川慶喜の悲劇の一生。　（向井敏）
し-1-65

井上靖・司馬遼太郎
西域をゆく
少年の頃からの憧れの地へ同行した二大作家が、興奮も覚めやらぬままに語った、それぞれの「西域」。東洋の古い歴史から民族、そしてその運命へと熱論は続く。　（平山郁夫）
し-1-66

司馬遼太郎
竜馬がゆく（全八冊）
〈新装版〉

土佐の郷士の次男坊に生まれながら、ついには維新回天の立役者となった坂本竜馬の奇跡の生涯を、激動期に生きた多数の青春群像とともに大きなスケールで描く永遠の青春小説。

し-1-67

司馬遼太郎
歴史と風土
「関ヶ原の戦い」と「清教徒革命」の相似点、『竜馬がゆく』執筆に到るいきさつなど、司馬さんの肉声が聞こえてくるような談話集。全集第一期の月報のために語られたものを中心に収録。

し-1-75

文春文庫

司馬遼太郎の本

（　）内は解説者

司馬遼太郎
坂の上の雲（全八冊）〈新装版〉
松山出身の歌人正岡子規と軍人の秋山好古・真之兄弟の三人を中心に、維新を経て懸命に近代国家を目指し、日露戦争の勝利に至る勃興期の明治を描く大河小説。（島田謹二）
し-1-76

司馬遼太郎
菜の花の沖（全六冊）〈新装版〉
江戸後期、ロシア船の出没する北辺の島々の開発に邁進し、日露関係のはざまで数奇な運命をたどった北海の快男児、高田屋嘉兵衛を描いた雄大なロマン。（谷沢永一）
し-1-86

司馬遼太郎
ペルシャの幻術師
十三世紀、ユーラシア大陸を席巻する蒙古の若き将軍の命を狙うペルシャの幻術師の闘いの行方は……幻のデビュー作を含む、直木賞受賞前後に書かれた8つの異色短篇集。（磯貝勝太郎）
し-1-92

尾崎秀樹
歴史の中の地図
司馬遼太郎の世界
司馬文学の魅力は独特な乱世史観をささえる現代性と風土性にある。この歴史文学の名匠の足跡を克明にたどり、史実と虚構の間に潜む作家の秘密を明らかにしたユニークな文学紀行。
お-14-2

谷沢永一
司馬遼太郎エッセンス
司馬遼太郎を同時代人としてもち、その作品をもぎたての果実として味わうことができたのはまさに天恵、と著者は語る。稀代の読書人が心血をそそいで書きあげた、最上の司馬文学案内！
た-17-2

文藝春秋編
司馬遼太郎の世界
国民作家と親しまれ、混迷の時代に生きる日本人に勇気と自信を与え続けている文明批評家にして小説家、司馬遼太郎への鎮魂歌。作家、政治家、実業家など多彩な執筆陣。待望の文庫化。
編-2-27

文春文庫

時代小説

（　）内は解説者

海王伝
白石一郎

黄金丸の船大将・笛太郎は、シャムを本拠地とする実父と宿命的な対決をする。海賊の生態を克明に描いて、海洋時代小説の金字塔となった直木賞受賞作「海狼伝」の続篇。（縄田一男）

し-5-11

戦鬼たちの海
織田水軍の将・九鬼嘉隆
白石一郎

志摩の土豪から身を起こした九鬼嘉隆は織田信長の知遇を得て運命がひらけた。織田水軍の総大将として海戦に明け暮れた戦国大名の数奇な人生を描く柴田錬三郎賞受賞作。（縄田一男）

し-5-13

江戸の海
白石一郎

釣り好きの三人がそれぞれの釣りの動機、身の上話を語り合う表題作と「島火事」「十人義士」「海の御神輿」「勤番ざむらい」「夕凪ぎ」「悪党たちの海」など十篇を収録する。（植村修介）

し-5-14

切腹
白石一郎

イギリス軍艦が鎖国下の長崎に入港、薪水、食糧などを獲得して出港した。長崎奉行はその責任をとって非業の死を遂げた。表題作ほか「朱印船の花嫁」「鄭成功」。（石井冨士弥）

し-5-16

投げ銛千吉廻船帖
白石一郎

深川の長屋に住む千吉が再び傭われ船頭として海に戻った。右手から投げる長さ八寸の銛を武器に様々な事件を解決する。江戸の下町と海を舞台にした痛快連作長篇小説。（清原康正）

し-5-17

風雲児（上下）
白石一郎

シャムに渡ってアユタヤの日本人町の頭領となった山田長政は内戦の鎮圧が国王に認められて宮廷の武将としての頂点に立った。異国で波瀾の生涯を送った男の夢と冒険を描く。（縄田一男）

し-5-18

文春文庫　最新刊

心では重すぎる 上下　大沢在昌
失踪した人気漫画家の行方を追う探偵・佐久間公の前に、謎の女子高生が立ちはだかる!?

弥陀の橋は 上下　親鸞聖人伝　津本　陽
開祖・親鸞聖人の教義の源流に、熱心な門徒である著者がせまり、判りやすく説き明かす

氷葬　諸田玲子
男に辱められ、激情から男を殺してしまった下級武士の妻。死体を沈めた沼は氷結したが

陸影を見ず　曽野綾子
核燃料輸送船の60日間に及ぶ無寄港航海の困難に満ちた日々を描く曽野流海洋文学の頂点

ろくでなし　冨士眞奈美
アル中でどうしようもない夫。長い年月懸命に生きてきた妻の感情がいま暴れはじめる！

幕末新選組〔新装版〕　池波正太郎
女には弱いが剣術では近藤勇以上と噂された永倉新八の七十七年に及ぶ生涯を爽快に描く

すっぴん魂　室井　滋
たとえメイクはしていても、心の中はいつもスッピン。大笑いの後で、ホロリと泣ける！

焚火オペラの夜だった　椎名　誠
酒、旅の話はもちろんのこと、今回は自らが考案した「浮き玉▲ベースボール」の話題も

人情話　松太郎　高峰秀子
江戸っ子作家・川口松太郎に名エッセイストがインタビュー。人情味豊かな昔話をどうぞ

風の良寛　中野孝次
良寛の詩・歌を愛する著者が物にこだわらず生きることを楽しむ大切さを明示した名著！

狂言じゃ、狂言じゃ！　茂山千之丞
「狂言界の異端児」がドライで明るい狂言の世界を分かり易く案内。狂言は昔の吉本新喜劇

脱サラ帰農者たち　わが田園オデッセイ　田澤拓也
松下電器、住友商事、彼らは何故会社を辞めたのか？人生の収穫期に農業を選んだ男たち

無茶な人びと　中野　翠
酒鬼薔薇事件やダイアナ元妃の交通事故死などショッキングな事件続出で呆然の97年時評

喪失の国、日本　インド・エリートビジネスマンの「日本体験記」　M・K・シャルマ　山田　和訳
インド人が日本での赴任経験を語った体験記。90年代に日本が喪った物を鋭く描く日本人論

勇気の木　ダイアン・チェンバレン　羽田詩津子訳
娘を探す母。娘を救わんとする母。二人の母親の無償の愛が交錯する傑作サスペンス長編

わが母なる暗黒　ジェイムズ・エルロイ　佐々田雅子訳
十歳の時に絞殺された母。母の死の謎を追う執念の調査に至るまでを赤裸々に描く私小説